GAROTO ZIGUE-ZAGUE

A marca FSC® é a garantia de que a madeira utilizada na fabricação do papel deste livro provém de florestas que foram gerenciadas de maneira ambientalmente correta, socialmente justa e economicamente viável, além de outras fontes de origem controlada.

DAVID GROSSMAN

Garoto zigue-zague

Tradução do hebraico
George Schlesinger

Copyright © 1994 by David Grossman

Grafia atualizada segundo o Acordo Ortográfico da Língua Portuguesa de 1990, que entrou em vigor no Brasil em 2009.

Título original
Yesh yeladim zigzag

Capa
warrakloureiro

Foto de capa
Eddy Joaquim/ Getty Images

Preparação
Ana Cecília Agua de Mello

Revisão
Angela das Neves
Renata Lopes Del Nero

Dados Internacionais de Catalogação na Publicação (CIP)
(Câmara Brasileira do Livro, SP, Brasil)

Grossman, David
    Garoto zigue-zague / David Grossman ; tradução George Schlesinger. — 1ª ed. — São Paulo : Companhia das Letras, 2014.

    Título original: Yesh yeladim zigzag
    ISBN 978-85-359-2424-4

    1. Ficção israelense I. Título.

14-02497   CDD-892.43

Índice para catálogo sistemático:
1. Ficção : Literatura israelense 892.43

[2014]
Todos os direitos desta edição reservados à
EDITORA SCHWARCZ S.A.
Rua Bandeira Paulista, 702, cj. 32
04532-002 — São Paulo — SP
Telefone: (11) 3707-3500
Fax: (11) 3707-3501
www.companhiadasletras.com.br
www.blogdacompanhia.com.br

Para os meus filhos, Yonatan, Uri e Ruti

1.

O trem apitou e começou a deixar a estação. O menino parado junto à janela de um dos vagões observava o homem e a mulher que lhe acenavam da plataforma. O homem, acenando com apenas uma das mãos, fazia gestos miúdos e encabulados. A mulher acenava com as duas, agitando um enorme lenço vermelho. O homem era seu pai, a mulher era Gabriela, quer dizer, Gabi. O homem trajava uniforme de polícia, pois era policial. A mulher trajava um vestido preto, pois preto emagrece. Roupas com listras verticais também emagrecem. E o que mais emagrece, brincava Gabi, é ficar ao lado de alguém mais gordo que você. Mas eu ainda não achei ninguém.

O menino na janela do trem se afastando, que observava os dois como se olhasse para uma imagem que jamais voltaria a ver, esse menino era eu. Agora eles vão ficar sozinhos durante dois dias, pensei. Está tudo perdido.

Este pensamento me agarrou pelos cabelos e pôs minha cabeça para fora da janela. A boca do meu pai começou a se entortar numa expressão que Gabi chama de "o último aviso antes da sentença". E eu com isso? Se ele realmente se preocupasse comigo, não me mandaria para Haifa por dois dias. E logo na casa de quem.

Um homem com uniforme de ferroviário, parado na plataforma, apitou com força em minha direção e, com gestos largos, fez sinal para que eu pusesse a cabeça para dentro. É uma coisa muito louca como as pessoas de uniforme e apito sempre me descobrem, até mesmo dentro de um trem lotado. Não pus a cabeça para dentro. Ao contrário. Pus ainda mais para fora. Para que papai e Gabi me vissem até o último momento. E se lembrassem do garoto.

O trem ainda seguia pela plataforma. Devagarinho, foi passando por lufadas de ar quente e denso, e cheiro de óleo diesel. Comecei a sentir também uma coisa nova. Cheiro de viagem. De liberdade. Estou viajando! Estou sozinho! Primeiro dei uma face, depois a outra, para as carícias daquele vento quente, tentando a todo custo secar o beijo do meu pai. Ele nunca me beijou assim, na frente de outras pessoas. Qual é, por que me dar um beijo desses e depois me mandar embora?

Agora já são três os guardas da estação apitando para mim da plataforma. Uma verdadeira orquestra. E já que não dava mais para enxergar papai e Gabi, puxei o corpo para dentro, devagar, impassível, para mostrar que não estou nem aí para os apitos.

Sentei. Se pelo menos houvesse mais alguém comigo na cabine. E agora? Quatro horas de viagem de Jerusalém a Haifa, e, no fim da jornada, quem é que vai estar à minha espera? O sisudo e carrancudo doutor Shmuel Shilhav, professor e educador, editor de sete livros didáticos sobre o tema Educação e Cidadania, e por acaso também meu tio, o irmão mais velho do meu pai.

Levantei. Verifiquei duas vezes como a janela abre e fecha. Abri e fechei também a tampa da lata de lixo. Na cabine não havia mais nada para abrir e fechar. Tudo funcionando às mil maravilhas. Realmente, um trem perfeito.

Aí subi no banco e fiquei de pé no banco. Depois, consegui me enfiar inteiro no compartimento de cima, da bagagem. Desci de cabeça para baixo, até chegar ao chão. Aí verifiquei se por acaso um certo alguém não teria perdido algum dinheiro debaixo dos bancos. Nada. Esse certo alguém é muito responsável.

Eles que vão para o inferno, papai e Gabi! Como puderam me mandar desse jeito para a casa do tio Shmuel, ainda mais uma semana antes do meu bar mitzvah? No caso de papai, tudo bem, ele reverencia o irmão mais velho e o respeita como pedagogo. Mas Gabi? Que pelas costas o chama de "corujão"? É este o presente especial que ela me prometeu?

No banco revestido de couro havia um buraquinho. Enfiei o dedo e o transformei num buracão. Às vezes a gente consegue achar dinheiro em lugares desse tipo. Mas só achei molas e espuma. Durante quatro horas vou poder escavar um túnel com o dedo por ao menos três vagões em direção à liberdade, sumir e não chegar nunca até Shmuel Shilhav (aliás, Feierberg). Aí vamos ver se me mandam para lá outra vez.

O meu dedo acabou muito antes de terminarem os três vagões. Deitei no banco com os pés para cima. Sou um prisioneiro. Um prisioneiro em trânsito. Estou sendo levado para o juiz. Caiu dinheiro do meu bolso. As moedas rolaram por toda a cabine. Achei uma parte delas, a outra parte não achei.

Todos os jovens da família passaram alguma vez na vida por este duro tratamento com o tio Shilhav, um ritual de suplícios que Gabi chama de *shilhavidão*. Só que para mim já é a segunda vez. Ninguém jamais passou pela shilhavidão duas vezes e permaneceu sadio de espírito. Pulei em cima do banco e comecei a bater na parede do vagão. Depois, passei a dar batidas ritmadas. Quem sabe na cabine ao lado estivesse algum outro preso desesperado como eu, interessado em se corresponder com seus irmãos de destino? Quem sabe o trem estivesse cheio de delinquentes juvenis sendo todos transportados para a casa do meu tio? Bati de novo, desta vez com o pé. Veio o fiscal de bilhetes gritando para eu ficar sentado e quieto. Sentei.

A primeira vez que me mandaram para a shilhavidão bastou para mim pelo resto da vida. Foi depois do que me aconteceu com Péssia Mautner, a vaca. O irmão do meu pai me trancou numa saleta minúscula e sufocante, e durante duas horas seguidas se dedicou exclusivamente a mim, sem misericórdia. Começou a preleção em tom suave, em voz baixa, controlada, e até conseguiu se lembrar do meu nome. Mas depois de alguns instantes aconteceu o que sempre acontece com ele: esqueceu completamente onde estava, e que estava só comigo. Sentiu que estava num púlpito imenso, numa praça, diante de uma plateia enorme de alunos e admiradores que tinham vindo lhe prestar a última homenagem.

E agora, lá vou eu mais uma vez. E sem motivo algum. Por uma bobagem. "Antes do bar mitzvah você precisa escutar o que o seu tio Shmuel tem a lhe dizer", disse Gabi. De repente, sem mais nem menos, ele virou "o meu tio Shmuel"?

Como se eu não soubesse o verdadeiro motivo:

Para conseguir se separar do meu pai, Gabi precisa que eu não esteja lá, perto dela.

Levantei. Fiquei de pé. Zanzei de um lado pro outro. Sentei. Eu não podia ter viajado. Conheço os dois. Eles vão brigar e dizer coisas terríveis um para o outro se eu não estiver junto deles. E depois vai ser impossível consertar. Aí está o meu destino, determinado e selado.

"Por que não falamos sobre isso no trabalho?", meu pai pergunta então para Gabi. "Já estou atrasado."

"Porque no trabalho sempre tem gente circulando na sala, e alguém sempre telefona no meio, e é impossível conversar. Venha, vamos a um café."

"A um café?", espanta-se o meu pai, "no meio do dia? É tão sério assim?"

"Pare de fazer gozação de tudo", ela se irrita, a ponta do nariz já ficando vermelha, antes de chegarem as lágrimas.

"Se for de novo sobre aquele assunto", diz papai, endurecendo a voz, "pode esquecer. Nada mudou para mim desde que falamos a última vez. Ainda não estou pronto."

"Desta vez você vai ouvir o que eu tenho a dizer", diz Gabi, "e vai me deixar falar até o fim. Você pode ao menos escutar!"

Eles entram no carro de polícia, o papai guiando. As insígnias nos seus ombros brilham em sinal de advertência. A expressão, séria. Gabi se encolhe no banco. Mesmo antes de começarem a falar eles já estão brigando. Gabi tira da bolsa um espelhinho redondo. Olha por um instante para a face que a encara do outro lado. Tenta ajeitar o emaranhado de cabelos cacheados, a cabeleira desgrenhada. "Cara de macaco", ela pensa consigo mesma.

"De jeito nenhum!", explodi dentro do trem em movimento. Eu nunca deixava que ela xingasse a si mesma. "Você até que tem uma cara interessante." E sentindo que isso não era o bastante para convencê-la, acrescentava: "O importante é que você tem beleza interior".

"Essa eu já ouvi", ela responde azeda, "mas o interessante é que nunca fazem concurso para escolher a Miss Beleza Interior."

De repente me vi de pé ao lado da pequena alavanca, vermelha, presa na parede junto à janela do trem. Não era um bom lugar para mim, estando eu naquela situação. Uma alavanca como esta pode parar o trem inteiro se for puxada por acaso. Li o aviso da administração da companhia: *Somente em caso de emergência é permitido puxar a alavanca. Quem puxar a alavanca e parar o trem injustificadamente está sujeito a uma multa pesada e prisão.* Comecei a sentir uma coceirinha nos dedos. Na ponta de cada dedo, e também entre um dedo e outro. Li o aviso outra vez, em voz alta e clara, tim-tim por tim-tim. Não adiantou. As palmas das mãos começaram a suar. Meti as mãos nos bolsos. Mas elas tornaram a sair. E quem não as conhece poderia pensar, "é só um par de mãos bobas querendo tomar ar fresco". O meu corpo inteiro começou a suar. Toquei na corrente que uso no pescoço. Havia uma cápsula de bala pendurada nela, pesada, gelada, tranquilizadora. É do corpo do seu pai, eu disse a mim mesmo baixinho, tiraram do ombro dele; e ela toma conta de mim para eu não fazer bobagem. Mas o meu corpo todo já está coçando.

Eu conheço essa sensação e sei como vai acabar. Começou o falatório dentro da minha cabeça: será que o maquinista da locomotiva vai saber em que cabine puxaram a alavanca? Mas e se na locomotiva ele tiver um aparelho que mostre em que cabine foi? Bom, posso puxar a alavanca aqui e fugir correndo para outro vagão. Mas e se acharem minha impressão digital na alavanca? Será que vale a pena puxar com a mão bem embrulhada em algum pano?

Eu não posso entrar em discussões como essa. Quando começo a discutir desse jeito, sempre saio perdendo. Expandi os músculos das costas e fiquei parado como papai, músculos e postura de urso, e disse a mim mesmo: sossegue. E não adiantou nada. Eu tinha um ponto quente entre os olhos, e nessas horas ele esquentava mais ainda. Pronto! A coisa veio vindo, já está tomando conta de mim. No último instante, me encolhi todo, prendi os pés e as mãos e deitei em cima do banco, todo encolhido. Gabi chama este meu recurso de "prisão preventiva". Ela tem uma definição particular para cada coisa.

"Eu já não sou nenhuma mocinha", ela está dizendo agora para o meu pai no café. "E já vivo com você e com o Nono há doze anos." Por enquanto ainda está controlando a voz, falando baixinho e racionalmente. "Faz doze anos que eu crio ele, que eu cuido de vocês dois e da sua casa. Conheço você como ninguém mais no mundo conhece e, mesmo sabendo como você é, quero viver com você de verdade. Não quero ser apenas a sua secretária no trabalho e sua cozinheira e faxineira em casa. Quero morar com vocês. Quero ser a mãe do Nono em período integral. Do que você tem tanto medo, me diga?"

"Eu ainda não estou pronto para isso", diz meu pai apertando a xícara de café entre suas mãos fortes.

Gabi espera um momento, respira fundo antes de dizer: "E eu não estou mais pronta para continuar assim".

"Veja, hum, Gabi", diz papai, o olhar vagando nervoso e impaciente por cima do ombro dela, "o que é que está tão ruim assim? Nós nos acostumamos a viver desse jeito, é bom para nós três, inclusive para o garoto. Por que de repente isso precisa mudar?"

"Porque eu já estou com quarenta anos, Iacov, e quero viver uma vida completa, uma vida de família e tudo." Agora a voz dela está começando a rachar: "E quero que você e eu tenhamos um filho nosso. Meu e seu. Quero saber que tipo de nova criatura pode sair da união de nós dois. E se a gente esperar mais um ano, talvez eu já esteja velha demais para engravidar. E eu também acho que o Nono merece ter uma mãe que fique com ele de verdade, não uma mãe de meio expediente!".

Eu sei recitar de cor o que ela está lhe dizendo neste momento. Ela ensaiou o discurso comigo. Fui eu que sugeri a frase sentimental de "ser a mãe do Nono em período integral". Também dei uma sugestão prática: para ela não chorar. Deus me livre, ela não pode chorar! Porque se começar a derramar lágrimas, ela está perdida. Papai não suporta o seu choro. Aliás, não suporta choro em geral.

"Ainda não é hora, Gabi", ele agora dá um suspiro e uma olhada no relógio, "me dê mais um tempinho. Não dá para tomar uma decisão dessas sob pressão."

"Já esperei doze anos, e não vou esperar mais." Silêncio. Ele não responde. E os olhos dela já estão úmidos. Aguenta firme, Gabi. Aguenta firme, está ouvindo?!

"Iacov, me diga agora, direto na minha cara: sim ou não?" Silêncio. O queixo duplo dela está tremendo. Os lábios entortam. Se ela começar a chorar agora, está perdida. E eu também.

"Porque se a resposta for 'não', eu levanto e vou embora. Desta vez é definitivo. Não vai ser como todas as outras vezes. Desta-vez-é-definitivo!" Ela bate com força na mesa, e as lágrimas já estão escorrendo pela sua cara redonda, e a pintura dos olhos também escorre pelas bochechas e penetra nas duas covinhas fundas do lado da boca. Papai vira o rosto em direção à janela, pois não suporta quando ela chora, ou talvez simplesmente não goste de olhar para ela quando ela está assim, com as lágrimas e os olhos inchados e as bochechas gorduchas tremendo.

Neste momento ela não está nada bonita. É uma injustiça clamorosa, pois talvez ela fosse um pouquinho bonita se, por exemplo, tivesse a boca pequena e graciosa, ou o nariz menor. Aí talvez papai conseguiria sentir alguma ternura por essa única coisa bonita nela. Às vezes um pontinho mínimo de encanto já pode fazer uma pessoa se apaixonar por outra, mesmo que ela não seja uma rainha da beleza exterior. Mas quando Gabi chora, ela não tem nem um pontinho mínimo desses. Isso até eu sou obrigado a reconhecer, e lamento muito.

"Tudo bem, já entendi", ela geme enfiando a cara no lenço vermelho, que anteriormente foi usado com objetivos mais nobres, "que burra eu fui de achar que alguma coisa podia mudar em você."

"Shhhh...", ele pede a ela, olhando em volta com um ar receoso. Espero que a esta altura todas as pessoas no café estejam olhando para ele. Que todos os garçons e cozinheiros e funcionários do café saiam da cozinha e fiquem em volta dos dois com seus aventais e braços cruzados olhando para ele. Se existe alguma coisa que deixa meu pai apavorado é ser exposto dessa maneira aos olhos de todos. "Veja, hum, Gabi", ele tenta acalmá-la. Desta vez até que ele está sendo delicado, talvez porque haja mais gente em volta, talvez porque esteja sentindo que desta vez ela está falando sério. "Me dê mais um tempinho para pensar, que tal?"

"Pra quê? Pra que aos cinquenta anos você venha me pedir mais um tempinho? E se então você me disser pra cair fora? Quem vai olhar pra mim? E eu quero ser mãe, Iacov!" Ele quer afundar no chão, não aguenta os olhares das pessoas, e Gabi continua insistindo: "Eu posso dar muito amor pra uma criança, e pra você também! Veja como eu sei ser uma boa mãe para o Nono. Por que você também não tenta me entender?".

Mesmo quando estava ensaiando na minha frente o que ia dizer, depois de alguns instantes Gabi se esquecia de onde estava, e era arrastada pela tristeza, chorava e se queixava para mim, como se eu fosse ele. E de repente parava, corava e pedia desculpas dizendo que realmente existem coisas que não são para garotos da minha idade, mas que de qualquer modo eu já sabia de tudo.

De tudo eu não sabia, mas aprendi muita coisa.

Ela junta os guardanapos molhados de papel e enfia tudo com força no cinzeiro. Depois, limpa as manchas de pintura dos olhos inchados.

"Hoje é domingo", ela diz, contendo a voz para não rachar, "e o bar mitzvah do Nono é no *Shabat*. Eu te dou até o domingo que vem, de manhã. Você tem uma semana inteira pra decidir."

"Você está me dando um ultimato? Uma coisa dessas não se consegue com ameaças, Gabi! Achei que você fosse mais esperta." Ele vai soltando as palavras em voz baixa, mas o sulco entre seus olhos fica mais fundo, a temível fenda da raiva.

"Não tenho mais força para esperar, Iacov. Fui esperta durante doze anos, e fiquei sozinha. Talvez seja melhor ser boba."

Meu pai se cala. O rosto, geralmente vermelho, está mais vermelho ainda.

"Vamos para o trabalho", ela diz com voz rouca, "e, aliás, se a sua resposta for aquela que eu penso que vai ser, é bom você começar a procurar também uma nova secretária. Vou ser obrigada a cortar todos os meus laços com você. Sim, senhor."

"Veja, hum, Gabi...", meu pai volta a dizer. Isto é tudo que ele sabe dizer, veja, hum, Gabi.

"Até domingo que vem", ela determina. Levanta e sai do café.

Ela vai nos deixar.

Ela vai me deixar.

No trem, meus pés e minhas mãos se livram da "prisão preventiva". Em caso de emergência, as palavras inscritas se destacam em vermelho ao lado da pequena alça da alavanca. Estou sentado no trem que vai se distanciando, e lá atrás a minha vida vai sendo destruída. Eu tampo os ouvidos com as mãos e grito para mim mesmo, Amnon Feierberg! Amnon Feierberg! Como se alguém do lado de fora estivesse tentando me avisar para não mexer na alavanca, procurando me salvar de mim mesmo, alguém como o papai, ou a professora, ou o distinto pedagogo, ou mesmo o diretor da instituição para delinquentes juvenis. Amnon Feierberg! Amnon Feierberg! Mas nada mais está me ajudando. Estou sozinho. Estou abandonado. Eu não podia ter viajado. Eu preciso voltar agora! Imediatamente! E marcho resoluto para a alavanca, estendo minha mão na direção dela e meus dedos a tocam, pois é realmente um caso de emergência.

Mas então, exatamente uma fração de segundo antes de eu puxar a alavanca com toda a força, a porta da cabine se abre atrás de mim, e entram dois homens: um prisioneiro e um policial. Ficam parados olhando um para o outro, e parecem bastante confusos.

2.

Digo — um policial de verdade e um prisioneiro de verdade.

O policial era baixo e magro, com um olhar nervoso. O preso era mais alto que ele, e bastante gordo. Sorriu para mim e disse com uma expressão franca: "Bom dia, garoto! Viajando para visitar a vovó?".

Eu não sabia se legalmente eu tinha ou não permissão para responder. Além disso, a troco do que esse "vovó"? Eu lá pareço um menino que vai visitar a avó? Tenho cara de Chapeuzinho Vermelho?

"É proibido falar com o preso!", ordenou o policial, irritado, sacudindo com força, entre mim e o prisioneiro, o cassetete que tinha na mão, como se quisesse arrebentar os fios que pudessem ter se atado entre nós.

Sentei. Não sabia o que fazer. Me esforcei para não olhar na direção deles. Mas quanto mais a gente se esforça mais difícil é de segurar. Eles pareciam preocupados. Alguma coisa os incomodava. O policial examinou repetidas vezes os bilhetes e coçou a cabeça com perplexidade. O prisioneiro também verificou os bilhetes, e também coçou a cabeça. Pareciam dois atores escalados para apresentar um quadro humorístico.

"Não entendo por que você comprou lugares separados para nós", reclamou o preso. O policial deu de ombros e explicou que o homem da bilheteria não tinha dito que os lugares eram separados. Ele, o policial, tinha certeza de que eram juntos, para ele estava claro que não venderiam lugares separados a dois sujeitos nessa situação, e ao dizer "dois sujeitos nessa situação" ergueu a mão direita, que estava algemada à mão esquerda do prisioneiro.

Era uma visão estranha. Eles pareciam policial e prisioneiro de revista em quadrinhos: o prisioneiro vestia uma camisa listrada e usava um boné listrado na cabeça. O policial tinha um quepe grande demais, que ficava o tempo todo escorregando e tapando seus olhos. Os dois ficaram de pé no meio da cabine, balançando ao ritmo do trem, sem saber o que fazer. Por algum motivo, isso me deixou inquieto.

No começo, tentaram se sentar nos lugares marcados nos bilhetes. O preso sentou ao meu lado, o policial na minha frente, mas por causa das algemas foram obrigados a se curvar muito para a frente, um em direção ao outro. Depois, se levantaram de repente, e voltaram a balançar ao ritmo do trem. O balanço pareceu acalmá-los, a cabeça do preso pendeu um pouco para o lado, quase encostando no ombro do policial, e parecia que o policial também ia cochilar. Tive vontade de levantar e sair dali, quis chamar algum outro adulto para ficar lá comigo, pois os dois não pareciam adultos de verdade. Nem crianças. Eu não sabia defini-los.

De repente o policial se sacudiu do estranho sono e cochichou algo no ouvido do preso. Não consegui escutar. Estavam falando de mim, porque o preso deu uma olhadinha de lado, uma olhada típica de prisioneiros acuados. "De maneira nenhuma, não!", ele disse num grito sussurrado. "Não se faz uma coisa dessas! Afinal, temos bilhetes com lugares marcados!"

O policial tentou acalmá-lo, disse que de qualquer modo o vagão estava quase vazio e que na situação especial deles era permitido se sentar em lugares diferentes daqueles marcados nos bilhetes. O prisioneiro não quis nem ouvir: "É preciso haver ordem!", ele disse zangado, "se nós não cumprirmos a lei, quem vai cumprir?". Quando bateu os pés com raiva, notei que ele tinha uma grande bola de ferro presa no tornozelo, exatamente como nos livros.

Preciso sair daqui, pensei. Não está me fazendo nenhum bem.

"Ninguém vai perceber se nós sentarmos alguns instantes em bancos que não são nossos!", o policial retrucou num sussurro irritado, lançando-me um olhar bajulador, olhar de carcereiro cheio de sentimentos de culpa, e me deu um sorriso torto: "Você não vai nos denunciar, simpatia, vai?".

Fiz que não com a cabeça, pois não consegui emitir uma palavra. Mas intimamente registrei o "simpatia".

E aqueles dois se sentaram, um de cada lado.

Tinham o vagão inteiro à disposição e foram se sentar justo à minha direita e à minha esquerda. As mãos deles, presas uma à outra com duplas algemas de ferro, estavam pousadas praticamente nas minhas pernas. Era realmente de dar medo. Como se tivessem combinado de me assustar, mas sem se dirigir diretamente a mim. Durante alguns minutos houve um silêncio absoluto. Meus olhos se desviavam sem parar para baixo, e aquilo que eu via me parecia absolutamente inacreditável: pouco acima dos meus joelhos balançavam, ao ritmo do trem, dois braços, um fino e peludo, o outro liso e grosso, a lei e o transgressor. E o braço da lei parecia decididamente mais fraco e mais curto.

Eu não sabia do que tinha medo. Afinal, a lei estava ao meu

lado, quase encostada em mim, e apesar de tudo eu sentia que uma armadilha misteriosa se fechava sobre mim. Que aqueles dois me faziam de cúmplice de uma relação duvidosa.

Mas os dois, sentados um de cada lado, acabaram sossegando. O policial repousou a cabeça no encosto, cantarolando para si mesmo uma melodia floreada, e nas notas mais agudas punha a mão livre nas pontas do bigode, como ajuda. O prisioneiro olhava pela janela, a paisagem que ia passando, as colinas rochosas de Jerusalém, e soltava profundos suspiros.

"Se alguém despertar alguma suspeita em você, se você tiver alguma dúvida em relação a essa pessoa, espere pacientemente. Não fale demais. Não se mexa demais. Deixe a pessoa falar e agir. Arme uma emboscada silenciosa. Espere que ela revele suas intenções." Foi assim que meu pai me ensinou, o meu perito em questões desse tipo. Respirei fundo. Aí está, a primeira oportunidade de me testar numa situação real. Vou me desligar deles. Vou me comportar como se tudo estivesse normal, até eles cometerem o primeiro erro.

Olhada para a direita. Olhada para a esquerda. Ali estão eles. Tudo parece um grande engano, e eu não consigo saber qual é.

Tudo bem, preciso me preparar para o encontro com o tio Shmuel, digo a mim mesmo. Pois no primeiro encontro, um ano atrás, ele falou comigo durante duas horas inteiras, e eu não vou aguentar isso outra vez. Por duas horas fiquei vendo o oráculo dos seus lábios grossos se mexendo na minha frente, abrindo e fechando debaixo do seu bigodinho, e às vezes cheguei a vê-lo por cima do bigodinho. Eu sabia que todas as pesquisas e artigos do meu tio eram dirigidos contra mim, ou contra garotos do meu tipo. Ali, naquela pequena sala, ele ficou meses e anos sentado, escrevendo os artigos contra mim. Talvez até tivesse na sua frente um retrato meu ampliado, com a legenda "procurado pelo Ministério da Educação". E agora eu acabaria caindo direto nas mãos dele, e ele não é homem de desperdiçar uma chance dessas. A saleta vai ficando sufocante e apertada para mim, vai se enchendo de uma porção de pares de lábios grossos, que se abrem e fecham com rapidez incrível, e de dentro dos lábios saltam mais e mais tios da família dos labiosos. Livros e revistas vibram ao meu redor, murmurando ritmadamente o meu nome. Tive medo de sofrer uma intoxicação educacional.

Eu já não conseguia distinguir as palavras que ele dizia. Tive a impressão de que ele estava me acusando de ter sido seguidor dos profetas de Baal e Astarte, ou de ter participado dos *pogroms* de Chmielnicki. Ele tinha toda a História ao seu lado, e eu já estava disposto a admitir tudo.

E aí, depois de duas bigodudas horas, finalmente lembrei como a Gabi tinha me aconselhado antes de eu viajar: "Chore", ela me cochichou na noite anterior à viagem, "se a situação ficar insuportável, chore o choro dos amargurados, e veja o que acontece".

Olhada para a esquerda. Olhada para a direita. Nada. O policial e o prisioneiro estão sentados em absoluto silêncio. Cada um olhando para um lado. Talvez esta situação não tenha de fato nada de especial. Talvez eu simplesmente esteja muito emocionado por estar viajando sozinho. E, além disso, talvez eles tenham sido treinados para lutar numa guerra de nervos.

Tio Shmuel, eu me obriguei a pensar nele; e a me lembrar de como foi quando estive com ele da última vez.

Nunca tive dificuldade de me forçar a chorar, e diante do meu explosivo tio eu me sentia realmente infeliz. Conseguia com toda a facilidade fechar a minha garganta e formar aquele nó, concentrado e amargo, de todas as coisas que me aconteceram, e que me disseram, ou que me faziam falta.

E aí comecei a soluçar, no começo soluços leves, contidos. E para reforçar ainda mais a tristeza, lembrei das coisas que papai diz, que já não sabe mais o que fazer com um garoto como eu, que toda vez que ele acha que vou crescer e tomar jeito acabo regredindo, ficando estagnado, e mais; como é possível que alguém como ele tenha tido justo um filho como eu? E eu sabia que ele tinha razão, mas o que é que ele pensa, que não me esforço para que isto tudo acabe de uma vez por todas? E aí chorei de verdade, porque as coisas que tenho acumuladas dentro de mim nunca acabam saindo do jeito que eu quero. E nesse exato momento a minha tristeza estava saindo de um jeito diferente do que eu queria, pois ela, a tristeza, encalhava na saída, com a visão das pernas curtinhas do meu tio, calçando suas sandálias esquisitas sobre meias de lã cinza, de gravata no pescoço em pleno verão, e calças de tergal surradas por tantas gerações de alunos criados sobre seus joelhos — e como isso é triste, e ao mesmo tempo engraçado.

Assim, eu chorava e ria, choramingava e me lamuriava, meio de verdade e meio de mentira, uma mistura estranha com um gosto especial, igual a comer chocolate escondido do dentista, e meu corpo estremecia num pranto de remorso e pena de mim mesmo, e uma imensa gratidão a esse homem, que lutava sozinho para salvar minha alma pecadora, criminosa...

Tio Shmuel parou de falar. Olhou para mim espantado, seu rosto suavemente radiante. Na penumbra da saleta vi como a aura de um sorriso de espanto, de incredulidade, foi se formando em volta do seu bigode. "Calma, calma", ele murmurou, sua mão ameaçando tocar, hesitante, a minha cabeça, "eu não sabia que as minhas palavras fossem provocar tanto... afinal, o que foi que eu disse... só coisinhas simples, vindas de um coração afetivo... Yempa!", trovejou de repente sua voz poderosa, e por um momento cometi o erro de pensar que era o grito ancestral de vitória dos pedagogos ilustres ao derrotar as forças do obscurantismo. Ele esfregou as mãos, aflito, e sem lançar sequer um olhar para mim saiu da sala. Lá fora ouvi ele chamar outra vez, com um tom de voz estranhamente aliviado, a senhora Yempa, a mulher que limpava e cozinhava para ele, pedindo-lhe que viesse me acalmar.

Mas eu já tinha recorrido às lágrimas na minha shilhavidão anterior. O que faria agora? Ontem à noite Gabi não cochichou no meu ouvido nenhum segredo salvador, capaz de me resgatar quando estivesse sozinho na frente daquele tio imenso.

E agora ela está lá sozinha com o meu pai. E vai mesmo embora.

De repente não consegui mais ficar sentado entre aqueles dois desconhecidos esquisitos e calados. Levantei, ou pelo menos tentei levantar, os dois se assustaram, tiveram um sobressalto e levantaram ao mesmo tempo os braços algemados para eu poder passar, aí ficaram de pé na minha frente e imediatamente recomeçaram seu balanço rítmico, para a frente e para trás, pálpebras fechadas, como franguinhos adormecidos, e eu, de tanta angústia, gritei, "E se nós trocarmos de lugar, para vocês poderem sentar juntos?".

Minha voz soou sufocada e gutural, mas eles deram dois largos sorrisos e imediatamente começaram a me rodear, tentando passar por mim sem me atingir com as algemas, e assim dançamos por alguns instantes, os braços se movimentando, até que os dois acharam um jeito de se sentar lado a lado. E eu sentei no banco em frente a eles.

"Mas não fique olhando!", ladrou o policial apontando o indicador para o preso.

"Juro que não olhei!", jurou o preso, colocando a mão sobre o peito.

"Um minuto atrás eu vi você olhando diretamente para mim!", zangou-se o policial.

"Pela vida da minha filha, juro que não olhei para você! A troco do que eu ia olhar? Você me viu olhar para ele?"

Esta última pergunta foi dirigida a mim. Por que a mim? O que eu tinha a ver com isso? O policial também se virou para mim, esperando a resposta. E ficou esperando com tanta ansiedade que mordeu a ponta do bigode. Cada gesto desses dois era exagerado e perturbador, mas também estranhamente sedutor. Eu queria fugir dali, mas não conseguia me mexer.

"Eu... me parece que você olhou um pouquinho para ele", deixei escapar.

"Ahá!", o policial apontou um dedo triunfal, "outra olhada, e eu não perdoo mais!"

Silêncio de novo. O preso se forçou a ficar olhando pela janela. Estávamos passando por um bosque de pinheiros. Um rebanho de cabras pastava no mato rasteiro, e aí uma delas ficou sobre duas patas e começou a devorar um arbusto. O policial olhava para o lado oposto, na direção da porta do corredor. E eu, eu tinha medo de olhar para qualquer um dos lados, e também de fechar os olhos. Eu só queria sumir.

"Agora! Agora você olhou!", gritou o policial e saltou do lugar num impulso, mas, por causa das algemas, caiu de volta no banco. "Você olhou!"

"Juro pela vida da minha filha que não olhei!", gritou o prisioneiro, também dando um salto e sacudindo a mão intensamente, mas também caindo de volta no banco por causa das algemas.

"E agora também olhou!", acusou o policial, "olhou direto nos meus olhos! Pare já com isso! Baixe os olhos!"

Mas desta vez o prisioneiro não cedeu. Aproximou a sua grande cabeça do policial. O que era aquilo? O que se passava entre os dois? Uma estranha briga de olhares: olhos se fixando, olhos tentando fugir. O preso foi chegando mais e mais perto do policial, e quanto mais este tentava fugir do olhar, mais o preso o fitava. Agora um estava quase montando em cima do outro!

"Escuta... me deixa ir embora...", o preso disse de repente com voz rouca.

"Cala a boca!", ladrou o policial em tom agressivo, "cala a boca e olha para a janela! Não nos meus olhos! Para a janela!"

"Me deixa ir embora...", suplicou o preso num tom novo, um tom macio e humilde, insistindo com o policial assustado: "Eu não tive culpa... você sabe que eu não tinha alternativa...".

"Diga isso ao juiz!", determinou o policial fazendo um sinal com os dedos.

"Faz esse favor pra mim. Tenho uma filha pequena em casa..."

"Eu também! Para a janela!"

E então o preso fixou o olhar no policial com toda a intensidade, praticamente obrigando-o a virar lentamente sua cara para ele. Era uma visão angustiante, capaz de provocar um medo indefinido; o policial tentou resistir. Vi como ele se debateu para desviar o rosto do preso, seus ombros se curvando com esforço para evitar os olhos do outro. Mas o olhar à sua frente foi mais forte. Um olhar firme. Direto. Os olhos do preso penetraram na cabeça do policial, e ele acabou cedendo: sua respiração ficou mais profunda, os ombros caíram um pouco, e ele lançou ao preso olhares turvos, soltando dois ou três xingamentos leves, infantis, e seus olhos ficaram pesados, cansados, inquietos.

"Você teve um dia duro, Avigdor...", o prisioneiro o animou com voz macia, "me perseguir, correr atrás de mim por todas aquelas ruelas, atirar em mim, berrar comigo, ser tão cumpridor da lei o tempo todo..."

A boca do policial se abriu um pouco. Seus olhos se voltaram para cima.

"É duro ser um homem da lei...", sussurrou o preso suavemente, "sem um minuto de descanso... responsabilidade pesada o tempo todo..."

Senti que a minha boca também se abria. Meu pai dizia exatamente as mesmas palavras! Voltava de noite do trabalho para casa e caía exausto na poltrona, dizendo exatamente isso, para mim ou para si mesmo, se queixando da dificuldade e da responsabilidade, e reclamando que não há, não há descanso. Nesses momentos, eu pensava que, se tivéssemos uma mãe, ela faria uma massagem no pescoço tenso dele. Mas tínhamos apenas a Gabi, e ela não se atrevia a isso.

Num gesto cauteloso o preso estendeu a mão em direção ao cinturão do policial, que tinha começado a cochilar, e puxou um molho enorme de chaves. Devia haver pelo menos umas dez chaves. Ele escolheu uma delas, enfiou na fechadura da algema e a abriu. A mão livre dançou para a frente, para trás e para todos os lados. Havia uma marca forte e vermelha no seu pulso.

"Vale a pena ser algemado só pra viver este momento", ele me disse.

Depois, tirou a camisa listrada e o boné de prisioneiro e os colocou sobre o banco ao meu lado. Eu continuei sentado, quieto. Para mim estava claro que ele estava prestes a fugir, e que eu seria testemunha da fuga óbvia de um prisioneiro. E eu, justo eu, com toda a minha experiência e treinamento, e com o pai que eu tinha, não fui capaz de mover um dedo.

"Segura isso pra mim um instante?", ele me pediu num tom amigável, pondo na minha mão o revólver preto que tinha tirado do cinturão do policial.

Identifiquei a arma imediatamente: revólver de serviço marca Webley. Papai usava um desses no trabalho, e eu já tinha segurado na mão umas mil vezes. Até dei uns tiros com balas de festim no pavilhão de treinamento da polícia. Mas nunca tinha estado numa situação como essa, de revólver na mão na frente de um prisioneiro de verdade. O que é que eu poderia fazer? Matá-lo? Meu dedo tremeu, encostou no gatilho, e recuou. A troco do que eu iria matá-lo? O que foi que ele me fez? Nesse momento rezei para ver logo na minha frente a cara redonda do tio Shmuel. Eu correria e cairia nos braços dele, e me transformaria num exemplo pedagógico para o resto da minha vida.

"Realmente, muito obrigado", disse o preso, tirando de mim o revólver e enfiando-o no seu cinto. Depois, delicadamente, como se despisse um bebê adormecido, abriu os botões da camisa do policial e a tirou. O guarda, o tal de Avigdor, continuou dormindo de camiseta, nem sonhava em acordar. Ele era mexido, virado e revirado de um lado a outro — e dormia! Fiquei irritado com ele: pensei no meu pai, que nunca se atrasou nem uma única vez no trabalho nos vinte anos de serviço, e sai em todas as operações perigosas, mesmo estando com febre. E este cara aqui...

Sem-vergonha!

Agilmente o prisioneiro vestiu no guarda a camisa listrada e pôs o boné listrado na sua cabeça. Depois, livrou-se da corrente com a bola de ferro e a prendeu no tornozelo do policial. Fez força para fazer caber a camisa da farda do policial no seu tronco largo, pôs na cabeça o quepe da polícia e foi até a janela.

"Um bom investigador pensa como um criminoso." Disso eu também sabia, e entendi direitinho o que estava para acontecer, como ele ergueria a vidraça, pularia para fora do trem em movimento e fugiria disfarçado. Eu disse a mim mesmo: "Faça alguma coisa!". E ordenei a mim mesmo: "Jogue-se em cima dele!".

E nada.

O prisioneiro contemplou demoradamente a paisagem montanhosa que passava pela janela, encheu o peito com o ar da liberdade, deu um suspiro e voltou a se sentar ao lado do policial que dormia. Com tristeza enfiou a mão de volta dentro da algema que balançava na mão do adormecido e com um leve aperto travou-a de novo em volta do pulso. Os dois estavam outra vez presos um ao outro.

"Acorda! Você dormiu!", disse de repente com grosseria, dando um empurrão no ombro do guarda.

O policial estremeceu, acordou e olhou em volta, confuso.

"O que aconteceu?", perguntou. "O que foi que eu fiz? Eu não fiz nada!"

"Você dormiu!", gritou o ex-preso de forma convincente, botando o rosto enquadrado pelo quepe de polícia na frente da cara do policial.

"Eu não dormi...", murmurou o guarda, e se calou, a mão cutucando levemente as algemas. Em seguida, baixou a mão ao longo da perna e sentiu a corrente de ferro. Seus dedos deram um triste passeio pela corrente, até chegarem à grande bola de ferro, e ali pararam, estarrecidos. Ele permaneceu calado. Sua testa se franziu, como se procurasse lembrar alguma coisa. Depois desistiu. Ficou sentado, mole e largado como um saco. Passaram-se alguns momentos terríveis. O ex-policial lançou um olhar submisso para o homem de farda sentado ao seu lado:

"Me deixa ir embora...", sussurrou.

"Cala a boca!", ladrou o ex-prisioneiro.

"Eu não tive culpa...", implorou o ex-policial, "você sabe que eu..."

"Diga isso ao juiz", cuspiu o recém-promovido com indiferença.

"O juiz...?" O policial se calou. Ficou sentado imóvel, o bigode caindo. Estranho como combina com ele ser o preso, pensei. Esse foi o pensamento mais profundo que fui capaz de ter nesse momento.

"Faz esse favor pra mim...", recomeçou, com um sorriso humilde, "eu tenho uma filha pequena em casa..."

"Eu também", interrompeu o preso aposentado, e imediatamente olhou o relógio e mandou: "Levanta! Sentido! Temos de nos apressar!"

"Para onde?", perguntou o policial, a expressão assustada.

"Para o julgamento!", anunciou o preso. "Em frente, marche!"

"Assim tão depressa?", sussurrou o guarda, e com as pernas trêmulas começou a marchar. O musculoso preso o conduziu à sua frente para fora da cabine, fechando a porta atrás de si. Pronto. Acabou. Não consegui me mover. Numa fração de segundo vi a cara do ex-prisioneiro aparecer de novo no visor de vidro na porta da cabine, uma cara redonda, sorridente, uma cara, aliás, bem agradável. Ele me olhou, pôs um dedo gordo sobre os lábios, como que me pedindo para guardar segredo sobre o que tinha visto aqui. Demorou só um instante, e sumiu.

E pronto.

Foi um momento difícil. Mesmo agora, com a diferença de quase trinta anos, quando me lembro dele, não é fácil para mim, sinto necessidade de explicar um pouco minha angústia e dizer que no começo do próximo capítulo pretendo introduzir uma pequena novidade na história: dar a cada capítulo um nome. Um nome que sirva de pista para as coisas que vão ser contadas.

Ou um codinome.

Eu queria que o trem parasse e desse meia-volta, e eu voltasse para casa, para o papai e Gabi, especialmente para o papai, já que prisioneiros são a área dele, e eu, pelo jeito, ainda não sou forte o bastante para essas coisas, e me desculpe pelo fracasso.

Mas então vi o envelope branco largado no banco à minha frente. No assento do ex-prisioneiro. Não estava lá antes. Não estava lá antes de o preso e o guarda entrarem. E o mais estranho: meu nome estava escrito nele com letras enormes, com uma caligrafia familiar.

3. Elefantes também sentem ternura

"*Shalom ao garoto bar mitzvah, e que os deuses prolonguem a sua vida e encurtem as suas provações. Espero que você não tenha se impressionado muito com a pequena encenação que preparamos para você, seu pai e eu. E ainda que tenha se assustado um pouco, tomara que você possa perdoar logo os seus humildes servos pecadores.*"

O que fazer? Berrar? Abrir a janela do trem e gritar para a paisagem "eu sou um bobo!"? Recorrer à Unicef, que cuida dos problemas das crianças no mundo todo, e registrar uma queixa contra o meu pai e a Gabi, que me aprontaram uma dessas?

"*Porém, antes de você recorrer, como de hábito, à Unicef para registrar uma queixa contra nós*", prosseguia Gabi na carta, "*vale a pena esperar mais um instante: primeiro, porque eles, na Unicef, já estão cheios de decifrar a sua caligrafia hieroglífica, e segundo, porque é de bom-tom deixar as pessoas dizerem as coisas antes de emitir um julgamento.*"

As palavras dançavam diante dos meus olhos. Fui obrigado a parar de ler. Como puderam fazer isso, papai e Gabi? Quando tiveram tempo de organizar uma operação dessas? Quando foi que tiveram a ideia, e onde é que acharam aqueles dois caras, o policial e o prisioneiro? Será possível que...? Afinal, está claro que... que idiota que eu sou! Joguei a cabeça para trás e fechei os olhos: talvez os dois sejam apenas atores... e se agora eu sair correndo, procurando pelos vagões... talvez já tenham tirado os figurinos do espetáculo, talvez eu já não seja capaz de reconhecê-los no meio dos outros passageiros...

Contemplei a paisagem e não consegui continuar lendo a carta. Foi ideia dela, disso eu tinha certeza. Senti um pouco de peso na consciência por não ter curtido aquilo que ela preparou para mim, de só ter ficado sentado, imóvel, um pouco ressentido, sem saber por quê.

Talvez por ter sido uma surpresa tão estarrecedora e exagerada, não tenha sobrado dentro do meu coração lugar para entusiasmo. Se ela tivesse filhos, pensei, e parei por aí. Uma coisa dessas não é legal nem de pensar. Mas essa Gabi, sim, senhor, às vezes ela tem o dom de deixar a gente estarrecido, ou atônito, de provocar perplexidade nas pessoas, ou dizer em voz alta coisas terríveis que é proibido dizer. Papai uma vez comentou que deve ser muito cansativo ser tão especial o tempo todo; e ela respondeu de imediato que meu pai, de tanto treinamento para se manter discreto, a esta altura já está totalmente apagado. Gabi sabe discutir, e é melhor não bater boca com ela. Mas o meu pai também não é nenhum trouxa: em cada uma dessas discussões bastava ele dizer uma frase, única, selecionada, e essa frase cortava Gabi como uma faca. Dava para ver na cara dela a frase penetrando e cortando, e como ela ia ficando com dificuldade de respirar, como engasgava e sacudia as mãos, sem ar e sem palavras. Depois, durante anos seguidos, essa frase voltava para assombrá-la e reprimi-la; e mesmo que papai se desculpasse garantindo que tinha dito aquilo à toa, sem intenção, de pura raiva, ela continuava se sentindo ofendida. E então, na mesma briga, ele dizia algo sobre a falta de sensibilidade dela, e que ela tinha também um couro de elefante, e por causa desse "também", que continha uma humilhante insinuação de um "elefantismo" específico, adicional, ela se levantava e ia embora de casa.

Isso acontecia uma vez a cada tantos meses. Gabi ia embora e sumia. No serviço falava com papai com calculada polidez e sentimentos gelados; cumpria as determinações dele, datilografava os relatórios, e só. Nada de sorrisos. Nada de contato pessoal. Em segredo absoluto me telefonava duas vezes por dia, e conversávamos como sempre, combinando como dobrá-lo sutilmente. Depois de uma semana meu pai começava a ceder. Reclamava que estava cheio de comer apenas no restaurante da polícia, e que a aparência de suas camisas era de que ele mesmo as tinha passado, e que a nossa casa estava imunda, parecia uma cela da delegacia depois de uma noite movimentada. Eu ficava calado, me contendo para não entrar na briga que ele estava procurando. Não dizia que a Gabi não era nossa empregada, e que, se ela cuidava um pouquinho da casa, era só porque tinha uma alma boa demais, além de ser alérgica a pó. Estava claro que ele tinha saudades dela, não como cozinheira e faxineira, e sim como a Gabi, e que estava acostumado com sua presença em casa, com seu falatório incessante, sua emotividade, suas piadas, as piadas das quais ele fazia força para não rir.

E eu sabia também que ele sentia sua falta porque graças a ela era bem mais fácil ficar comigo.

O porquê disto, o porquê de nós dois precisarmos da Gabi entre nós para conseguir ficar mais perto um do outro, eu não sabia explicar. Mas estava muito claro para nós que era bom ter a Gabi conosco, pois ela fazia de nós dois, eu e ele, alguma coisa mais parecida com uma família.

E assim se passavam alguns dias de resmungos e mau humor. Papai procurava motivos para dizer algo de mais pessoal a ela no trabalho, e ela endurecia o coração, dizia que esperava ouvir dele coisas mais claras, que não entendia insinuações tão sutis, por causa do problema de um certo tipo específico de pele. Ele implorava que ela voltasse, prometendo melhorar a relação dos dois, e ela informava que a requisição dele estava registrada, que no mais tardar em trinta dias ela daria sua resolução definitiva sobre o caso. Ele segurava a cabeça entre as mãos e gritava que trinta dias era uma loucura, queria que ela se reconciliasse com ele agora, imediatamente, já! Gabi revirava os olhos para o teto, informando, no mesmo tom de voz com que dão informações num supermercado, que antes de qualquer acordo ela tinha intenção de preparar uma LCNTR — Lista de Condições para Novo Tipo de Relação —, depois saía da sala dele de cabeça erguida.

E logo em seguida ligava para mim, declarando num cochicho que o velho melancólico tinha cedido a todas as exigências, e que esta noite iríamos todos jantar fora num restaurante oriental. E era isso que acontecia.

Nessas noites de reconciliação papai parecia quase feliz. Tomava duas ou três cervejas, e seus olhos brilhavam. Contava-nos histórias que já tínhamos ouvido, como havia capturado o comerciante de joias japonês, descobrindo que tanto ele quanto elas eram falsificados, o comerciante e as joias; ou como tinha se escondido durante três dias numa pensão, junto com uma cadela boxer enorme, que tinha certificado de pedigree emitido por um criador belga e era cheia de pulgas, tudo isso para pegar um ladrão profissional de cachorros, que tinha vindo especialmente do exterior para roubá-la. Às vezes papai interrompia a história e voltava a perguntar se já não tinha contado aquela história alguma vez, e nós dois fazíamos que não com a cabeça — não, não, de jeito nenhum, continue. Eu olhava para ele e pensava, um dia ele já foi jovem, e fez um monte de coisas malucas, e, por causa de uma única coisa que lhe aconteceu na vida, tudo isso acabou.

    Eu estava sentado no vagão em movimento. Pensei que ia levar semanas para absorver o que tinha acontecido. Como os dois vieram, o prisioneiro e o policial, e seguraram as mãos algemadas uma na outra em cima da minha cabeça. E como exigiram que eu testemunhasse se o preso tinha ou não olhado diretamente nos olhos do guarda. E como o preso pôs o revólver na minha mão, e como meu dedo tremeu no gatilho, e como eu tinha certeza de que ele ia fugir pela janela.

    Resumindo, eu me sentia como dois garotos que acabam de sair do cinema e ficam lembrando e comentando tudo o que aconteceu no filme. Mas ao contrário dos dois garotos que saem do cinema, eu não estava nada feliz. Quanto mais me lembrava do que tinha acontecido aqui na cabine, com mais raiva ia ficando. Não entendo como meu pai se ajeitou com a Gabi todos esses anos, pensei. Se ela tivesse seus próprios filhos, se ela fosse mãe, não faria uma coisa dessas com o filho dela. Saberia logo de cara como ele se sentiria depois de uma surpresa dessas.

    Eu também estava com o orgulho ferido. Não por ela ter conseguido me pregar uma peça. Era outro tipo de humilhação: de repente percebi que ainda sou criança, que os adultos são capazes de aprontar uma coisa dessas nas minhas costas.

    E meu pai foi cúmplice disso. Sem sombra de dúvida. A Gabi planejou o espetáculo, escreveu os papéis dos dois atores, mas papai foi o responsável pela organização. No começo ela precisou convencê-lo de que seria uma coisa fácil de executar. Como ele hesitou, ela disse que estava surpresa com o fato de ele ficar tão assustado com uma operação tão simples. Tenho certeza de que ela usou a palavra "operação" para atiçá-lo. Ele hesitou, sei que hesitou. Existem situações em que ele consegue me entender melhor, pois, afinal de contas, eu venho dele. Ele achou meio exagerado fazer uma encenação tão complicada só para um menino, e que talvez eu não entendesse o humor da coisa. E ela riu e o chamou de quadrado e conservador, e que gostaria que ele tivesse um quarto do humor que eu tenho, e ainda ressaltou, como se estivesse falando consigo mesma, que, antes de ser um homem tão direito e correto, ele tinha sido um jovem bem desvairado; ou será que tudo que tinham lhe contado a respeito dele não passava de lendas e exageros? E aí ele não teve alternativa, se sentiu obrigado a mostrar que tinha ousadia, que era cheio de humor e imaginação, pelo menos como na juventude, quando percorria as ruas de Jerusalém numa motocicleta com *sidecar* e um tomateiro. Aí os dois ficaram competindo entre si em termos de ousadia e criatividade, e se esqueceram de se perguntar como se sentiria o destinatário da comemoração: eu.

Na cabine eu ainda conseguia sentir o cheiro forte de suor do policial e do prisioneiro. Gostaria tanto de lhes perguntar como foi que ensaiaram a apresentação. Se tinha sido difícil decorar todas as falas. E como tinham conseguido aqueles uniformes e a bola de ferro. E quanto custou montar o espetáculo, um espetáculo só para mim. E as passagens; é claro que as passagens de ambos também custaram dinheiro. E talvez papai e Gabi tivessem comprado com antecedência todos os lugares desta cabine, para ter certeza de que não haveria ninguém incomodando... Que operação complicada eles foram arrumar!

Aos poucos a minha raiva foi diminuindo. Afinal, a intenção deles foi boa. Quiseram me alegrar. Investiram tanta coisa nisso. Na verdade, foi muito bonito da parte deles... uma coisa realmente divertida. Assim, fiquei sentado murmurando comigo mesmo em silêncio, até sossegar. Aí consegui pegar de novo a carta, e logo vi que a escrita tinha mudado:

"*A ideia, como sempre, foi da senhora Gabriela*", informava a caligrafia enorme do meu pai, os garranchos em tinta preta, *"e depois que ela conseguiu me convencer de que você apreciaria tudo isso, ela própria ficou com medo, a nossa heroína, achando que talvez fosse assustador demais, e que você poderia ficar confuso, mas eu disse a ela — com certeza você é capaz de adivinhar o que eu disse."* Que ele, na minha idade, já tocava quase sozinho a fábrica de biscoitos do pai, e que a vida não é uma apólice de seguro.

"Exatamente!", observou a caligrafia pequena e redonda de Gabi. *"E justamente porque seu pai, na qualidade de funcionário da Polícia de Israel, não é capaz de te deixar nem um quarto de uma fábrica, mas só gordas contas a pagar..."* (aqui Gabi pingou três gotas de algum líquido sobre o papel, fez um círculo em volta e anotou ao lado: *lágrimas de crocodilo e da secretária*) *"... por isso mesmo a obrigação dele é criar e educar você, tendo você chegado à maturidade, para uma vida de lutas, desafios e perigos. Mas antes de qualquer coisa, meu pintinho, é meu dever comunicar a você já neste momento que, ao contrário das suas expectativas, você não se encontrará hoje com seu ilustre tio, o doutor Shmuel Shilhav. Faço aqui uma ligeira pausa para te dar tempo de se acostumar com a ideia."*

Um agricultor anônimo, de cabelos brancos e curtido de sol, viajando numa carroça para arar o campo ao lado dos trilhos da ferrovia, parou de repente ao ouvir uma exclamação de alegria explodindo da boca de um garoto de cabelos curtos na janela do trem que passava.

"Sinto profundamente, meu menino privado de seus direitos, que nós tenhamos sido cruéis com você ao fazê-lo acreditar que estava viajando para Haifa, diretamente para as garras do grande pedagogo da família das corujas. No entanto, para termos sucesso nessa surpresa, era preciso despir seu coração de qualquer suspeita, e decidimos, aliás, empregar os meios mais escusos; por isso pedimos humildemente o seu perdão."

Também eu me curvei diante da figura que surgiu na hora à minha frente: meu pai de pé, grande e desajeitado, estalando ansiosamente seus dedos grossos, e Gabi com uma postura de dançarina de balé, os olhos risonhos para mim. Eu estava totalmente confuso com aquela mudança de última hora: o desânimo por causa da viagem a Haifa e a tensão por causa da estranha brincadeira me abandonaram de uma hora para outra, e a minha pequena alma foi inundada por uma nova corrente de sentimentos e expectativas. Me senti como o reservatório do famoso problema de matemática.

A caligrafia de garranchos escuros se intrometeu na caligrafia redonda e caprichada.

"Treze anos é uma idade especial, Nono. É a idade em que passam a exigir que você assuma a responsabilidade por seus próprios atos e por seu comportamento. Eu, na sua idade, fui obrigado, por causa das desgraças que atingiram o povo judeu..."

Um longo e forte traço cortando a largura da página dava a impressão de que uma mão misteriosa, ágil e rápida, havia puxado a folha sob a caneta que começava a vagar por suas recordações: *"Seu pai esquece que esta não é uma ordem do dia antes de os policiais sob seu comando saírem numa operação"*, registrava a letra dela, *"e às vezes eu me pergunto se ele realmente odeia tanto aquele irmão ilustre..."*.

"A partir dos treze anos ninguém mais é considerado criança", voltou papai a declarar em tinta preta, *"e bem que eu queria estar convencido de que exatamente nessa idade começaria a mudança em você. Mas para meu pesar..."*

Aqui havia quatro linhas vazias. Eu conseguia visualizar a discussão na nossa cozinha. O que ela disse, o que ele disse, como ela teimava e batia o pé, como ele insistia que era preciso aproveitar toda e qualquer oportunidade para me educar, e como o mais forte dos dois acabou vencendo, como sempre.

Agora que convenci seu pai a preparar uma xícara de café para ele, posso continuar a escrever sem ser incomodada, prosseguia Gabi, e de repente a escrita dela foi ficando rápida e entusiasmada:

"*Meu querido Nono, seu velho ranzinza tem razão, como sempre: treze anos é uma idade diferente das outras. É a idade em que um garoto começa a ser adulto. Tomara que você vire um adulto bacana, da mesma forma que é um garoto bacana.*"

Agora ela vai escrever: "afirmou Gabi" ou "declarou Gabi diante de milhões", como sempre fazia depois de uma declaração afetuosa. Desta vez, não.

"*E quisemos preparar para você algo especial por ocasião do bar mitzvah, além dos festejos no Shabat, e além da máquina fotográfica que o seu pai te prometeu, algo que não se pode comprar com dinheiro, algo que sempre fará você se lembrar como éramos nós três, seu pai, você e eu, quando você ainda era criança.*"

Quando li a expressão "nós três" lembrei de novo do problema que me ameaçava: será que ela estava escrevendo "nós três" como se fôssemos uma coisa realmente existente e fixa na vida, tendo o meu pai concordado com isso? Ou será que nesse "nós três" havia um indício de fim e de separação? Li a frase outra vez. Cada palavra nela me parecia fatídica. Foi difícil decidir: por um lado, era encorajador o fato de que os dois tinham conseguido preparar juntos, em surpreendente colaboração, uma manobra bastante complicada. E ficou claro que nem tinham precisado de mim para funcionar em conjunto. Muito bem, parabéns. Por outro lado, me assustou o tom de despedida presente nas palavras anteriores a "nós três": "Algo que sempre fará você se lembrar de como éramos". Qual o significado desse "éramos"? Nós já não somos mais?

"*... e tivemos essa ideia. Quer dizer, eu tive essa ideiazinha pequena e simples, e o seu pai, como sempre, a transformou numa* *operação grande e complicada, e agora está tentando roubar de mim também esta cart..."*

A caligrafia voltou a mudar. Era uma batalha de estilos. Uma grande mancha de café se espalhava pelas linhas do papel.

"*A justiça triunfou!*", informava meu pai com sua letra enorme e horrível: "*Não vamos desperdiçar palavras! Nesta viagem tudo pode acontecer! Talvez você não chegue até Haifa! Talvez você se enrole em situações emocionantes que você nem pode imaginar!*" Isto tocou meu coração, meu pai tentando imitar o estilo dela para ser afetuoso comigo. Parecia um urso tentando dançar músicas folclóricas, e apesar de ele nunca ter rido de nenhuma das minhas piadas, eu agora tive a generosidade de sorrir. Ele continuava: "*Talvez você encontre novos amigos, e velhos inimigos! Talvez você nos encontre! Preste atenção, já vai começar!*".

"*Mas antes de tudo: um carinho na orelha!*", intrometeu-se Gabi com letra miúda.

Grande Gabi, grande Gabi... meus dedos a afagaram de longe, entre as orelhas, no emaranhado dos cabelos, e ela rolou e se deitou com as pernas dobradas no ar, pôs a língua para fora da boca, e imediatamente se recompôs e escreveu num fôlego só:

"*A aventura que nós preparamos para você está prestes a começar, e você vai poder descobri-la sozinho em poucos instantes. Mas só se você quiser. Quer dizer: se por acaso, Deus nos livre, você não quiser, pode continuar aí sentado no seu lugar até Haifa, durante quatro horas chatíssimas, e em Haifa pegar imediatamente o trem de volta para Jerusalém, e você nunca vai saber o que perdeu. Mas se você é um rapaz corajoso e esperto, levanta e vai, Nono-coração-de-leão, e enfrente com coragem teu destino!*"

Gabi escreve exatamente como fala. Às vezes tenho a impressão de que só papai e eu a compreendemos.

"*Se você decidir embarcar na jornada de perigos que preparamos para você com grande esmero, vá agora mesmo até a terceira cabine no vagão que fica à esquerda do vagão em que você se encontra (à esquerda, quando você estiver com as costas para a janela da sua cabine, Colombo, para não chegar por engano à Índia!). O que vai acontecer com você ali? Só Deus sabe (Ele prometeu ficar calado, como sempre). Você vai encontrar uma pessoa que está à sua espera. Ela espera por você, só você! Não vamos revelar se é homem ou mulher, jovem ou velho. Não vamos contar a aparência dessa pessoa. O assento número três vai estar vazio aguardando a sua presença. Sente-se lá, tranquilo, e percorra com seu olhar observador o rosto dos outros passageiros. Quando concluir qual deles é seu companheiro de aventura — você deve se dirigir a ele com uma senha secreta, que ele conhece, e espera ouvir da sua boca."*

"E qual é a senha?", perguntei em voz alta.

"Shhhhhh!", me censurou Gabi: *"Os objetos têm sentidos! As paredes têm ouvidos! Não... a senha não é esta. A senha é uma pergunta. Uma pergunta simples. Você deve perguntar para a pessoa que escolheu: 'Quem sou eu?'. Só isso, nada mais."*

"Quem sou eu?", murmurei duas vezes. Fácil, fácil.

Grande Deus! Fiquei de novo emocionado: o que esses dois prepararam! E sozinhos. Sem mim!

"Se você acertar na escolha, o desconhecido vai dizer seu nome verdadeiro, e só então terá o direito de te conduzir pelo resto da aventura. Antes de tudo, ele vai querer muito te proporcionar alegria e prazer com seu jeito misterioso e maluco, e assim que você se recuperar da experiência com ele, ele vai mandar você para outro vagão, para a sua próxima etapa neste nosso joguinho. E lá outra pessoa vai estar à sua espera, uma pessoa cujo único desejo será te dar alegria e proporcionar aos seus ouvidos o máximo de prazer, e depois de terminar, ela te mandará para a etapa seguinte no jogo, e assim por diante — até... até você encontrar a verdadeira surpresa!"

Pus a carta de lado e respirei fundo. Tudo tinha acontecido tão depressa que só agora começava a entender o tamanho da operação. Sei lá quantos dias e quantas noites eles passaram preparando e instruindo as pessoas que iam participar da brincadeira. E é possível que para cada uma dessas pessoas eles tenham escrito uma pequena peça a ser apresentada para mim, só para mim... ah! Quase perdi o fôlego. Quis continuar lendo e não consegui, fiquei com a vista turva, e sabia que papai tinha planejado a execução da ideia dela como planeja uma operação no trabalho: verificando todas as possibilidades, tentando imaginar todas as alternativas, todas as possíveis complicações, todos os caminhos possíveis e impossíveis... e senti orgulho pelo fato de estarem dispostos a fazer tanto esforço especialmente por mim. E também um pouco de admiração por eles não terem precisado de mim, pois, apesar de tudo, sempre achei que eles necessitassem de mim para falar um com o outro, e que sem mim não seriam absolutamente capazes de se entender, e que eu é que seria o responsável por eles não brigarem o tempo todo, e de repente eles, sozinhos assim...

"*Nono-coração-de-leão*", escreveu Gabi, "*Nono, Nono, meu chuuchuzinho, se você tiver inteligência e um olhar atento, o olhar do melhor detetive do mundo, capaz de achar a pessoa que está à sua espera em cada vagão, você poderá participar da mais maravilhosa aventura já planejada para um garoto de treze anos. Quando você saltar do trem no fim da viagem, será um jovem digno da sua idade, um jovem talentoso e de alma aguçada, que enfrentou uma prova dura de ousadia e coragem. Em suma...*"

E aqui meu pai arrancou dela a folha de papel, entrando com sua letra enorme e horrorosa: "... *Em suma: você será como eu!*".

"*O importante é você ser você mesmo*", finalizou ela, e desenhou um beijo, e do lado a cara de papai, grande e larga, e a cara redonda dela, com orelhas de coelho e uma aura de anjo.

Consegui ficar parado no meu lugar por mais um instante.

Pensava em como Gabi e papai tinham conseguido de uma hora para outra transformar aquele velho trem caindo aos pedaços num parque de diversões e aventuras para mim. De fato, neste exato momento, algumas pessoas, jovens ou velhas, homens ou mulheres, estão sentadas neste trem, em cada um dos vagões, esperando que eu chegue até elas seguindo uma ordem, a ordem programada pela Gabi e pelo meu pai. E estão me esperando, só a mim, e guardando um segredo, e as pessoas sentadas ao lado delas não sabem nem imaginam, não poderiam imaginar por quem elas subiram neste trem, mal sabem que o motivo da viagem toda é um garoto. E se eu não chegar até elas, se não me dirigir a elas com a minha simples pergunta — imaginemos por um segundo que eu não seja um jovem corajoso e ousado — então todas essas pessoas ficarão ali sentadas, desperdiçadas, até Haifa...

4. Minha estreia no monóculo

Saí da cabine. Esquerda é o lado do relógio (ensinou papai), e do coração (ensinou Gabi), e para lá me dirigi. Andei devagar, sem pressa, para ninguém prestar atenção em mim. A paisagem montanhosa passava voando na janela, rochas nuas quase roçando o vagão. Numa curva da estrada vi a cauda do trem se arrastando lá atrás, para depois sumir. Naqueles dias, o trem que ia de Jerusalém a Haifa era um trem com cabines fechadas. Havia quatro cabines em cada carro, e um corredor estreito ao longo do vagão. O corredor era bem estreito mesmo: se houvesse alguém parado, olhando pela janela, o corpo da pessoa chegava a bloquear a passagem. Eu, que era magro, conseguiria passar facilmente por trás dela, e ela, sem dúvida, me olharia com um leve ar de frustração, por eu ter impedido que desempenhasse o seu tradicional papel de obstáculo.

No fim do vagão tive de brigar com a porta. Uma porta de ferro pesada e teimosa, que se recusava a me deixar passar. Fui obrigado a empurrá-la com as mãos e com os pés. E quando finalmente consegui abri-la um pouquinho e passar, me vi parado na passagem entre dois vagões, e de repente fui atacado por um barulho terrível, um rugido acompanhado de estalar e bater de metais, e o chão era feito de duas pranchas de ferro pretas enganchadas que deslizavam uma contra a outra como os ombros de dois lutadores no ringue, e eu não tive coragem de andar sobre elas, de modo que dei um pulo, de olhos fechados, com os dois pés juntos, e quase caí, porque elas tentaram me lançar para fora, se separando e se afastando uma da outra, e pensei que talvez eu tivesse cometido um erro, talvez fosse proibido passar de um vagão a outro no meio da viagem, e me equilibrei primeiro numa perna e depois na outra, para não ficar pisando em nenhuma das duas pranchas por mais de um segundo, quem haveria de acreditar que existe um perigo tão grande ao lado de um vagão com gente tranquilamente sentada conversando? O vento me rodeava, soprando de todos os lados, e vinha também de baixo, e entre as frestas eu via a terra passando a toda velocidade, e o estalido das rodas com toda a força, o ranger e o bater do ferro: bastava um passo descuidado para eu cair lá embaixo, e aí o Nono já era!

Naquele momento não consegui pensar. O barulho sempre me deixa confuso. E um barulho forte como aquele, que vinha de todos os lados, estava realmente me deixando louco. Num piscar de olhos parecia que eu não tinha mais pele me separando do resto do mundo, me vi mergulhado no turbilhão do barulho, rasgado de cima a baixo, sem sequer me dar conta de que era eu berrando daquele jeito.

Deixa eu passar, implorei para a porta pesada, pelo amor de Deus, me deixa passar. Bati na porta com as mãos e com os pés, bati com a cabeça. Nessas horas eu era capaz de bater com toda a força numa porta de ferro e não doía nada. No colégio tinham um nome especial para esses meus momentos, mas no trem acabou funcionando: o vulcão Feierberg entrou em erupção, e a porta se abriu um pouco, mas uma fresta minúscula já bastava naquele instante; eu era fininho, aparentemente, fino como os meus gritos: consegui me espremer todo e passei, fechando atrás de mim a porta e todo aquele turbilhão.

Parei e respirei fundo. O ruído do trem voltou a ficar agradável, era de novo o trem "entre montanhas e rochas". Mas ao mesmo tempo eu já o via com outros olhos.

E agora...

Quem sou eu?

Comecei a murmurar, a treinar.

Quem sou eu? Quem sou eu?

Primeira cabine. Passei sem olhar. Segunda cabine — sem olhar. Terceira cabine. Parei e me detive por um instante diante dela.

Foi aí, me parece, que comecei a perceber que tinha um ligeiro problema.

Suponhamos que eu entre na cabine. Suponhamos que o assento de número três esteja vago, conforme Gabi assegurou. Suponhamos que eu até consiga descobrir qual dos passageiros da cabine está à minha espera. Como vou ter coragem de me dirigir a ele, assim sem mais nem menos, e perguntar quem sou eu?

E os outros, o que vão pensar? Eu já podia prever os olhares que me lançariam.

Uma típica ideia da Gabi, disse a mim mesmo com frieza. Papai não me meteria numa complicação dessas. Ele sabe o quanto isso é constrangedor.

Quem sou eu? Acho que chegou a hora de contar um pouquinho sobre mim do ponto de vista pessoal.

Quando esta história aconteceu, há exatamente vinte e sete anos, eu tinha treze anos menos alguns dias. Um garoto bem comum, na minha opinião. Mas havia opiniões diferentes, portanto prefiro relatar apenas os fatos em torno dos quais não havia discussão:

Nome: Nono Feierberg. Local de nascimento: Jerusalém. Situação familiar: solteiro (puxa, é claro), e mais: um pai e uma Gabi. Amigo: Micha Dubovsky. Sinais particulares: uma cicatriz profunda no ombro direito. Cápsula de bala de revólver pendurada numa corrente no pescoço. Outras coisas especiais: meu passatempo.

Meu passatempo é a polícia. Aos treze anos eu sei de cor os números de identificação de todos os nossos oficiais de Jerusalém e da Região Sul. Conheço todos os tipos de armas e de veículos utilizados entre nós. Tenho em casa uma coleção de todos os "procurados" pela polícia nos últimos cinco anos. Tenho mais uma coleção, talvez a maior do país, de todos os desaparecidos que a polícia pede ajuda do público para encontrar. Além de tudo isso, consigo — por meios que é melhor não contar — dar uma espiada em todos os relatórios absolutamente sigilosos que Gabi datilografa, além de possuir algumas conclusões de inquéritos de assassinatos famosos, retratos falados do assassino e mais fotocópias de inquéritos do Departamento Judicial. Duas vezes falei pessoalmente com o chefe de polícia, uma vez nas escadarias da divisão central e uma vez no casamento de um dos funcionários. No casamento ele disse, e todo mundo ouviu, que eu era o mascote da divisão.

Quem sou eu, quem sou eu?

E se eu escolher a pessoa errada?

Como vou ter coragem de me dirigir a uma segunda pessoa? Na mesma cabine?

Esfriar a cabeça e pensar.

Antes de tudo — eu disse a mim mesmo com a voz do meu pai — é preciso descobrir o máximo possível sobre as pessoas contra as quais você está agindo. Juntar informações a respeito delas. Foi isso que ele me ensinou. Conhecimento é poder. Mil vezes ele me alertou, "conhecimento é podeeeeeeer!", batendo com o cassetete na palma da mão aberta. E eu não tinha certeza de qual das duas coisas era mais importante para ele, o conhecimento ou o poder.

Quem sou eu?

E eis que de repente já estou na cabine número três. Este trem viaja depressa demais para o meu gosto.

Da primeira vez passei diante da cabine com a rapidez de um raio. Estava tão assustado que não me atrevi nem a olhar lá dentro. Logo em seguida retornei com passadas trêmulas, passei uma segunda vez e me obriguei a espiar. Vi de relance cinco pessoas sentadas. Cinco pessoas, e no meio um assento vago. E sobre esse assento estava esticada uma fita vermelha com um aviso: "reservado".

Ai, ai.

Passei de novo. Terceira vez. Desta vez passei mais devagar. Agora distingui que havia três homens e duas mulheres. Um dos homens usava óculos e lia o jornal. As mulheres eram magras. Uma mais velha, com o cabelo preso num coque, e a segunda de rabo de cavalo. Difícil concluir alguma coisa a partir disso. Passei de novo por eles. Uma das mulheres, a mais velha, cutucou o homem sentado ao seu lado com o cotovelo, e me apontou com os olhos. Tinha um olhar simpático, que me lembrou um pouco a minha avó Tsitka. Mas eu já tinha uma pequena pista: notei que um dos homens da cabine usava um chapéu preto e alto. Pareceu estranho: ele tinha a aparência de um diplomata estrangeiro. Ou de um carrasco. Uma pequena suspeita, leve mas clara, começou a se formar dentro de mim: coisa estranha, o que estaria fazendo um carrasco num trem para Haifa?

Parei. Girei sobre o meu eixo. Voltei. Não parei. Eu precisava de alguma história para disfarçar. Alguma coisa que justificasse todas essas idas e vindas na frente da cabine. Pois o segredo do sucesso de uma perseguição — me ensinou certa pessoa, vocês-sabem-quem — é que o detetive acredita piamente no seu disfarce: se você está disfarçado de mendigo na rua, seja um mendigo com todo seu ser: amaldiçoe as pessoas que não te dão esmola, bendiga os generosos. Se você se disfarça de mulher, tente ser mulher em cada coisa que faz. No seu jeito de andar, nos gestos, ao parar na frente de uma vitrine, ao observar outra de longe. Basta um gesto supérfluo e o homem que você está seguindo percebe a encenação. Nessa hora os olhos do meu pai brilhavam. A fenda constante entre seus olhos ficava escura e profunda: "Agora preste bem atenção, Nono. Se um ator de teatro falha no seu papel, o máximo que pode acontecer é escreverem uma crítica ruim no jornal, nada mais que isso. Mas se um investigador falha no papel que está representando, pode acabar com uma bala na cabeça!". E tocava inconscientemente no próprio ombro, e eu tocava na cápsula pendurada no meu pescoço. Olhávamos nos olhos um do outro. Ele nunca me contou quem foi o criminoso que o atingiu, e eu nunca perguntei. Há coisas sobre as quais não se fala. Coisas que pedem um silêncio viril.

Passei de novo, acho que pela quinta vez, na frente da cabine número três. Franzi a testa de tanta concentração. Cruzei os braços sobre o peito. Ah, eu estava compenetrado! Ah, mergulhado em pensamentos! Sim, é assim que você fica quando é um jovem cientista como eu, um pequeno gênio prestes a descobrir o pêndulo.

E então, apesar do meu excelente disfarce, os cinco passageiros da cabine se inclinaram para a frente para me observar. E por ser foco da atenção geral, não consegui descobrir mais detalhes sobre o meu suspeito, o homem com chapéu de carrasco. Tive a impressão de que ele usava uma gravata-borboleta vermelha. Será que seria melhor trocar de disfarce? Será que eu pareço novo demais para ser um jovem cientista? E se desconfiarem que o pêndulo já foi descoberto?

O tempo urge. Daqui a pouco vamos chegar a Haifa! Num piscar de olhos, troquei de disfarce, girei sobre meus calcanhares, endireitei as costas, e passei de novo na frente da cabine. Agora eu era um ator de teatro ensaiando para o papel de uma bolinha de pingue-pongue especial. Desta vez todos os passageiros da cabine viraram a cara para a janela — inclusive o carrasco — e cochicharam entre si. Talvez tenham falado alguma coisa, talvez até mesmo gritado de raiva, mas não pude ouvir nada através do vidro.

Aquilo não estava nada bom. Quantas vezes mais vou poder passar na frente da cabine sem que eles avancem contra mim, todos juntos, e me arrastem para dentro pelo pescoço para me torturar? Parei, assustado, junto à porta. Todos os cinco fincaram os olhos em mim, olhos que transmitiam irritação. Fechei os meus, apavorado, e entrei. Quase caí em cima deles, no meio deles, debaixo deles, e pisei em cada pé que estava por perto, até que finalmente consegui abrir caminho e chegar ao assento vazio, com a fita vermelha e o aviso de "reservado". Firmei os pés no chão e me sentei, congelado, só as orelhas fervendo.

Cinco pares de olhos me fitaram com ar de censura. Eles não faziam ideia de que o lugar estava reservado para um garoto.

Cinco pares de olhos com ar de censura?

Mas ao menos um dos presentes não devia estar esperando por mim?!

Todas as expressões eram azedas.

Por um longo momento, não ousei olhar para nenhum deles.

E depois, com o máximo cuidado, com o rabo dos olhos...

Como se... meus olhos estivessem apenas passeando daqui para lá...

Entre montanhas e rochas...

Rabo de cavalo... careca... óculos... cartola...

Quem sou eu? Quem sou eu?

O trem segue viajando, sacudindo. Eu também. Nunca perguntei a nenhum desconhecido quem sou eu. Quem sou eu...? quem-sou-eu...? quemsoueu?

E se o homem de cartola preta for o embaixador da Suécia, tranquilamente viajando pelo nosso país?

Ou um cozinheiro de luto? Fiquei examinando o homem com olhares furtivos: um homem alto. De expressão amarga. Lábios finos apertados com força. Um homem capaz de me dar um tapa por causa de perguntas inconvenientes.

Mas espera um pouco!

Aquele ali, ao lado dele... um homem baixinho que parece uma bola, cara vermelha e redonda, uma careca enorme, nariz largo com narinas grandes e redondas, lábios carnudos. Cara de confeiteiro, ou de soprador de balões. Olhar fixo na janela e lábios murmurando para si mesmo. Será que está ensaiando para o grande momento, para quando eu me dirigir a ele?

Ou a moça de calça jeans. Registrei seus detalhes no meu aparelho de telecomunicação imaginário: remendo azul no joelho esquerdo, blusa verde de tricô. Cabelo castanho. Rabo de cavalo curto. Mochilinha cáqui. Sinais característicos especiais? Nenhum. Cara monótona. Fim de papo. Adiante.

Ou a mulher mais velha, que se parece um pouco com Tsitka, mãe do meu pai, que para meu azar é também minha avó. É uma história complicada. Mas e se por acaso ela estiver participando do jogo?

Talvez seja esta a intenção oculta do meu pai: quatro horas como essas valem mais do que um mês de teoria e treinamento... um curso prático intensivo... pois, para ter sucesso, preciso utilizar todos os recursos profissionais... que ideia maravilhosa como presente de bar mitzvah, pensei, com uma leve inquietação. Mas, por outro lado, um relógio suíço também seria um belo presente.

Uma face, e mais outra. Um sorriso, um nariz e lábios. Papai dizia que a face é um livro que a gente precisa saber ler. Que um verdadeiro profissional consegue saber quase tudo sobre uma pessoa só pela sua face, pelas rugas e marcas. Quando fiz dez anos ele me deu de presente um kit de retrato falado. Igual ao que ele tem no trabalho. Ele próprio desenhou uma porção de rostos com todos os traços diferentes de fisionomia que existem, narizes e sobrancelhas, barbas e bigodes, orelhas e olhos — tudo que a pessoa tem na face meu pai desenhou, e me entregou dizendo: "Leia. Este é o livro mais interessante do mundo".

O tempo passa, o trem vai rumando para Haifa, e eu ainda não consegui decidir qual daquelas é a minha pessoa. Desconfiava cada vez mais do cartola. Estava sentado rijo, os olhos cobertos por sobrancelhas grossas, a boca cerrada de tensão. Eu estava convencido de que era ele, mas era justamente ele que me metia mais medo que todos. Mas não seria justamente esse medo que o meu pai e a Gabi queriam que eu vencesse? Lancei para ele alguns olhares de súplica. Que ele me ajudasse. Que sorrisse, ao menos um fio de sorriso me ajudaria a decidir. Mas nada, ele nem mexeu a boca. Era igualzinho ao meu pai quando eu tentava fazê-lo dar risada.

Fracassei. Não tenho coragem. Por que ninguém me ajuda?

E eles continuavam ali, olhando pra mim. Me fitavam sem a mínima vergonha. Como será que me viam? Um menininho pequeno e magro. Cabelo loiro, cortado muito curto (é o único corte que o barbeiro da polícia conhece), olhos grandes e azuis. Meio afastados um do outro, capazes de confundir quem tentasse olhar para os dois juntos. Sim, esse era eu. E quem não me olhasse com atenção veria uma cara de bom menino. "Dá até pra pensar: que carinha de anjo!", suspirava Gabi com ar de espanto, "mas com sete pecados capitais no coração!" Pois no meu retrato falado não se via a veia pulsando no meu pescoço, pulsando até doer. E as bochechas sempre vermelhas, ardendo. E os dedos se mexendo, agitados, o tempo todo. E os olhos dardejando incessantemente, procurando nervosos: Quem quer que eu conte como eu, quase sozinho, (quase) peguei um batedor de carteiras? Quem quer comprar uma bússola usada ou um apito de cachorros? Quem quer ouvir uma piada?

"E orelhas de diabo", acrescentava Gabi, tocando nelas admirada: "Veja, pontudas, compridas. Como um gato selvagem. Você é um menino ou um bicho?"

Quemsoueu, quemsoueu...

Eu não conseguia. Não era capaz de me dirigir a alguma daquelas pessoas e perguntar quem sou eu. Como se houvesse um vidro entre mim e elas. Por cem vezes tentei dizer baixinho "quem sou eu", e as palavras encalhavam na minha boca, o que o meu pai vai pensar de mim, vai soltar o seu rugido raivoso, mais uma vez eu o decepcionei. Ele me prepara uma surpresa dessas e eu não consigo curtir a surpresa.

E antes de eu perceber o que realmente quero, o vulcão Feierberg decide por mim e me arremessa feito lava para fora da cabine, para o corredor.

E agora? Fazer o quê? Não dá mais pra voltar para a cabine. Desistir da aventura toda?

Medroso, covarde. Nono-coração-de-coelho.

Fui para longe da cabine. Fiquei parado junto à janela na outra ponta do vagão, e odiei a mim mesmo. Sabia que a pessoa misteriosa que papai e Gabi puseram na cabine iria relatar a eles o meu comportamento. Como envergonhei a mim mesmo e ao meu pai!

Quem sou eu?!

Quem poderia imaginar que dentro de um trem em movimento pudesse haver tais dilemas?

Mas agora, depois que saí, depois que a coisa explodiu dentro de mim, não queria mais perder o impulso. Fiquei sussurrando intimamente, sem parar, quemsoueu, quemsoueu, virei com cautela para trás e comecei a voltar na direção da cabine número três, sem parar de sussurrar a pergunta, com medo de que, se parasse por um instante, a coragem sumiria. Assim fui caminhando com passos minúsculos, pensando, vou fechar os olhos e entrar na cabine sem olhar para ninguém, e perguntar para aquele lá, e o que tiver de ser, será. Eu me dirigi naquela direção com meus sussurros cautelosos, quem sou eu, a passos minúsculos, como se precisasse passar adiante uma vela cuja chama pode se apagar a qualquer momento, quem sou eu, e já começo a notar que ao fazer essa pergunta sinto uma espécie de aperto muito leve no peito, lá no fundo, como se houvesse alguém batendo por dentro, tentando atrair a minha atenção para o coração, e quando eu pergunto quem sou eu o coração é sugado por algo, alguma coisa pesada e amarga. Estranho, nunca antes eu me fiz essa simples pergunta, afinal eu sei quem eu sou, sou Nono, o terror da vizinhança, e tenho papai e Gabi, e o meu amigo Micha, e o meu objetivo e o do meu pai é a gente trabalhar junto quando eu crescer, mas por algum motivo, naquele instante senti que talvez houvesse uma porção de respostas diferentes para a pergunta quem sou eu, e talvez nem tudo seja tão óbvio, e de repente algo dentro de mim afundou, de repente me senti pesado, lento, e quase perdi a disposição para toda a aventura, e fui tomado de uma profunda tristeza, o que será que está acontecendo, quem sou eu...?

E justo nesse momento, do outro lado do vidro, na porta de uma das cabines, vi um homem com os olhos fixos em mim e um olhar todo especial, como se estivesse me vendo e não me vendo ao mesmo tempo. Parei. Ou melhor: fui parado. O olhar dele me prendeu no lugar. Eu sabia — simplesmente sabia — que meu rosto fazia com que ele se lembrasse de alguém, pois ele continuou me fitando e sorrindo para si mesmo, um sorriso distante de alguém mergulhado em reflexões ou lembranças. Fiquei um bom tempo parado, imóvel, diante dele. Tive a sensação de que ele me pedia, sem palavras, que eu ficasse ali parado, simplesmente me mostrando, para poder se entregar àquela sua lembrança.

E aí o olhar dele de repente se firmou. O olhar emergiu do nevoeiro e dos reflexos confusos na vidraça do trem, e se fixou diretamente em mim, sem dúvida se fixou em mim. Me fitando com curiosidade, com simpatia. Sua perna comprida, apoiada sobre o joelho da outra perna, começou a balançar um pouco, um movimento muito leve. Com dois dedos compridos o homem pescou um pacotinho de dentro do bolso do terno. Um vidrinho redondo, preso ao bolso por uma fina corrente de ouro. Ele pôs o vidro diante do olho, prendendo-o entre a maçã do rosto e a testa. Uma vez eu vi uma coisa dessas num filme: um monóculo. Óculos de um olho só. Como na Inglaterra, digamos.

Estão me olhando através de um monóculo, pensei feliz, e levantei a cabeça, logo começando a refletir sobre coisas nobres, para ficar com uma aparência boa no vidrinho dele, pois não é todo dia que um garoto israelense tem a oportunidade de aparecer num monóculo.

E enquanto o homem me fitava, eu também não esquecia a minha obrigação profissional: deduzi que era um homem mais velho, de mais ou menos setenta anos, sua pele parecia da cor de um cobre escuro, e ele tinha um rosto bonito e atraente, o rosto de um homem que veio de outro país. Tinha olhos azuis, límpidos e sorridentes, olhos de bebê num rosto adulto, com pequenas manchas e rugas de sol em torno dos olhos, e sobrancelhas especiais que se dobravam como dois triângulos espessos e peludos sobre os olhos. E entre os olhos achava-se o nariz. Que nariz! Grande, régio, agressivo. Um nariz esculpido na pedra. Um nariz que faz você sentir uma vontade imediata de se curvar diante dele. E o belo homem tinha um cabelo bem cuidado, cabelo preto, liso e ondulado, que descia por trás das orelhas, e lá se enrolava, como nos pintores antigos.

Estava sentado sozinho na cabine. Claro que estava sozinho, ele não combinava com as outras pessoas do trem. Vestia um terno branco e alinhado, e uma gravata muito colorida como um pássaro cheio de plumas. E isso não era tudo: tinha um cravo vermelho na lapela e um lenço triangular que sobressaía do bolso superior do paletó. Eu me lembro muito bem de todos esses detalhes. Naqueles tempos não havia em Israel muitos homens que se vestiam dessa maneira: quem tinha dinheiro para comprar um terno? E quem quer que tivesse um terno não o vestia em viagens de trem, especialmente para Haifa, a cidade dos operários.

Mas eu senti imediatamente que o terno lhe caía bem. Que ele não era um ator vestindo terno apenas naquele dia, por causa do meu jogo. O terno era dele, e o cravo na lapela tinha sido colhido por suas próprias mãos. Tudo combinava com ele. Tudo lhe caía de forma adequada. Parecia que as próprias roupas tinham prazer em pertencer a ele.

E me lembro de mais uma coisa: por um instante ele me lembrou meu pai. Não na aparência, absolutamente. No fundo, não sei exatamente por que ele me lembrou meu pai. Talvez por causa da sua solidão na cabine. Mas em todas as outras coisas era muito diferente. Naqueles tempos meu pai — é preciso reconhecer — era sempre meio "rani", como dizia Gabi (*r*esmungão-*a*usente-*n*ervoso-*i*rritado). E este homem aqui parecia alegre e entusiasmado. Um homem que aproveita a vida e adora se divertir, e que sempre tem tempo para tudo, e é cheio de interesse e curiosidade pelos outros. Mas também, sim, também era possível sentir uma linha fina e invisível desenhada ao seu redor o tempo todo, separando-o dos outros. Talvez seja um sinal de personalidade autêntica, pois era isso que ele tinha — personalidade. E sem pensar, movido só por uma forte sensação, abri a porta da cabine; isto não está de acordo com as instruções da carta de papai e Gabi, não está de acordo com o jogo que eles planejaram para mim, mas eu não me importo, depois cumpro todas as etapas. Entrei e parei direto diante dele, e perguntei com uma voz forte e clara quem sou eu.

O homem deu um sorriso ainda mais largo, trocou a perna que estava cruzada e me olhou por um bom tempo. O ar da cabine tinha um discreto perfume de loção de barba. O homem moveu um músculo da face e o monóculo caiu bem sobre a palma da mão estendida, desaparecendo no bolso do terno. Tudo era surpreendente como num filme. Ele demorou para responder. Um bem-estar tomou conta de mim, de todo meu corpo. Um bem-estar de expectativa, uma leve tensão, como no instante antes de encontrar a solução de uma charada. E o homem também curtiu esse momento, que se estendeu e se prolongou. Eu queria muito que ele soubesse a resposta. Ele era o homem com quem eu queria continuar o jogo.

"Você é Amnon Feierberg", ele disse por fim com um sorriso. Sua voz era um pouco aguda, para minha surpresa, e ele tinha um sotaque de imigrante recém-chegado da Romênia: "Mas em casa, o senhor seu pai te chama de — Nono".

5. Espera aí, ele é um mocinho ou um bandido?

Fiquei calado. Estendi a mão e nos cumprimentamos. O homem disse: "Peço perdão, esqueci de dizer: Felix, esse é o meu nome!". Como eu gostaria de um dia ter mãos como aquelas. Longas, firmes e fortes. De repente, a minha alma começou a borbulhar como leite fervendo. Não sei o que aconteceu, talvez por causa da sua aparência. Estendi de novo a mão, e ele a apertou outra vez; talvez tenha percebido que eu precisava tocá-lo mais uma vez, que os meus dedos captaram de imediato a forma que precisam ter, e não só os dedos, o braço inteiro, longo e forte, e que essa forma devia penetrar dentro de mim e ali hibernar, para que quando eu crescesse e ficasse adulto ela despertasse do seu sono e se instalasse em mim, junto com aquela cabeça dele, uma cabeça de leão, e o nariz régio, e os olhos azuis com os vincos em volta, e também a sua personalidade, tudo.

Se eu não tivesse vergonha, mostraria a ele como consigo entrar em um segundo dentro do compartimento de bagagem e descer de cabeça para baixo. E como eu sou capaz de plantar bananeira num trem em movimento. Com as forças que me restavam, só o que consegui foi compor uma aparência civilizada e me manter ereto sobre os dois pés.

"Por favor, talvez seja bom se sentar, senhor Feierberg", ele disse, e sua voz era suave, como se estivesse percebendo as pequenas explosões dentro de mim, dispondo-se a ajudar a acalmá-las. Sentei. Quis que ele me dissesse mais coisas. Para eu poder acatá-las imediatamente. Mostrar como sabia ser bem-educado.

Do bolso do paletó ele tirou uma fotografia em preto e branco. Observou a foto e depois olhou para mim. E sorriu mais uma vez: "Exatamente como na foto. Só que mais bonito".

Passou a foto para mim. Era uma foto que eu não conhecia. Alguém me viu ali, a caminho da escola, de casaco cinza, surrado. Pelo jeito meu pai tirou a foto escondido, de dentro do carro, e eu nem percebi.

"Com lente telescópica, hein?", eu disse para o homem, para o tal do Felix, mostrando que estava a par das coisas. "Foi meu pai quem te deu, para você me reconhecer?"

Os ângulos de seus olhos luziram em um sorriso azul cercado por três rugas viris de cada lado. Pensei que ia desmaiar com aquele sorriso. De astro de cinema. Sorri de volta, e me apressei para tocar os cantos dos meus olhos, mas não consegui sentir nenhuma ruga. Quantos anos ainda vou ter de viver até ter três rugas retas, especiais como aquelas? Ele parecia ter nascido com as rugas. Examinou a foto com interesse. Me ocorreu que neste momento talvez houvesse outras pessoas no trem com a minha foto escondida no bolso, para me reconhecer! Incrível como meu pai se preocupou com todos os detalhes, como ele investiu em mim!

Eu me inclinei em direção à foto, também para aproveitar e sentir melhor o perfume da loção pós-barba de Felix. Na foto aparecia também Micha Dubovsky, meu melhor amigo, andando dois passos atrás de mim, de boca aberta.

"E este é o seu amigo", disse Felix com entusiasmo, mas tive a impressão de que não estava satisfeito com Micha, como se houvesse um leve tom de crítica na sua voz. E, realmente, na foto Micha parecia um pateta, meio curvado, pesadão e sem jeito.

"Não é bem um amigo", eu disse depressa, "nós brincamos juntos. Na verdade ele é o meu vice." Em casa nós o chamamos de "Sexta-feira". A Gabi meio que vive fazendo gozação dele. Mas é um bom garoto. Quer dizer, como vice.

"O que acha de me contar um pouco a respeito dele?", perguntou Felix, cruzando os braços sobre o peito como se tivesse muito tempo para escutar minha história sobre Micha. Eu disse que não havia muita coisa para contar. O que há para contar sobre Micha? Ele não passa de um menino comum. Que já está grudado em mim faz alguns anos. Acha que é meu amigo, mas no fundo eu fico com ele só por pena, dei uma risadinha, e pensei que era um pouco de exagero perder tanto tempo com Micha, mesmo que seja realmente um bom garoto.

"Então quem é o seu melhor amigo?", perguntou Felix.
"Pelo que eu saiba, é Micha!"

Eu me atrapalhei todo. Talvez meu pai tivesse lhe dado informações detalhadas sobre cada coisa na minha vida, e só porque achei que ele não tinha gostado do Micha, e que assim eu não seria digno de alguém tão nobre como Felix, fui logo falando mal dele, mas a verdade é que Micha é mesmo um bom garoto.

"Micha é, uhm...", eu não queria falar sobre o Micha de jeito nenhum. Fiquei com o Micha engasgado, o que é que eu posso dizer sobre ele? O Micha é um desses caras que a gente sempre encontra por aí. "O Micha é na verdade o meu guarda-costas", expliquei devagar. E então, sem que eu quisesse, a maquininha na minha cabeça começou a funcionar, o zumbido no meio da testa, o tal calor, "mas a verdade é que...", continuei agora cheio de vontade, prestando atenção na minha língua se enrolando dentro da boca para saber o que dizer em seguida, "... o meu melhor amigo é Haim Stauber. Ele é um amigo de verdade. Um garoto especial. Faz anos que nós somos amigos. Já fizemos tanta coisa juntos!".

Na foto Micha estava me observando. Micha, o sem jeito, o pesadão. A boca dele parecia ainda mais escancarada do que de costume. Quando eu começava a falar assim, quando começava a sentir um calor entre os olhos, Micha ficava hipnotizado. Ficava ouvindo como num sonho as minhas piores mentiras. Nunca me corrigiu na frente dos outros meninos. Nunca me criticou por causa disso. Às vezes eu ficava louco com a passividade dele. Como se eu pudesse fazer qualquer coisa! Eu era capaz de lhe contar as maiores mentiras sobre ele mesmo, coisas que ele sabia ser mentira, e ele escutava, com a língua pendurada no lábio inferior, imóvel como um cachorro domesticado.

O homem bonito e alinhado também ficou me escutando, mas não tinha nada de ingênuo. A cabeça balançava em movimentos muito lentos, contemplativos, e eu sentia que ele estava olhando para dentro de mim, que sabia de tudo, sobre mim e sobre Micha, e também sobre a minha pequena traição neste momento.

E eu não conseguia parar. O zumbido entre os olhos me atiçava, como se alguém com uma vara pontuda me cutucasse exatamente no meio da testa alterando o meu centro de realidade no cérebro: "Esse Haim Stauber sim, pena que você não o conhece! Que garoto! Ele sabe a Bíblia inteira de cor! E também toca piano! E viajou pelo mundo todo, foi até pro Japão! Já pulou de ano duas vezes!". A maior parte do que eu disse era verdade. Também era importante para mim que o tal Felix soubesse que tenho amigos que são gente-do-grande-mundo. Que nem todo mundo é simplório como aquele ali, o Micha. Só que

Haim Stauber já não era meu amigo. Depois do episódio com a vaca do Mautner nós dois assinamos uma carta de compromisso para a diretoria do colégio, e também para a mãe do Haim, garantindo que não trocaríamos mais nenhuma palavra até o fim dos estudos.

Meu ânimo baixou um pouco. Por que eu precisava começar a minha relação com esse homem com mentiras, traições? Ele parecia tão puro. Fino e sorridente, como um grande bebê. Que pena! Tive a sensação de estar encalhado, em vez de estar seguindo em frente. De estar perdendo algo. E também, o jogo. Pois daqui a pouco chegaríamos a Haifa. E no fundo estava perguntando ao misterioso Felix, o que é que eu tenho de fazer agora? Será que tenho de voltar atrás e passar por todas as etapas do jogo em ordem, até chegar de volta a ele? Para dizer a verdade, eu não tinha ânimo para tudo isso, mas, mesmo assim, papai e Gabi planejaram, e as pessoas estão me esperando e se prepararam para o seu papel...

Para minha sorte, o homem chamado Felix também não achava que eu precisasse seguir especificamente todos os estágios do jogo. Deu um sorriso de leve, um sorriso quase de desdém por todas aquelas pessoas, e eu sorri igual a ele sem entender por quê, só para experimentar na minha boca aquele sorriso, vesti-lo nos meus lábios, e aí ele puxou do bolso da calça uma fina corrente, e eu mal consegui me conter para não esticar a mão e tocar nela: era uma corrente de prata. Na ponta havia um relógio branco e redondo. Só uma vez na vida vi um homem segurando um relógio de bolso com corrente. Foi no filme O *pimpinela escarlate*. O relógio de Felix tinha números grandes e quadrados. Uma fina camada de ouro cobria o fundo redondo. Se eu tivesse um relógio daqueles, eu o poria numa caixa e olharia para ele só uma vez por dia. À noite, quando estivesse totalmente sozinho. É proibido enfiar no bolso um relógio desses. Esse Felix parece que confia em todo mundo. Será que não ouviu falar de batedores de carteiras? Tem algumas coisas que eu posso ensinar a ele, se ele deixar.

Ele fechou os olhos e moveu os lábios como se estivesse fazendo cálculos: "Pode-se dizer", disse por fim com seu pesado sotaque estrangeiro, "que você chegou a mim um pouco mais cedo do que eu esperava. Mas pode-se dizer também que daqui a pouco chegará sua hora".

Não entendi nada, nem o hebraico nem o que ele disse.

"Agora são três horas e dez minutos, pequeno senhor Feierberg, e nós precisamos chegar ao nosso carro às três e trinta em ponto. É isso."

Perguntei que carro.

"Eu disse carro?", ele ergueu as mãos como se desculpando. "Peço perdão! Felix já está ficando velho! Fala em voz alta coisas de segredo! E o pequeno senhor Feierberg logo vai esquecer tudo que ouviu. Vai esperar com paciência pela surpresa. Pois surpresa é importante, porém mais importante é esperar pela surpresa, certo?"

Naquele tempo, toda vez que me diziam "segredo" a minha perna direita começava a tremer e quando eu ouvia "surpresa" a perna esquerda começava a se mexer sozinha. Felix não sabia o que estava fazendo comigo ao dizer essas duas palavras numa única frase.

"Por que o senhor Feierberg está saltando assim?", ele se interessou em saber, e se curvou tirando de baixo do banco uma maleta de couro marrom.

Não expliquei o significado dos meus sintomas.

"Valise feita de couro, *made in Romenia*", disse dando batidinhas afetuosas na mala. Sua voz me surpreendia toda vez que ele falava: meio velha, aguda, enrolada e cacarejada, não combinava absolutamente com o resto da sua venerável figura. "Minha vida toda eu ando só com esta valise", disse, e abriu ligeiro as tiras da maleta, sorrindo para si mesmo: "Minha única amiga na vida é esta."

Enquanto ele falava, tentei adivinhar de onde meu pai o conhecia, e como era possível nunca ter me contado sobre ele. Talvez fosse alguém da Divisão de Operações Especiais. Talvez um dos lendários detetives que também trabalhavam no exterior. Aqueles que viajavam pelo mundo com identidade falsa, que trabalhavam com a Interpol e com a polícia americana. Às vezes um deles vinha visitar a pátria, passando pelos corredores da Central, com uma cauda de mistério atrás. Nos escritórios cochichava-se que tinha chegado um tal de *shúshu* — era o codinome dos agentes secretos — e todas as secretárias procuravam desculpas para dar uma espiada nele. Até o meu pai ficava todo ouriçado quando um desses passava diante da porta da sua sala. Uma vez ele me fez um sinal com os olhos apontando para um deles, e disse: "Lembre que você o viu!". E logo acrescentou com vigor: "E esqueça o que viu!". Isto, é óbvio, para o caso de eu cair prisioneiro nas mãos de criminosos cruéis, sequestradores de crianças, que tentariam tirar de mim informações sobre a polícia e seus segredos. E vejam só, justamente aquele ali, o único *shúshu* que eu vi, parecia um homem perfeitamente comum, em trajes civis, baixo e careca, de mãos muito brancas.

Mas esse Felix, eu não conseguia decidir o que ele era. Uma hora parecia um bebê, e de repente estava espiando o corredor do trem, para a esquerda e para a direita, com um olhar superprofissional, olhar de *shúshu*. E então me ocorreu uma ideia espantosa, que talvez algum dia ele já tivesse sido bandido, e depois veio para o nosso lado, o lado dos mocinhos. Por que não? Meu pai tinha contatos profissionais com gente de todo tipo. Era incrível a quantidade de gente que o cumprimentava quando a gente andava pela rua.

"Venha, senhor Feierberg", disse Felix, "já precisamos ir."

"Por que você me chama de senhor Feierberg?", perguntei. Eu estava achando aquilo meio engraçado e meio irritante.

"Então como devo chamá-lo, por favor?"

"Nono."

"No-no?", ele experimentou e mastigou meu nome entre os lábios: "No, no, não, não posso chamá-lo de Nono... nós ainda não somos amigos, certo?"

"Por que não?" Bem, isso foi tolice da minha parte. Na verdade não éramos. Mas eu queria que já fôssemos. Para não precisar perder tempo com coisas formais. Ele era o tipo de pessoa na qual eu sentia vontade de confiar logo.

"Mas todo mundo me chama de Nono."

"Então sou obrigado a chamá-lo de senhor Feierberg. Deus me livre eu fazer o que todo mundo faz, certo?" Ele se pôs na frente da vidraça da janela e apertou o laço da gravata diante do seu reflexo.

"Talvez", ele foi dizendo enquanto se arrumava, "depois que nós dois formos amigos melhores, então vou poder chamá-lo, digamos, de Amnon. Mas só isso. Mais íntimo que isso... não é bom. Toda pessoa precisa que respeitem seu limite, certo? Por enquanto será senhor Feierberg, e mais tarde veremos, tudo bem?"

Senhor Feierberg. Que seja. De alguma forma, quando vinha dele, soava bem. Eu tive uma professora que me chamava assim na classe, como se pusesse meu nome entre aspas. Mas olhem a diferença entre ela e Felix.

A lembrança da professora despertou um atrevimento adormecido: "Então por que eu devo chamá-lo apenas de Felix? Você não tem sobrenome?".

Ele se virou para mim e deu um sorriso pensativo: "Só por enquanto, até a hora de sairmos daqui".

"De onde?"

"Daqui. Do trem. Da locomotiva."

"Como vamos sair da locomotiva?"

"Mas não é possível sair da locomotiva sem entrar na locomotiva, hein? Certo?"

Uma coisa branca e gelada passou perto do meu coração. Encostou nele por um momento e logo se soltou. Nem cheguei a entender o que era. Uma espécie de arrepio para me avisar alguma coisa, uma advertência. Uma pontada de dor, e pronto, lá se foi.

6. Alguma coisa me domina

Saímos da cabine e andamos rumo à locomotiva. Felix caminhava à minha frente com rapidez, firme e felino. Eu sentia cada vez mais que ele era *shúshu*. O tempo todo lançava olhares rápidos para os lados, como alguém que fez um curso especial de guarda-costas de personalidades importantes. Aparentemente, a personalidade importante era eu, e era gostoso andar assim sob a proteção dele, de cara fechada, esperando que algum bandido mais ousado tentasse me atingir e Felix lhe desse uma cacetada. Vou continuar andando assim, indiferente às multidões que me aclamam, sussurrando para os integrantes da minha *famiglia*, como são chatos esses atentados.

Mas nenhum estranho tentou se aproximar de mim, exceto o sujeito de cartola preta. Quando passamos diante da cabine número três vi que ele se levantou, abriu a boca num grito mudo, mexeu a mão como se quisesse me agarrar. No mesmo instante entendi: ele ficou ali esperando, pacientemente, achando que eu já tinha sumido, que não tinha ousado jogar o jogo, e de súbito apareço na sua frente, mas para sua surpresa não me dirijo a ele para perguntar "quem sou eu". Eu tinha pulado a etapa dele e continuado o jogo sem ele.

Felix também o notou. Bastou um olhar firme, como uma chicotada: pegou na minha mão e com um único puxão, forte e decidido, me fez passar rapidamente pela porta da cabine. Agiu com tanta determinação, com uma fisionomia tão dura e severa, que por um momento pensei que meu pai e Gabi não tinham planejado como surpresa um jogo inocente, e sim um caso muito importante e significativo, quase um caso de vida ou de morte.

Mas não tive tempo de pensar. Não tive sequer tempo de parar e me perguntar o que estava acontecendo ao meu redor. Tudo aconteceu com a rapidez de um raio. Fui arrastado pelo corredor do trem, fugindo do olhar do sujeito de cartola preta, sem entender direito por que precisava fugir dele, por que Felix não tinha parado por um instante para simplesmente explicar que o senhor Feierberg resolveu pular uma etapa na sequência do jogo, qual é o problema, o senhor Feierberg é um homem livre!

Espiei para trás e não acreditei no que meus olhos viram: Felix parado, apoiado na porta da cabine número três, com a corrente de prata na mão. Era impossível se enganar: a corrente de prata do seu relógio. Com um movimento forte ele a arrancou do bolso e, ainda presa ao relógio, a amarrou em volta das duas maçanetas que fechavam a porta da cabine pelo lado de fora! Suas mãos se moviam com agilidade, como se fossem automáticas. Ele poderia ser um excelente batedor de carteiras, e, como numa névoa, imaginei que talvez ele até já tivesse sido um excelente batedor de carteiras. E eu que queria alertá-lo para tomar cuidado com batedores de carteiras! Fiquei ali parado, observando-o com olhar de assombro: ele não deu a menor importância às pessoas que prendeu dentro da cabine. Suas mãos enrolavam e prendiam a corrente em volta das maçanetas, os lábios apertados de concentração, um fino traço de crueldade se formando em torno deles, a crueldade de uma pessoa insana.

E eu também desenhei esse mesmo traço em mim. Ele brotou de dentro, veio à tona e tomou conta dos meus lábios. Um traço fino e branco. Como uma cicatriz. E na minha testa também se formou o mesmo vinco de concentração, uma expressão profissional. Até as minhas mãos se moviam, fazendo tudo junto com as dele, de longe, os mesmos movimentos, e nessa hora eu podia sentir o que os dedos dele estavam sentindo, a coceira e a agitação, pois afinal já tinha tocado naqueles dedos... As pessoas na cabine pareciam ter se congelado como num feitiço: todas ficaram olhando para ele, sem compreender o que seus olhos estavam vendo. Não foram capazes de se mexer. O dono da cartola ainda estava de pé, as pernas dobradas, como se não conseguisse resolver se ficava de pé ou se sentava, a mão suspensa no ar e a boca formando um círculo perfeito, de silencioso espanto. O outro homem, o careca gorducho, olhava para Felix com um sorriso bobo e incrédulo estampado na cara. Atrás dos dois espiava a mulher que parecia a minha avó Tsitka, e os lábios dela estavam tensos de assombro, igualzinho a Tsitka, mas, ao contrário da minha avó, aquela mulher não conseguia pronunciar uma única palavra.

Nem eu. Tudo parecia imenso e estarrecedor, mais do que qualquer outra coisa que eu já tinha visto na vida: um homem de certa idade, velho até, um homem composto e correto, fazendo coisas capazes de provocar minha expulsão do colégio!

E talvez tenha sido isto o que me fascinou tanto naquela hora: é possível ser como eu, porém adulto.

Felix não perdeu um segundo com as pessoas na cabine. Acabou de enrolar a corrente em volta das maçanetas, verificou se a porta dupla não se movia, me agarrou pelo braço e me empurrou para a frente, em direção à locomotiva. E o tempo todo me encarava com um sorriso claro, um raio azul. "Está tudo bem! Temos que ir!", ele disse.

"Mas...", gaguejei, "eles estão lá... não vão mesmo poder..."

"Depois, depois! Peço perdão, mas explicações haverá no final! Sus!"

"E o relógio?", insisti. Que ele ao menos levasse o relógio.

"Relógio não importa! Tempo importa! Não perder tempo! Sus!"

"O que é *sus*?", gritei enquanto corria.

Felix parou, surpreso: "O pequeno senhor Feierberg não sabe o que é *sus*?".

Parei na frente dele, os dois ofegantes. O vagão sacudia nas curvas do caminho. Pensei no sus-pense da surpresa, mas fiquei quieto, encabulado.

"*Sus* é como *eia!*", riu Felix, me puxando pela mão e voltando a correr. "Como *Avante*! Para seguir em frente! Fazer um cavalo correr!"

"Ah", pensei comigo mesmo. "Como *aiêêê!*"

Passamos correndo por outro vagão, e mais outro. A paisagem se movia ao nosso lado, apostando corrida conosco, saltando sobre os pés dos postes de eletricidade. Passavam correndo os eucaliptos plantados em longas fileiras, um campo cultivado, morros de terra marrom, adiante!, corredores, portas, vagões. De vez em quando, quando passávamos na frente de alguma das cabines, eu tinha a impressão de que um homem ou uma mulher se levantava aqui e ali, olhando-nos com espanto, levantando as mãos num grito mudo. Talvez fossem as pessoas que estavam à minha espera, as pessoas enviadas pelo meu pai e pela Gabi, mas eu não podia parar, Felix me puxava com força, e eu também não queria parar. Eis que chegamos à última passagem, estreita, a uma porta pesada onde estava escrito: "Entrada expressamente proibida", e Felix, que talvez não soubesse ler hebraico — ele sabia, é claro que sabia —, simplesmente pressionou a maçaneta com força, e a pesada porta girou em torno de seu eixo, e estávamos dentro da locomotiva.

Ali, no interior, o barulho era muito mais forte do que nos vagões. Havia um homem gigantesco com uma camiseta imunda, de costas para nós, curvado diante de uma enorme caixa de metal.

Quando entramos ele não se virou, simplesmente reclamou: "Outra vez queda na rotação do motor! Já é a segunda vez hoje!". Felix fechou a porta atrás de nós e puxou a trava. O calor lá dentro era enorme, logo comecei a suar. E o barulho também; eu já contei o que o barulho forte faz comigo.

Felix se virou para mim e tocou delicadamente no ombro do maquinista.

O homem se levantou com pesar, virou para trás e sua cara se retorceu de assombro.

Pelo jeito ele estava esperando outra pessoa. Talvez algum ajudante ou o maquinista que trabalhava junto com ele. Imediatamente exigiu saber quem éramos e como ousamos entrar na locomotiva. Ele teve de berrar para vencer o barulho, e Felix sorriu para ele, desta vez com um sorriso suave e delicado, para amaciar o coração do homem. Ele se curvou para chegar perto do ouvido do maquinista, gritou que sentia muito, que realmente era proibido, mas o que fazer se o garoto, o pequeno Eliezer que aqui está, implorou para ver uma vez na vida, pela última vez, como é a locomotiva de um trem.

Sim. Exatamente essas palavras. Também afagou os meus cabelos com delicadeza, e vi que lançava um olhar carregado de significados para o maquinista, enquanto meneava a cabeça, como que apontando para mim.

No primeiro momento não entendi o que ele disse. Parecia

que ele estava enganando o maquinista, contando o que não passava de uma mentira grosseira e horrível, como se eu, digamos, fosse um garoto que estivesse numa espécie de viagem de despedida do mundo, uma viagem para satisfazer meus últimos desejos antes de morrer, Deus me livre, de alguma doença grave.

Não pode ser, eu disse a mim mesmo: parece que por causa do barulho não ouvi direito sua explicação para o maquinista. E ri da minha própria ingenuidade, um meio sorriso amarelo um tanto assustado, pois afinal não era possível que um homem bonito e educado como ele mentisse daquele jeito, ainda mais com uma mentira tão boba, pois, até onde eu sabia, eu estava saudável como o diabo, só com uma tendenciazinha a ter alergia a capim. Mas então vi o olhar trocado entre ele e o maquinista da locomotiva, o olhar doloroso e sofredor do maquinista para mim, e comecei a pensar que talvez não tivesse me enganado, que era bem capaz de Felix ter realmente dito aquelas palavras horríveis, com sua voz macia, com aquela mesma tristeza cheia de veracidade.

E eu?

Eu nada. Um fantasma grudado na parede do carro. O enorme motor da locomotiva penetrando através dos meus tímpanos direto no cérebro. O calor quase derretia meus nervos. Nem me ocorreu então que não era possível meu pai ter dado a Felix permissão para fazer uma coisa daquelas. Acreditei totalmente nele, e não gritei para ele parar. E não disse ao maquinista que era mentira. Olhei fixamente para Felix com olhos de bezerro e achei que estava sonhando.

Como ele inventou, sem pensar, aquela desculpa? Como ele mentiu sem mexer nenhum músculo da cara?

Vou levar anos para chegar a um domínio como esse da minha expressão facial: todas as minhas mentiras são descobertas no instante seguinte. A não ser quando eu minto para Micha, que por algum motivo estimula as minhas mentiras.

Mas Felix é um homem adulto — e mente! E que mentira! Uma mentira que calou totalmente o maquinista do trem. Um tipo de mentira que é errado contar, mesmo que seja por simples superstição!

E eu ali parado, calado.

E senti grande admiração por ele.

Contra a minha vontade. Com comoção, com veneração pelo seu atrevimento. Com admiração.

Esta é a triste verdade.

Estava indignado com o que ele estava fazendo. Sim. Mas também humildemente submisso. Como se diante dele eu não fosse ninguém, como se eu sumisse, eu e todos os que me ensinaram e me educaram, junto com cada dedo que apontaram na minha cara e esfregaram no meu nariz: "Não faça isso! Não faça isso!". E junto com a horrível fenda que meu pai tinha entre os olhos, que ficava mais escura e profunda nessas horas de raiva, a fenda negra e feia que se impunha sobre mim o tempo todo, como um eterno ponto de exclamação. E me pareceu que num dado momento, no último momento, uma débil exclamação escapou da minha boca: "Não! Não é isso! Não está certo!", mas nesse mesmo instante se instalou dentro de mim uma estranha sensação de alegria, como o rugido do motor, o tremor da locomotiva, como se eu tivesse sido de uma hora para outra transportado para outro mundo, onde isso é permitido, onde tudo é permitido, e não há professores azedos nem olhares de censura dos pais, e não é preciso se esforçar o tempo todo para lembrar o que é permitido e o que é proibido.

Aliás, de forma geral não é preciso nem se esforçar. Logo que dizemos uma coisa, ela acontece.

Como quando Deus disse "Faça-se a luz", e a luz se fez.

Sim, eu valorizei Felix por ele ter sido capaz de prender pessoas numa cabine de trem com tamanha facilidade, e de abrir mão de um caro relógio de prata, e de ousar entrar num lugar onde está escrito, em evidência, "entrada expressamente proibida", e de enganar o maquinista com uma mentira horrível como aquela, uma mentira que não se conta.

Como se tudo fosse permitido para ele.

E o mundo fosse o seu joguete.

Onde não há regras, só a regra dele.

E eu ainda não sabia do que mais ele era capaz.

Ele já tinha entrado na mentira, acreditando totalmente nela, pois este é o jeito de mentir quando se quer que os outros acreditem em você, como um detetive trabalhando disfarçado. E quando olhei para ele pude sentir o ponto quente do motor rugindo entre seus olhos. Foi a primeira vez na vida que senti essa coceira em outra pessoa. E Felix já estava acreditando tanto na mentira, e olhava para mim com um olhar tão desconcertante de pena, que eu — que, como sabemos, estava saudável como um diabinho alérgico — senti por um momento o meu coração falhar. Foi como se os olhos cheios de compaixão de Felix criassem uma imagem nítida de doença, de insuportável fragilidade. E eu me rendi a essa imagem, por dentro e por fora, e quis me dissolver inteiro dentro dela.

Foi assim que começou essa nova impressão: aquela mentirinha tomou conta da minha cabeça, e veio uma sensação parecida com um desmaio. Oxalá eu pudesse contar que me debati por mais tempo, que descobri uma nova personalidade. Não: não me debati nem descobri nada. Em alguns instantes Felix simplesmente me transformou em seu cúmplice. Ele nem precisou me preparar para aquilo. Como se soubesse exatamente quem sou e o que sou, veio e soprou a camada de poeira que cobria o Nono de verdade. Quer dizer — o mentiroso... quem sou eu...

Eu me apoiei na parede da locomotiva. Os olhos de Felix

estavam fixos em mim. E também os olhos do maquinista. Senti como meu rosto se contorcia de dor, como eu era sugado para dentro de mim mesmo, como me dobrava. A vida, minha vida querida, escorrendo de dentro de mim. Eu tinha frio. A locomotiva ardia de calor, e comecei a tremer intensamente. O tremor por causa da assombrosa mentira de Felix foi se transformando em tremor de doença. Eu afundava no desespero e na escuridão. Uma tristeza dilacerante passou por mim, uma tristeza real e estonteante, por causa do meu destino, por causa da minha terrível doença, uma doença que destrói meu corpo, e por causa do negro anjo da morte ceifando lentamente minha breve vida. Minha mão direita de repente começou a sacudir, a sacudir sozinha, como um bicho independente, parecia culpa da doença, parecia consequência da minha doença, não planejei isso, ela está se mexendo sozinha, quem haveria de imaginar que eu tenho uma mão com tamanha habilidade de representar, pena que Gabi não esteja aqui para ver, mas na hora não pensei em Gabi, o comentário sobre ela eu acrescentei só agora, talvez por causa da vergonha que sinto ao contar isso, mas na hora não tive vergonha nenhuma, fiquei cheio de orgulho de representar o papel com tanta perfeição. Os olhos de Felix se arregalaram de estupefação quando retorci e escancarei minha boca, como se estivesse me debatendo num último suspiro. E, principalmente, fiquei orgulhoso de ver Felix satisfeito comigo, como um mestre com seu aluno. Finalmente alguém satisfeito comigo como aluno. Afinal, representar desse jeito é no fundo uma arte, não é? O escritor não inventa histórias? E a história não é um tipo de mentira? Eu estava ali naquela locomotiva, o sangue correndo nas minhas veias, e lancei para o maquinista um olhar sutil de fraqueza, de súplica, mas também um olhar que o perdoava de antemão caso ele recusasse o pedido: afinal o senhor tem normas, senhor maquinista — meu olhar dizia — e há a administração da ferrovia, e eu posso entender, meu amigo, se você não estiver disposto a se desviar das normas nem por um instante, nem para alegrar um menino na minha condição, e, realmente, o que é o sofrimento de um menino comparado com as normas da administração, afinal o mundo existe graças às normas, e graças ao sol que brilha toda manhã, e graças também a este trem que parte exatamente na hora marcada, e existem muitos garotinhos à beira da morte como eu, mas uma locomotiva como esta, única e especial como esta, "obrigado, obrigado, senhor", murmuraram meus lábios quando o maquinista se apressou em me segurar, um momento antes de eu desabar no chão. E me deu um abraço, pois a mentira tem pernas curtas e dificuldade de se manter em pé...

Deu certo. O maquinista do trem acreditou. E uma grande alegria tomou conta de mim: ele acreditou! Acreditou em mim! Em mim, eu que tantas vezes disse a verdade sem que ninguém acreditasse!

Yempa e sus!

O maquinista enxugou o rosto e a careca num pano azul imundo, recostou-se no seu banco fixo no chão, moveu a cabeça consternado, sem se atrever a me encarar. Fixou o olhar em Felix, não sabendo que assim estava selando seu destino. Em voz grave e rouca começou a explicar o funcionamento da locomotiva, contou sobre sua potência, "mil, seiscentos e cinquenta cavalos", disse com a boca apertada, fitando-me com cuidado. Era um homem simples, pesadão e lerdo. Tufos de cabelo brotavam nas costas, nos braços, e até mesmo nas orelhas. Explicações não eram seu forte, mas, por causa da situação, ele até que se esforçou bastante. Aconselhou que eu me sentasse na sua cadeira, e cuidadosamente me observou, indicando cada alavanca, interruptor e relógio. Num dado momento olhou assustado para a porta, com medo de que algum dos funcionários da ferrovia entrasse e descobrisse que ele tinha deixado estranhos entrarem na locomotiva.

Felix também fez perguntas. Onde eram os freios do trem, como se acelera, como se apita, e o maquinista, sentindo que o interesse de Felix lhe dava prazer e até mesmo orgulho, esqueceu por um momento suas suspeitas e foi explicando, explicando. Mostrou o lugar do freio que breca o trem inteiro, e do freio pequeno que breca apenas a locomotiva, e me deixou apertar o interruptor do apito, e ouvimos um apito forte e agudo sobre nossas cabeças, como se o trem reclamasse da mentira que era contada dentro dele. Mas então fiquei nervoso por causa de algo totalmente diferente: pensei se alguém na minha classe acreditaria que toquei o apito de um trem em movimento, e sabia que não tinha alternativa, que quando contasse a história ia ter de deixar o apito de fora, senão ninguém acreditaria.

O maquinista nos mostrou como era capaz de aumentar a velocidade do trem até cento e dez quilômetros por hora, e Felix lembrou que quando era criança, na Romênia, adorava ficar deitado num penhasco por onde passava o trem, e como segurava a respiração quando a coluna de fumaça subia até ele e o envolvia. O maquinista lembrou como conduzia as antigas locomotivas a vapor, ainda na Rússia, não uma máquina moderna como esta, a óleo diesel com doze cilindros, produzida pela General Motors; na Rússia, quando ainda era apenas aprendiz, descobriu certa vez, no meio da viagem, que o maquinista estava bêbado, imagine só, meu senhor, e ele próprio, o aprendiz, conseguiu levar o trem sozinho, *piuí*!

Os olhos de Felix o lambiam de simpatia, e graças a eles o maquinista virou um tagarela: contou maravilhas da sua locomotiva, que ela sozinha pesava cem toneladas, isso sem contar o peso dos vagões com passageiros, que juntos chegam a outras cem toneladas, vejam só que responsabilidade, e nos mostrou uma carta de recomendação, amassada e suja de fuligem, que trazia sempre no bolso do seu macacão de trabalho, em suma, eu começava a ter medo de que a viagem acabasse sem que eu conseguisse continuar a aventura que papai e Gabi tinham programado.

Mas então.

"O que acha, senhor maquinista", Felix sorriu para mim com seu sorriso largo, sedutor: "O senhor deixaria um garoto como este aí conduzir a locomotiva por um instante?"

7. Algumas notas pessoais sobre a direção de locomotivas; e também sobre a dificuldade de evitar dirigi-las

Não, pensei, ele está dizendo isso só por dizer. E dei meu meio sorriso amarelo, sabendo que se o maquinista topasse, Deus me livre, tomara que não, Deus tomara que não, eu seria obrigado a guiar o trem, a locomotiva. Felix repetiu a pergunta. O chão cedeu sob meus pés. A locomotiva, na sua imensa ingenuidade, seguiu em frente. Estilhaços de pensamentos passaram por mim no ritmo da viagem: a locomotiva está presa aos vagões. Nos vagões há pessoas. Pessoas de todos os tipos. Felix talvez não saiba o quanto não sou experiente em guiar sobre trilhos. Não, é proibido um garoto guiar locomotivas... Encostei devagar na máquina ao lado e deixei Eliezer, o doente, me dominar.

"Deus nos livre!", o maquinista também se assustou movendo a cabeça com firmeza, "o que você tem na cabeça, meu senhor? Ficou louco? O senhor é uma pessoa adulta ou o quê? Eu vou ser despedido!"

Dei um sorriso amigável de solidariedade para ele. Mas Felix também sorriu. Ele, Felix, tinha um sorriso tal que quem olhasse para ele também começava a sorrir, mesmo que não estivesse absolutamente alegre. Como o maquinista da locomotiva. Estava muito longe da alegria, mas Felix acendeu seu sorriso diante do rosto dele, um sorriso que começava nos lábios e ia pouco a pouco subindo para os olhos, chegando até as três ruguinhas características ao lado de cada um deles, e ele parecia um astro de cinema que desceu por um instante da tela para visitar seus fãs, e o sorriso ia ficando mais forte, mais largo, como um sol que vai se erguendo e iluminando tudo em volta com seus raios, até que no fim tudo é banhado pelo sorriso, e tudo se parece com ele, e os lábios do maquinista vão aos poucos se abrindo e acabam sorrindo sozinhos.

Para minha sorte o maquinista era composto também de outras partes, além de um par de lábios sem personalidade. Com um movimento nervoso, desviou o olhar da tela azul que eram os olhos de Felix e declarou: "Senhor! Com todo o respeito — paramos por aqui! Agora saia já daqui com o garoto, ou então eu...!". Mas um homem como Felix não desiste. Fez um gesto com a mão para que o maquinista se aproximasse; o maquinista hesitou, como se quisessem lhe sugerir algo inviável, mas Felix moveu novamente a mão; não: moveu só o dedo, seu dedo longo, bem talhado, como que esculpido em mármore, e o maquinista observou com os olhos os movimentos desse dedo fazendo-lhe um sinal, aproximando-se um pouco, e de súbito sua cabeça já estava próxima da cabeça prateada de Felix, um curvado na direção do outro, a cabeça de leão com cabelo branco ondulado e a careca vermelha do maquinista do trem, com sua cabeça de touro e sua camiseta imunda.

Confabularam aos sussurros. O maquinista mexeu a cabeça com vigor em sinal de negativa. Vi como um músculo redondo se expandiu no seu braço. Felix bateu devagarinho com o dedo no bíceps, tocando o músculo retesado, depois o amoleceu com movimentos suaves, imperceptíveis... Agora a cabeça de touro estava imóvel. Escutando. Os ombros meio caídos. Então eu soube que o assunto estava resolvido. Felix continuou sussurrando dentro da orelha grande e peluda, dava para sentir como suas palavras, macias e lubrificadas, iam se insinuando para dentro daquele ouvido, acostumado apenas a barulhos e ruídos grosseiros...

O maquinista endireitou um pouco a cabeça bovina e me olhou de lado, só com o olho esquerdo, um olho pequeno, cheio de veias vermelhas, muito cansado; era como se ele tivesse se rendido ao domínio de uma força invisível, que por meio dele realizava sua vontade.

Ali, na ruidosa locomotiva, foi a primeira vez que me deparei com esse poder de Felix. Seu poder misterioso e sombrio. Que se alimentava da energia que brotava dele. Nos dias que se seguiram eu o vi fazer isso mais algumas vezes, e depois, nos anos seguintes, à medida que fui pesquisando sobre ele, ouvi contar muitas histórias desse tipo, e todo mundo que as contava dizia que Felix subjugava — não há palavra melhor — as outras pessoas para que elas fizessem exatamente a sua vontade.

E a coisa mais espantosa era que em geral ele não fazia isso com violência, ao contrário: era como se criasse entre ele e os outros um largo abismo, estofado de boa vontade, sorrisos, afeto e compaixão, e as pessoas, carentes, eram sugadas com tanta intensidade por esse afeto e essa compaixão, que flutuavam em transe sobre o abismo, como se fossem apenas folhas de papel num livro de contos de fada. Então, com um gesto ligeiro, Felix fechava sobre elas as bordas do abismo, atava as amarras e seguia seu caminho, e elas ficavam presas no fundo do abismo, que de repente se tornava a maleta de um mágico.

E eu? O que estava acontecendo comigo? Como continuei acreditando na história dele? O que fiz, o que senti? Foi como se tivesse me partido em dois: uma parte tentava alcançar os ouvidos do maquinista, e adverti-lo com uma voz delicada de tudo o que aquele tal de Felix era capaz de lhe fazer. E já contei que outra parte de mim era — totalmente contra a minha vontade — prisioneira absoluta das mãos do Felix, do seu sorriso, dos seus olhos azuis e da sua louca ousadia. E a terceira parte (me sentia partido em três) pensava: como você é bobo, Nono. Que outro garoto da sua idade já dirigiu uma locomotiva? Que outro garoto no mundo teve uma oportunidade dessas? O que vai dizer seu pai quando souber que você desistiu disso que ele preparou pra você?!

"Bem", disse o maquinista com uma voz rouca, com dificuldade de endireitar o corpo: "Mas só um pouco, meio segundo, não mais que isso, é realmente perigoso...".

Levantou-se a duras penas, apoiando-se na parede à minha frente. A cabeça grande continuava negando, opondo-se, mas suas mãos já tinham tombado ao lado do corpo, e seus olhos pareciam cobertos de névoa. "Mas só um pouquinho, isso não é bom...", repetiu murmurando com voz débil, a cabeça subindo e descendo algumas vezes com intensidade, como se quisesse fugir da lembrança do que lhe acontecia naquele momento.

"Por favor, Eliezer", Felix sorriu alegre para mim: "Dirija um pouco a locomotiva."

Sentei na cadeira giratória do maquinista. Com a mão direita segurei a alavanca do acelerador. Apoiei a mão esquerda, como ele fazia o tempo todo, sobre a alavanca do freio de emergência. Notei que o maquinista se apoiava em mim e queria dirigir minhas duas mãos para essa alavanca de freio, mas eu não precisava dos seus conselhos. Percebi que, sem sentir, eu tinha aprendido os movimentos dele, como se soubesse de antemão que Felix ia sugerir que eu guiasse. Aumentei um pouco a velocidade, e a locomotiva me obedeceu tranquilamente. Estava andando depressa demais, pelo menos para um começo. Baixei o interruptor que breca a locomotiva, liberei um pouco de ar da alavanca de cima, e descobri que sabia guiar. Meu pai também é assim: capaz de entrar em qualquer veículo e guiá-lo na hora. Porém, pelo que eu saiba, ele nunca experimentou uma locomotiva.

Naquele momento não me lembrei do meu pai. Não pensei nele. Se tivesse pensado, talvez já tivesse entendido que uma coisa muito estranha estava se passando, uma coisa estranha demais. Só passou pela minha cabeça uma reflexão: quando eu contar para meus colegas de classe o que me aconteceu, vou ter que pular esta parte, pois ninguém vai acreditar. Pelo menos posso encaixar de volta a história do apito do trem, que de repente parecia uma coisa muito fácil de fazer.

Lembro que na minha frente havia uma janela não muito grande, que só tinha uma parte limpa, sem poeira ou fuligem, e eu via os trilhos correndo na minha direção com uma velocidade enorme, para depois sumirem debaixo de mim. E o maquinista do trem apoiando-se em mim por trás, jogando todo o peso do seu corpo inerte. Sua mão não largava da minha, em cima da alavanca do freio. Como se toda a sua força vital estivesse concentrada naquele último e fatídico ponto. E quanto a Felix, estava radiante: seus olhos brilhavam como duas pedras preciosas azuis. Estava feliz por me dar esse presente enorme e maluco. Viajamos pela linha férrea. Passamos correndo por plantações de banana, por uma terra barrenta vermelha, pinheiros, campos, terra arenosa estéril... à nossa direita havia uma estrada, e notei, disso eu me lembro, que estava andando mais rápido que um carro vermelho viajando por ela.

E aí, de repente, aconteceu: tudo explodiu dentro de mim, com uma intensidade imensa: a força da locomotiva, sua potência, sua majestade, seu movimento rápido que fazia tremer as minhas mãos, o tremor subindo pelos braços, entrando no peito, uma força enorme, maior que eu, que não cabia no meu corpo, e comecei a berrar com toda a força, tenho uma locomotiva de cem toneladas nas minhas mãos, era como um tambor gigantesco batendo dentro do peito, que coração enorme eu tinha, e fui puxando mais e mais a alavanca do acelerador, o ponteiro começou a se mover, e *sus*! Locomotiva de cem toneladas, e cem toneladas de vagões, sem contar as coitadas das pessoas, ingênuas, que não sabem de nada! Se eu resolver, posso arrastar essa locomotiva comigo para além do seu leito, sair dos trilhos e avançar pelos campos, ninguém vai me parar, mil, seiscentos e cinquenta cavalos concentrados sob meu comando, e eu, que um minuto atrás era apenas um simples passageiro, treze anos incompletos, de repente fui escolhido entre a multidão de passageiros, alguém me escolheu para conduzi-los, e tenho a impressão de que não estou me saindo mal, papai pode se orgulhar de mim, eu sou o maquinista, estou simplesmente conduzindo esta locomotiva, e não tive medo, não fugi do perigo, eu posso tudo, sem limites, sem regras, para sempre...

Eles tiveram de usar toda a força, Felix e o maquinista, para me arrancar da cabine de comando. Não me lembro direito do que aconteceu ali. Só sei que me debati com todas as forças para que me deixassem continuar guiando. Eu parecia uma fera: mais forte que os dois, pois tirava a força direto da locomotiva, dos seus mil, seiscentos e cinquenta cavalos...

Eles acabaram vencendo, é claro. Juntaram forças e conseguiram me tirar dali. Senti os braços de Felix me apertarem até doer. Para um homem da sua idade, ele era muito forte. Ele me fez sentar na banqueta, e os dois se puseram um de cada lado, ofegantes. Grandes gotas de suor pingavam da testa do maquinista, escorrendo sobre suas bochechas e pescoço. Ele me observava transtornado, como se tivesse descoberto alguma coisa assustadora, não muito agradável em mim: "Agora saiam", ele disse, seu peito enorme subindo e descendo, "peço que saiam daqui", repetiu, a voz entrecortada.

"Sim, sim, com certeza", disse Felix distraído. Olhou para o relógio na parede da locomotiva, murmurando consigo mesmo: "Está bem na hora. Muito obrigado por tudo, senhor maquinista, e desculpe se causamos algum aborrecimento".

"Por sorte não aconteceu nada", ladrou o maquinista respirando fundo e segurando a cabeça entre as mãos. "Como isso foi acontecer... como fui fazer... basta... só saiam daqui. Basta."

"Só há um probleminha...", disse Felix. Eu começava a reconhecer aquela maneira silenciosa, felina, que se ocultava por baixo das suas palavras educadas, e fiquei meio inquieto. O rosto do maquinista também ficou imediatamente vermelho.

"É que nós dois precisamos descer do trem ainda antes de Tel Aviv", explicou Felix em tom de desculpa. Do bolso do paletó tirou um lenço e o passou delicadamente na testa, enxugando as gotas de suor que tinham brotado durante o embate comigo. Um cheiro de perfume inundou por um momento o interior da locomotiva.

"Em meia hora chegaremos à estação. Esperem tranquilos no vagão de vocês!", replicou o maquinista, os dedos se apoiando na alavanca do freio.

"Perdão!", Felix o corrigiu paciente. "Meu senhor talvez não esteja me entendendo porque meu hebraico não é tão bom: nós precisamos descer do trem ainda antes de Tel Aviv. Antes dessa floresta. Daqui a três quilômetros, talvez."

Espiei pela janela empoeirada. No momento o trem andava no plano, em meio a campos arados. No horizonte aparecia uma mancha escura, que parecia ser uma floresta. Dei uma olhada no grande relógio na parede da locomotiva: apontava três horas e trinta e dois minutos.

"Mais dois quilômetros, aproximadamente", disse Felix com

firmeza, "é bom começar a andar mais devagar, senhor maquinista."

O maquinista se virou de súbito para ele. Era um homem muito grande, e com raiva ficava ainda maior: "Se vocês dois não sumirem daqui imediatamente...", ele começou a dizer, e as veias do seu pescoço incharam como se fossem músculos.

"Agora um quilômetro e meio", mostrou Felix com tranquilidade, apontando a janela, "Ali, nosso carro já está nos esperando, então começar a parar, por favor."

O maquinista virou-se um instante para espiar pela janela e seus olhos se arregalaram de assombro. Um carro preto e muito comprido estava parado ao lado dos trilhos. Suas portas estavam pintadas de amarelo. Eu me espantei: Felix tinha dito antes alguma coisa sobre um carro que estaria à nossa espera às três e trinta e três, mas quem iria imaginar que ele se referia a uma coisa dessas: que no meio da viagem...

O maquinista e eu parecíamos dois bonecos desnorteados. Com um movimento vagaroso voltamos ambos nossos olhares para Felix. E vimos ambos o que ele tinha na mão. Não pode ser, pensei, é um sonho ruim. O maquinista entendeu antes de mim que era ruim, mas não era sonho. Com um suspiro profundo alcançou a alavanca do freio e começou a brecar o trem.

Aparentemente ele usou o freio de emergência, pois senti que saí de dentro de mim e voei para a frente, enquanto a locomotiva era tomada por um cheiro de queimado. A chaminé soltou uma fumaça escura. Dos dois lados da locomotiva saltaram faíscas, as rodas rangendo, até que por fim tudo parou e ficou silencioso. O trem estava imóvel. Só o motor emitia um chiado fervente.

Durante um minuto inteiro ninguém se mexeu.

Que silêncio terrível.

E dos vagões atrás de nós também não vinha nenhuma voz.

Pelo jeito as pessoas estavam assustadas e não conseguiam falar. Depois comecei a ouvir ao longe um choro de criança. Espiei e vi que o trem estava estacionado no meio de um campo de colheita. Lembro de ter visto pedras cinzentas enfileiradas.

"Venha, precisamos nos apressar um pouco", disse Felix se justificando; ele foi tomado de certa pressa e me empurrou pela porta.

Minhas pernas tremiam. Ele teve que me segurar, e com a outra mão, que ainda segurava o revólver, abriu a porta da locomotiva. Desci com dificuldade os degraus de metal. Minhas pernas insistiam em dobrar, como se tivessem me tirado os joelhos de uma hora para outra.

"Até a vista, senhor maquinista, e muito obrigado pela sua generosidade", Felix sorriu para o homem apalermado, apoiado sobre o painel de relógios, com duas manchas de suor se alargando na camiseta sob as axilas, "e também desculpe se incomodamos um pouco." Pegou no aparelho de intercomunicação pendurado na parede ao lado do maquinista e, com um gesto leve e rápido, como um bote de cobra, o arrancou rasgando o fio elétrico preto.

"Venha, senhor Feierberg", disse com vivacidade, "nosso carro nos espera."

8. Atividade ilícita no ramo de brinquedos

Preto. Com as portas pintadas de cor de limão. E enorme. O maior que vi até hoje. Estava parado destacando-se no meio do campo, ao lado de uma estrada de terra. Como um cachorro gigantesco à espera do seu dono. Na época não havia muitos carros como esse em Israel. Para falar a verdade, não havia sequer um carro que se parecesse minimamente com ele. Era moderno, reluzente, imponente, achei que era um Rolls-Royce, mas era mais que isso.

"Por favor, pronto, já estou abrindo a porta para o senhor Feierberg!", e correu na minha frente, ágil e ligeiro, abrindo-me a porta para um mundo de glória e esplendor.

Entrei e me deparei com um banco magnífico, macio e confortável, com revestimento de veludo. Papai e eu tivemos uma vez um carro antigo e cuidávamos dele os dois juntos. Um Humber Pullman dos anos quarenta, igual àquele usado pela rainha Elisabeth e pelo general Montgomery no deserto ocidental. Nós o chamávamos de Pérola. Papai o descobriu num ferro-velho, destruído e enferrujado, e durante anos foi remontando-o aos poucos, com paciência e prazer, e quando cresci passei a trabalhar junto com ele. No final, acabamos dando o carro de presente. Uma história triste. Mas, perto daquele carro de Felix, até mesmo o nosso Humber parecia um ferro-velho. E eu tinha a impressão de que eu mesmo, naquele momento, não estava com uma aparência muito gloriosa.

Por causa do susto, do choque.

Gabi sempre dizia que, segundo os critérios de medida da EIMT (Escala Internacional de Molecagens e Travessuras), eu era grau nove de dez. E quando meu nome era citado na sala dos professores, doze deles (professores e professoras) davam coices com as patas traseiras e empinavam as dianteiras, soltando relinchos de crítica e censura. Esse era eu. Mas aqui, com Felix, com o trem, com as pessoas que ele prendeu na cabine, com o maquinista da locomotiva, estava acontecendo comigo alguma coisa que era mais do que entusiasmo, alguma coisa que pertencia ao mundo dos adultos, dos revólveres, dos crimes verdadeiros, dos filmes autênticos, e eu simplesmente flutuava no meio da tempestade como uma bolha em transe.

Derrapando e cantando pneus, Felix acelerou o carro. Uma nuvem de poeira se ergueu à nossa volta, e surgimos do meio da nuvem, pretos e reluzentes.

O carro também era imponente por dentro. Com revestimento de veludo vermelho e madeira avermelhada em torno das janelas. Uma chapa de vidro separava o banco dianteiro do traseiro, e uma fina cortina de seda cobria a janela de trás. Nunca estive num carro como aquele. Nunca controlei um trem de passageiros daquele jeito. Nunca vivi tantos "nuncas" num mesmo dia.

"O botão preto", disse Felix, apontando.

Apertei o botão. Com um movimento circular abriu-se um pequeno vão iluminado. Dentro dele havia um prato com um sanduíche embrulhado num plástico fino, fatias de queijo e pedacinhos de melão. Havia ainda pedaços de outra fruta que eu não conhecia. Hoje penso que era um abacaxi fresco, mas naquela época os abacaxis só cresciam em livros e latas de conservas. Segurei o prato com cuidado: havia uma fina listra dourada em sua borda, como a faixa dourada em volta do relógio de Felix. Passei o dedo sobre ela: era a primeira vez na vida que eu tocava em ouro.

"Pensei que logo o senhor vai estar com fome. Preparei um sanduíche. Queijo amarelo, como o senhor Feierberg gosta, certo?" Fiz que "sim" com a cabeça. Aquela mistura de fuligem do trem com queijo amarelo me matou.

"Você está me levando para Haifa?", perguntei.

Felix riu: "Ho, ho, senhor Feierberg não tem paciência! Nós temos uma programação bem mais interessante em mente!".

"Você e meu pai juntos?"

"Ah, sim. Nós dois. Juntos. Cada um do seu lado."

Viajamos por mais alguns instantes em silêncio. Não entendi direito a resposta. Eu tinha mil perguntas, e não sabia por onde começar, tudo tinha sido tão repentino e improvável: como aceitar que meu pai tivesse concordado em planejar para mim uma coisa daquelas, uma atividade tão ilegal, dirigir um trem, ainda mais sob a ameaça de um revólver?! Vamos supor que papai tenha se entusiasmado com a modesta ideia inicial de Gabi (não é nada lógico, mas vamos supor), e então começou a desenvolvê-la, e me preparou uma espécie de filme policial — como foi que ela não o interrompeu no meio? "Uma aventura de arrepiar os cabelos", ele escreveu na carta, mas de arrepiar tanto assim? Alguma coisa está errada, pensei, isso é perigoso demais para um menino da minha idade.

Por um instante agucei os ouvidos: agora o papai nem estava dizendo que, na minha idade, ele praticamente já dirigia a fábrica do pai dele sozinho. Talvez ele também tenha sentido que estava indo longe demais com sua ideia. Uma onda de preocupação me inundou, paralisou meu corpo, os músculos do meu rosto. Talvez esteja tudo errado. Talvez eu esteja cometendo um erro terrível, mas que erro?

"Se está preocupado, posso te levar de volta pra casa agora", disse Felix.

"Me levar de volta para Jerusalém?"

"Em uma hora. Este carro é da marca Bugatti. O mais rápido que há hoje na Terra de Israel."

"E aí vai ser o fim do jogo?"

"Mas se quiser, posso levá-lo de volta só hoje à noite. E se quiser mais, amanhã à noite. Feierberg decide, eu faço. *Yes sir!*" E virou-se para mim com uma reverência.

"Foi isso que o meu pai disse?"

"Logo mais será o seu bar mitzvah, pequeno senhor Feierberg, e quem faz bar mitzvah já é adulto!"

Eu não sou efetivamente adulto, pensei. Verdade que algumas vezes fumei escondido um cigarro inteiro, e até traguei, e troquei beijos com três meninas da minha classe, só para ganhar uma aposta, e Smadar Kantor declarou na frente da sua amiga que eu sou perigoso porque brinco com sentimentos. Mas, sentado ao lado de Felix naquele carro, tendo atrás de nós um trem inteiro, parado, brecado, eu sabia que ainda era um garoto de treze anos. Quer dizer, isso só ia acontecer no *Shabat*, e esta aventura estava sendo um pouco demais para mim.

Repassei mentalmente os últimos momentos no trem: como o maquinista da locomotiva viu o revólver na mão de Felix, como seus olhos arregalados de terror praticamente saltaram das órbitas, e como Felix desconectou o aparelho de intercomunicação com um movimento rápido, para que o maquinista não pedisse ajuda. E depois, quando descemos do trem, vi mais uma coisa que não entendi: Felix tirou alguma coisa do bolso do paletó, um objeto minúsculo, como um anel, e o jogou no ar, ao lado da locomotiva. Não vi o que ele jogou, só distingui o dourado reluzindo sob o sol, e ouvi um ruído metálico, de leve, como se fosse uma moeda caindo.

Seguimos viajando em silêncio. As rodas do carro levantavam poeira na estrada, mas dentro dele tudo estava fresco e limpo. Subimos por uma estradinha estreita. O carro ocupava toda a sua largura. Passamos por uma aldeia, talvez fosse um kibutz. Não prestei atenção. Negligenciei de propósito todo o treinamento do meu pai. Não li as placas, não registrei comigo mesmo as direções, não verifiquei a distância que percorremos pelo marcador de quilometragem, não montei siglas formadas pelas iniciais dos entroncamentos, sul, norte e assim por diante. Estava com raiva do meu pai pelas ideias exageradas deles dois. Eu o traí da mesma forma que ele me traiu. O tempo todo sentia na barriga que uma surpresa de bar mitzvah deve servir para alegrar o garoto, não para assustá-lo.

"Deseja ir para casa, certo?"

"Não!"

Mas soltei esse "não" com os lábios cerrados, de modo que Felix me olhou de lado e começou a reduzir a velocidade, até o carro quase parar. Esperou em silêncio na estrada.

Escute, eu disse a mim mesmo: é um momento difícil para você. Você quase cedeu. Mas tente ser um pouco mais forte. É verdade que você passou por uma experiência difícil, e está meio abalado, mas por outro lado não aconteceu nada com você. Você está andando no carro mais bonito do mundo. Está comendo abacaxi (tudo indica) e queijo amarelo num prato com uma listra dourada na borda, e se você for corajoso vai passar por experiências com esse tal de Felix que nenhum outro garoto jamais passou. E eu não estou falando de aventuras imaginárias como aquelas que você costuma inventar. Então pare de choramingar. Sente-se direito. Sorria. Não procure bancar o adulto, comece apenas sendo o Nono, como Gabi escreveu na carta.

Às vezes eu tinha o hábito de conduzir essas conversas amigáveis comigo mesmo. Tinha uma voz especial para essas conversas, uma voz grossa e firme, só que interna, com frases curtas e diretas, como slogans ou avisos de aparelhos eletrônicos em operação. Às vezes isso me ajudava.

Era fato.

Me estiquei um pouco. Aquele carro tinha lugar também para esticar as pernas. Devorei o sanduíche, e o lendário abacaxi eu comi devagar, com cuidado, desfrutando seu sabor na língua ao longo do processo. Endireitei os ombros e o corpo. Também assobiei baixinho para mim mesmo, para me assegurar de que tinha me acalmado. De uma coisa eu sabia: depois daquele abacaxi alguma coisa tinha mudado muito dentro de mim.

Felix guiava calado. De vez em quando dava uma olhada curiosa pelo retrovisor. Como se estivesse se perguntando se não tinha sido enganado pelo meu pai, se eu era de fato crescido e corajoso o bastante para aquilo que ele havia planejado para mim. Quando ele olhou mais uma vez, eu devolvi um olhar firme. Direto. Como papai me ensinou: um olhar firme é uma declaração de autoconfiança. Como criar músculos. Um ritual muito importante para um garoto pequeno e magro como eu. Vi que até com Felix isso funcionou. Ele sorriu para mim. Sorri de volta. Ele apertou um botão, e sobre a minha cabeça o teto do carro se abriu lentamente, deslizando para trás, e vi o céu azul. Nunca na vida et cetera et cetera.

O ar lá fora estava quente e gostoso. Sem pedir permissão, liguei o rádio. Estava tocando música americana. Eu me senti americano. Fiz cara de americano. Felix deu risada e virou a cabeça para trás. Vejam só: até que enfim encontrei um adulto que eu sou capaz de fazer rir.

"Nós temos um Humber Pullman", eu disse a Felix.
"Ahá! Sim! Carro fantástico! Motor seis cilindros, né?"
"Sim. E preto como este aqui."
"Humber Pullman é sempre preto! Só preto!"
Ele só tinha uma faixa branca nos pneus. Porque o carro nasceu na Inglaterra na época da Segunda Guerra, e havia o toque de recolher, e as ruas ficavam às escuras, e fizeram nele um sinal especial, para os pedestres poderem enxergar o carro no escuro.
"Papai o achou num ferro-velho. Antes de eu nascer."
"Então como o Humber virou ferro-velho?"
"Papai acha que ele pertencia a um oficial britânico na época do Mandato. E talvez tivesse dirigido bêbado e o destruiu numa trombada."
"*Yes sir*! Pode ser! Os britânicos adoravam beber! Johnny vivia bêbado."
"Eu e papai cuidamos do carro toda terça-feira", menti. Porque o certo era dizer "cuidávamos". No passado.
"Isso é importante! Um carro desses precisa de cuidados o tempo todo! E vocês também andam muito com o carro?"
"Sim... mas só no pátio. Até a cerca, pra frente e pra trás. Papai tem medo de botá-lo na rua."
Tinha medo. *Guiávamos* o carro até o portão. *Cuidávamos* dele. Tudo no passado.
"Ele é como uma pérola para nós."
Era como uma pérola. Era assim que papai o chamava. "Venha, Nono, vamos lustrar a Pérola", e nós saíamos, com baldes e panos, sabão especial, xampu de bebê, e dávamos um trato na Pérola. Trabalhávamos duas horas inteiras, sem dizer uma palavra, ou quase. Só palavras relacionadas com o carro. Dávamos a partida, atentos ao barulho do motor, como se fosse música. E com certeza papai sabia tocar, e o carro obedecia, andando

devagar os três metros até o portão, ida e volta, como se as rodas fossem de veludo. E quem sabe um dia a gente sai da rotina e leva a Pérola até o lendário Roger de Nahariya, especialista em carros antigos, para que ele ajeite os freios como tem que ser?

Me dói o coração quando lembro da Pérola. Quanto investimos nela! Uma vez chegamos a viajar até Tiberíades para comprar peças de carro especiais para viajar no deserto. Mas tudo isso acabou. Até hoje tenho sentimentos de culpa por causa do carro. Acho que o meu pai envelheceu dez anos quando foi obrigado a se desfazer dele.

"Mas por que não andam com o carro de vocês fora do pátio? Na rua?", perguntou Felix admirado.

"Papai disse que um carro desses... não é apropriado para andar nas péssimas ruas de Jerusalém. E no nosso pátio ele está protegido, bem guardado."

"Ah!", exclamou Felix, pasmo, "o Humber consegue andar até no deserto! Então como pode ser que Jerusalém seja perigoso para ele?"

"Não sei."

Eu também achava aquilo esquisito às vezes, que o nosso Humber não passasse do portão. Ele ficava no pátio como um preso. Quando o demos como indenização para Mautner, ele não tinha medo de andar com o carro, mas também não sabia guiar. Da primeira vez que saiu da cidade com ele, não conseguiu controlá-lo e capotou. Contou aos vizinhos que, no instante em que entrou numa estrada vazia, o carro começou a se mover como um bicho, e quanto mais ele pisava nos freios, mais o carro se lançava para a frente, o motor estava com defeito, ele jurou a todos, e papai ouviu e deu um sorriso amargo, como se já soubesse antes. Me dói até pensar nisso. Mautner vendeu a Pérola a um comerciante de carros usados, e nunca mais ouvimos falar dela. E também não nos lembramos mais dela. Basta. Morreu.

"E esta Bugatti", repetiu Felix, "você nunca ouviu falar de Bugatti, hein?"

Informei que não.

"Existem só seis carros como este no mundo", ele contou, "e foram feitos por um gênio, um escultor, o nome dele — Ettore Bugatti! Italiano e francês. E o carro todo é um projeto especial dele! Especial!"

Admirei em silêncio a obra de arte dentro da qual eu tinha o privilégio de estar.

"Ele, Bugatti, decidiu sozinho para quem vender cada um dos seis carros. Decidiu: só um rei merece uma Bugatti. E a primeira Bugatti ele vendeu para o rei Carol da Romênia, e eu cheguei a vê-lo andar no carro!"

"E este aqui? É de qual rei?"

"Este? Do rei Feierberg II. Especialmente para ele Felix trouxe este carro para Israel. Viajou um mês de navio até a Terra de Israel. Um grande passeio!"

"Para mim?", sussurrou minha consciência. "Foi para mim que você trouxe um carro? Como este?"

"Bem, bem, peço desculpas: não é um presente de verdade. Só hoje. Para ficar bonito. Para ficar especial nosso passeio juntos."

"Você trouxe o carro só por um dia? Para mim?"

"E daí? É só uma coisinha. Alguém na Itália deve a Felix um favor de honra. E outro velho gentleman na França, um antigo sócio. Eles já achavam que Felix estava morto. Talvez por uns dez anos não ouviram nada dele. De repente o telefonema: triiiiiiim! Rápido! Rápido! Juntam todos os velhos amigos, vão para lá, vão para cá, favor de honra é favor de honra! E aí vem a Bugatti para a Terra de Israel por uma semana, e depois volta para o museu, e ninguém fica sabendo de nada, e até logo, bênção, *shabat shalom* e muito obrigado!"

Meus lábios secaram. Talvez seja necessário dizer a bênção das ocasiões festivas quando se anda pela primeira vez de Bugatti. Pena que ninguém da minha classe esteja me vendo. Aliás, de modo geral: pena que eu não esteja fazendo um filme deste dia todo. Pois eu sabia que mesmo se acreditassem que dirigi uma locomotiva, que fiz soar o apito do trem, que brequei o trem em movimento, nem mesmo o Micha acreditaria em mim quando eu dissesse que trouxeram de navio, especialmente para mim, um automóvel de rei! E ainda mais com um teto que abre! Que não acreditem, pensei de repente com raiva. Por que tenho que ficar o tempo todo me importando com eles? Um rei por acaso procura impressionar alguém? Ele é simplesmente rei, só isso.

"Como ele se assustou, o maquinista do trem...", falei rindo, um riso meio exagerado, pois ainda não conseguia pensar no que tinha acontecido lá na locomotiva sem me sentir um pouco estranho comigo mesmo, e sem sentir tudo de novo, aquela onda de preocupação crescendo dentro de mim.

Felix deu de ombros: "E é só um revólver de brinquedo", ele disse.

De uma hora pra outra me senti aliviado: "Só de brinquedo?".

Ele deu de ombros, displicente. Tirou o revólver do bolso e me deu. Era um revólver pequeno. Bem pesado. Pesado como se fosse de verdade. A coronha era coberta de plástico. Uma vez vi um revólver de verdade como aquele, numa exposição de armas de fogo que visitamos. Papai se deteve ao lado dele um tempão, examinou, observou, alisou, olhou pela mira, e quando perguntei o que estava acontecendo, ele se apressou em guardá-lo de volta e disse irritado que era "um revólver de mulher". Mas eu não disse isso a Felix.

Meu estado de espírito também começou a se expandir de prazer. Segurei o revólver de brinquedo e o alisei. Era, como todos se lembram, meu segundo revólver no mesmo dia, depois do revólver do falso policial. Vidinha besta a minha, não?

Ainda estávamos viajando por estradas secundárias. Levantei e pus a cabeça para fora pelo teto aberto. Acenei para uma caminhonete que passava ao lado, e o motorista retribuiu o aceno, olhando com perplexidade para o grande carro preto. Lamentei não ter um chapéu de feltro. Teria completado o quadro. Eu disse isso a Felix. Ele virou a cabeça para trás e riu, e, mais uma vez, de um instante a outro, ele me pareceu uma fera, uma pantera: meio velho, com pelancas caindo dos dois lados da boca, mas ainda com brilho nos olhos, um brilho fulgurante, e imitei inconscientemente suas expressões mutantes, seu sorriso e as faíscas de perigo emitidas pelos seus olhos azuis... Acho que contei sobre a minha tendência engraçada de experimentar no meu próprio rosto a expressão das pessoas com quem estou falando, sentir por dentro o retrato delas, e até hoje tenho dificuldade de decidir se isso é um sinal de talento dramático ou de personalidade flexível. Em todo caso: Felix percebeu isso imediatamente, é claro. Eu era transparente para ele. De imediato ele sacou minha personalidade, e eu não me importei nem um pouco. Vi que ele até sorria para si mesmo, como se curtisse o fato de eu ser um ator-imitador assim. Pois ele também era meio ator, como quando fez a apresentação para o maquinista do trem, e algo no meu coração se entregou a ele, uma proximidade, um afeto, que bela equipe profissional nós dois fomos, na locomotiva, como, sem planejar antes, eu soube exatamente o que ele esperava de mim, como a minha mão se mexeu sozinha, hein? E Felix acelerou, a Bugatti avançando, e me encarou com cumplicidade, e ambos sentimos juntos que, pronto, aí está começando uma amizade especial, entre dois atores que não têm medo de nada, e ele tirou o revólver de brinquedo da minha mão, apontou para o céu pelo teto aberto, gritou "sus!" e apertou o gatilho.

O barulho me atingiu, ricocheteando de todos os lados. E de repente comecei a passar mal, sentindo frio. Um fiapo de fumaça subia do cano da arma. Afundei no banco largo do automóvel. Todo o ar saiu de mim de uma só vez, levando junto toda aquela sensação boa, a alegria da nova amizade.

"Você disse… brinquedo…", sussurrei sem voz.

Felix continuou guiando com uma mão, cheirou o cano do revólver, me encarou com seus olhos de bebê e deu de ombros com um sorriso: "O que acha, pequeno senhor Feierberg; é possível que tenham me enganado na loja de brinquedos?".

9. Nós, os fugitivos da lei

A fumaça do revólver pairou por sobre a minha cabeça e saiu pelo teto aberto da Bugatti rumo ao céu. Aspirei o cheiro da fumaça, cheiro concentrado de coisa queimada.

"Talvez, apesar de tudo, devêssemos voltar para casa, para Jerusalém", sussurrei.

Vi a decepção nos olhos de Felix: "Pardon", ele disse, "peço perdão! Lamento que tenha se assustado tanto, eu só atiro assim para fazer dar risada um pouco". Suas sobrancelhas triangulares se moviam na testa sem parar: "Quem sabe eu sou um pouco velho demais para fazer meninos rirem, hein?".

Fiquei calado. Que dupla a nossa: um adulto que não sabe fazer graça para meninos, e um menino que não sabe fazer graça para adultos.

Com a boca apertada perguntei se ele tinha filhos.

Outra vez ele se espantou e hesitou, como se pesasse internamente que resposta dar. Como se no mundo não existissem "fatos" ou "verdade", mas apenas algumas respostas possíveis para cada pergunta, sendo necessário verificar a mais adequada para o momento e para quem está perguntando.

Ele se decidiu. O conhecido sorriso tomou conta do seu rosto.

"Então, Felix tem só uma filha, mas já é grande", disse, "poderia ser sua mãe."

Só fiquei quieto por educação. Nenhuma pessoa no mundo pode ser minha mãe. Exceto Gabi, talvez.

"Mas também minha filha não conheci muito quando era pequena", disse Felix, "toda infância dela eu perdi, porque sempre estava em viagem, trabalho, assim. É uma pena, não? Eu perdi muito, hein?"

Não tive ânimo de responder. Para dizer a verdade, ele não parecia apto a criar filhos. Parecia um homem que sabe ser simpático com crianças, sabe distraí-las e diverti-las durante uma ou duas horas. Eu tinha certeza, por exemplo, que ele sabia fazer sombras com os dedos, três ou quatro mágicas comuns, ou contar histórias para crianças pequenas, que ficariam com os ouvidos grudados nele. Mas criar filhos, cuidar deles, educá-los, brigar com eles e se preocupar quando ficam doentes, e consolá-los quando estão tristes, como Gabi faz comigo, por exemplo — isso não.

"Por que... por que olha para mim assim?", Felix perguntou hesitante, dando um sorriso forçado. Eu não tirava os olhos dele. Queria que ele visse que eu estava bravo.

"Eu gosto de crianças, sim...", acabou dizendo, num murmúrio aflito, em tom de desculpa, "sempre disseram 'Felix tem jeito com crianças! Todas as crianças gostam de Felix'..."

Sim. Exatamente como pensei.

Fiquei calado, sem pena.

(Pois, na minha opinião, quem fala com tanto orgulho que "gosta de crianças" — e há muitos adultos que dizem isso — no fundo pensa que as crianças são um só objeto, uma coisa com cara e personalidade; quer dizer — os "amantes de crianças" se relacionam com elas com displicência. Afinal, nunca ouvi alguém declarar "eu gosto de adultos", certo? Mas "amantes de crianças" a gente encontra em todo lugar, e aos olhos deles todas as crianças são doces e delicadas, ocupadas apenas com suas alegres brincadeiras, felizes o dia inteiro. "Ui", dizem esses imbecis crescidos, "como é feliz a época da infância!" E aí você tem vontade de dar um cascudo naquela cabeça quadrada e dizer: "Certo, e como são felizes os idiotas!". Crianças, cuidado com os amantes de crianças!)

"O que se passa?", reclamou Felix ao meu lado, "perdemos a língua, senhor Feierberg?"

Percebi que meus olhares e meu silêncio incomodavam Felix, tirando um pouco da sua autoconfiança. Tive a sensação de que ele conseguia ler exatamente os meus pensamentos. Que se dane, pensei, pode continuar lendo: para mim, senhor Felix, se estou conseguindo captar a sua personalidade com uma olhada rápida de profissional, o senhor é um sujeito vaidoso, que adora se divertir e se fazer de importante, como uma criança mimada. É isso que o senhor é!

Deu certo. Talvez tenha sido mesquinho da minha parte, mas eu estava me vingando do tiro de revólver. Sou obrigado a reconhecer, com pesar, que não fui eu quem inventou essa expressão eficaz sobre o homem que se diverte criando a si mesmo como sua única e eterna criança, et cetera et cetera. Gabi disse isso certa vez a respeito de uma mulher famosa, Lola Ciperola, a atriz que ela admirava, e as palavras ficaram martelando na minha cabeça. Impressionante ver que as mesmas palavras serviam tão bem para Felix: seu olhar baixou e a cor sumiu do seu rosto. Segurou o volante com as duas mãos e fixou o olhar na janela, calado.

O silêncio dentro do carro durou alguns segundos. Em seguida, Felix voltou a me fitar, os olhos já totalmente diferentes. Eles já não revelavam aquela expressão estranha. Eu sabia que algo tinha acontecido entre nós, que tínhamos acabado de travar um pequeno duelo, e que eu, por algum motivo, tinha vencido.

"Você é um garoto bastante sagaz, pequeno senhor Feierberg", comentou Felix baixinho, "mas agora vamos ver se possui também coragem de prosseguir nesta nossa excursão."

O hebraico que ele falava era engraçado, como o de um imigrante recém-chegado que tivesse aprendido palavras bonitas. O automóvel preto viajava devagar, suave e silenciosamente. Agora tinha chegado a hora de eu decidir: se eu dissesse "basta", ele me levaria de volta. Tudo seria interrompido. Terminaria de repente aquele sonho estranho, gostoso, assustador e confuso. Um sonho que tinha acabado de começar, um sonho todo especial, que não dava para saber aonde iria me levar. Fechei os olhos. Tentei me concentrar para tomar uma decisão, mas os pensamentos se dispersavam para todos os lados. Bem lá no fundo do coração senti um bloco frio e pesado, um medo sem nome, medo daquilo que estava acontecendo comigo e com aquele tal de Felix, e pensei que não adiantava tentar entender demais o que estava acontecendo, pois a solução poderia ser ainda mais assustadora que a dúvida.

"Então vamos continuar", exclamei.

"Muito bonito." Ele se endireitou no banco do motorista. Vi que ficou aliviado, mas mais que isso: que estava alegre por eu ter resolvido continuar. Que, apesar de tudo que descobri a seu respeito, optei por continuar a viagem com ele. Eu também me endireitei ao seu lado, e olhei direto na sua cara. Estava muito orgulhoso de mim, mesmo sem entender direito o que eu tinha feito para provocar essa mudança, nele e em mim.

"Mas antes precisamos de outro bicho, sim?", ele disse.

Esse foi um desvio inesperado na conversa. E na viagem também. Não perguntei nada. Travei a língua e esperei para ver o que ia acontecer. Paramos o enorme carro ao lado de um pomar. Descemos. Eu não sabia onde estava. Aonde ele estava me levando. Felix tirou do porta-malas a maleta de couro marrom. Fechou a porta do carro e começou a andar. Entrei no pomar atrás dele. Eu me contive para não perguntar aonde estávamos indo. Já tinha começado a entender que nada com ele era previsível. Que o tempo todo mudavam as situações, os programas, o futuro...

Entramos no meio das árvores do pomar. Caminhamos mais e mais. Comecei a ficar meio inquieto. Só nós dois estávamos lá. Só ele e eu. Passamos por mangueiras de irrigação cobertas de lama. Aqui e ali havia panos vermelhos amarrados em volta dos troncos. Virei para trás, e não vi a Bugatti. Nem a estrada. Estávamos cercados de árvores e de silêncio. Só ele e eu.

Então, entre duas fileiras de árvores, vi um sapo enorme: um Volkswagen verde. Como ele tinha dito, era outro bicho sim, meio besouro, meio sapo: um fusca. Eu não disse nada. A cada vez eu voltava a me surpreender com o tamanho da operação que tinham preparado para mim, e o tempo todo, junto com a minha admiração, vinha uma perguntinha: por que não eram capazes de me dar um presente mais simples? O que havia de errado com uma simples bola de futebol? Eu me sentia cada vez mais como um grãozinho de areia numa correnteza. Caminhei atrás dele. Ele andava depressa, mas não era afobado. Ser afobado não condizia com seu estilo. Havia um ritmo especial nos seus movimentos, que obviamente também me chamou atenção. Ele abriu a porta dele. Eu a minha. Ele entrou e sentou. Eu também. Ele ligou o carro. Eu me ajeitei no meu lugar. Ficamos calados. Eu gostei daquilo: um silêncio viril. O carro passou por cima das mangueiras de irrigação. Achou a estrada de terra. Partimos.

"Mais importante para mim era começar nossa excursão com a Bugatti preta", explicou, "um automóvel como aquele torna tudo especial, estilo, *style*, certo?"

Ele disse a palavra "estilo" como se estivesse sentindo seu sabor. Pensei qual seria agora o destino do belo carro. Para meia hora de viagem ele trouxe um carro do exterior, de navio. E o deixou para trás do mesmo jeito que largou seu belo relógio com a corrente de prata. Nem se deu ao trabalho de trancar o carro. Ele era, aparentemente, o homem mais rico do mundo.

"Mas, por outro lado, preto chama muito a atenção. Principalmente com portas amarelas. Mais alguns instantes e a polícia já ia nos localizar. Foi por isso que pensei neste fusca para nós. Há muitos iguais no país. Ninguém presta atenção nele. Nós podemos passar até por um posto policial, digamos, e os guardas vão tirar o chapéu e dizer 'bom dia, muito obrigado, a bênção e *shabat shalom*'."

Continuei calado, mantendo meu silêncio rígido e profissional. Depois comecei a relembrar as palavras sobre os guardas, e aos poucos, do meio do meu estupor nebuloso, me ocorreu uma ideia interessante: "O quê, nós estamos fugindo de alguém?".

"Eu diria… da polícia, ela com certeza não gosta do caso com o trem, aquilo que nós fizemos", falou dando de ombros e mordendo três vezes os lábios, como se fosse uma atitude lamentável por parte dos policiais: "Às vezes, eles têm concepções arcaicas." E soltou uma risadinha leve: "Eu não falo do seu pai, seguramente, oh, não! O seu pai é um verdadeiro campeão, mas eles são meros policiais. Escute, o seu pai é o melhor investigador de Israel!".

Nesse momento duas coisas aconteceram:
1) Minha pequena alma se inundou de jatos de felicidade por existir outra pessoa além de mim com a mesma opinião sobre o meu pai.
2) De um instante para o outro compreendi o verdadeiro plano do meu pai.

Quer dizer… quase me atrevi a compreender.

"E nós, nós dois, quer dizer, você e eu...", comecei com hesitação, pois tinha um pouco de medo da resposta, "nós agora... estamos fugi... fugindo da lei?"

"Ah! Maneira muita bonita de dizer", sorriu Felix, "sim, sim, estamos fugindo da lei." E ficou sentado repetindo as palavras em voz baixa.

"E... me diz uma coisa, amanhã nós também vamos estar fu... fugindo da lei?"

"E anteontem também... não, ao contrário! Depois de amanhã também. O senhor Feierberg decide até quando. O que ele me diz... eu fazer para ele. Hoje ele é como Aladim, e eu como o gênio de Aladim, *yes sir*!"

E fez uma reverência.

No mesmo instante, o mestre de cerimônias do meu circo interior brandiu seu longo chicote, e o ruído da chicotada se ouviu dentro dos meus dois ouvidos. A orquestra explodiu numa música animada, e os meus trinta e dois acrobatas, três engolidores de fogo, dois mágicos, o atirador de facas, meus palhaços, macacos, leões, elefantes e cinco tigres de Bengala irromperam todos juntos no meu picadeiro interior e começaram a dar voltas e mais voltas numa roda interminável... Sim, foi um momento desses, um fato grandioso como este, quando todo um circo foge para se juntar a um garoto, e a voz embriagada de tanta felicidade ressoa no alto-falante dos meus ouvidos: "Senhoras e senhores, respeitável público, aí vou eu!".

Afundei no encosto do banco e fechei os olhos, tentando fazer com que aquela bagunça dentro de mim calasse a vozinha baixa e macia que tentava o tempo todo me sussurrar uma advertência, me avisar de que eu estava redondamente enganado, sem entender absolutamente nada do que estava acontecendo ao meu redor. Mas eu já não queria mais escutá-la. Essa voz que suma daqui, que pare de estragar a festa. Felix guiava devagar, cantarolando sozinho com sua voz engraçada, marcando o ritmo com a língua, como uma banda de um homem só. Abri a janela e o vento lavou minha cara. Me recuperei. Me endireitei. Pronto. Tudo em ordem comigo. Tudo vai ficar bem. Tudo vai voltar a ser claro e simples. Finalmente, depois de horas com raiva do meu pai e da Gabi, todo o programa ficou claro, a ideia, o objetivo e a execução: então é este o presente de bar mitzvah que o meu pai está me dando! E este é o homem especial que ele escolheu para essa função! E, mais uma vez, fiquei admirado com o tamanho da imaginação, da audácia do meu pai. Pois quem vê o meu pai não consegue ver pela sua aparência externa quem ele realmente é, e o quanto é brilhante quando quer. Bem, tamanho brilhantismo não é para ser desperdiçado no dia a dia, é óbvio. A Gabi, porém, afirma que ele se preocupa tanto em não desperdiçá-lo que essa já virou sua segunda natureza, pois nem mesmo eu imaginaria que ele fosse capaz de ser tão audacioso e maluco. Gostaria muito de saber o que a Gabi disse quando soube dessa sua ideia.

E vamos ver se ela tem coragem de abandoná-lo depois de uma ideia como essa.

Também para o Felix eu olhei com um olhar novo: se meu pai confia nele para uma operação tão refinada, ele deve ser alguém realmente especial. Nesse meio-tempo, o alguém especial pôs óculos de sol, simples óculos escuros, sem nenhum traço do esnobismo do monóculo. Ele dirigia com segurança, os olhos por trás das lentes pareciam quase fechados, mas eu sabia que ele não perdia um único detalhe do que se passava. Cada vez mais ele lembrava meu pai. Eram tão diferentes um do outro, e mesmo assim parecidos. Engoli em seco. Procurei controlar tudo que ia dizer de agora em diante, mas não conseguia controlar nem mesmo aquele leve tremor dos dedos.

Mas e se for perigoso demais? Ou ilegal demais?

E se eu decepcionar os dois, meu pai e Felix?

E se nos pegarem?

De uma hora para a outra, o plano se revelou aos meus olhos em toda sua dimensão e loucura: que coisa perigosa meu pai está fazendo! Me induzir a cometer esses crimes, como aquele que cometi no trem...? Afinal, se me pegarem e descobrirem o que realmente aconteceu, ele vai ser expulso da polícia, e o vice dele, Ettinger, vai assumir seu posto, e qual vai ser o sabor da vida do meu pai sem a investigação, sem a polícia? Eu não vou revelar nada, juro a mim mesmo, ainda que me torturem durante os interrogatórios, não vou entregá-lo nas mãos deles!

Não, eu não conseguia entender. Não ousava entender. Respirei fundo. Me preparei para fazer uma pergunta longa e detalhada que me esclarecesse toda a situação.

"E... e o que... n-n-n-ós... va-va-vam...?"

Engasguei. Encalhei. Fiquei sentado, mudo e envergonhado, mais alguns instantes. Felix sorriu de leve.

E aí, seu tonto! Vai agir ou não vai?!, eu disse a mim mesmo.

"E o que nós... vamos... fazer juntos?"

Esta era, aparentemente, a minha voz, aquele fragmento estilhaçado rangendo pelo ar.

"Ui, senhor Feierberg", Felix ergueu a mão, "nós vamos fazer coisas que você nunca fez!"

"E se... nos pegarem?"

"Não pegarão."

Agora ou nunca: "Diga, hã, Felix... eles... hã eles... quer dizer... a polícia, a nossa polícia! Eles nunca vão nos pegar?".

Ele não parava de cantarolar baixinho, como se não tivesse ouvido. Só depois de um longo momento virou o rosto para mim: "Só uma vez. E pronto. Mais não pegarão".

E sorriu para si mesmo: "Foi a primeira e a última vez". Mas só os lábios sorriram, e a mesma linha fina e rija que vi uma vez em volta dos seus lábios voltou a sobressair.

"E o meu pai, há quantos anos você conhece ele?"
"Ho, ho! Talvez dez anos, talvez mais!"
Hesitei um pouco para fazer a pergunta seguinte, para não magoá-lo.
"Vocês se conheceram no... trabalho?"
Agora também sorriam as rugas em volta dos olhos: "No trabalho. Você disse muito bem".
Aumentou a velocidade e se concentrou na direção. Assobiou uma canção que eu não conhecia, parecia uma música alegre de violino, e de vez em quando murmurava para si mesmo com satisfação: "No-tra-ba-lho!", acompanhando a palavra com um rápido "pã-pã-pã". Reparei que ele está quase sempre assobiando alguma coisa, ou cantarolando. O tempo todo o espaço é preenchido por ruídos ou murmúrios. Pensei: talvez seja esse o resultado que aparece nos adultos que foram como eu na infância.

E, em meio a todas as sensações contraditórias que ele despertava em mim, era muito bom observar suas mãos. Mãos compridas, viris, tranquilas. Só o anel me incomodava. Um grande anel de ouro na mão esquerda. Tinha um estilo e um desenho que eu nunca tinha visto, com uma pedra negra, escura como um túnel escavado sob os muros de uma prisão, e um pouco brilhante, como o cano de um revólver. Negra e brilhante, como terríveis e impressionantes segredos.

Por isso, eu olhava apenas para a mão direita. Dela eu tirava coragem e simpatia, vontade de permanecer com ele. A mão direita era a mão certa. Com ela eu estava protegido. Essa mão me lembra que meu pai está me protegendo de longe, e que escolheu Felix, com o máximo cuidado, para desempenhar essa missão especial. E este Felix, basta uma olhada para a sua mão direita para ver que ele é como um dos lendários *shúshus*, que não conhecem qualquer tipo de medo. E que será para mim um criminoso com coração de ouro.

"Meu pai é mesmo um campeão, certo?"

"Detetive número um. *Numero uno!*", ele disse.

Pena que meu pai não estivesse lá para ouvir. Nos últimos tempos ele também começou a acreditar que não valia nada. Criava problema com todos os colegas da polícia. Nenhum investigador queria trabalhar com ele. Duas semanas atrás escreveram sobre ele no jornal *Yediot Ahronot*, dizendo que ele tinha fracassado em todas as investigações importantes que conduziu nos últimos anos. Escreveram que o ódio que sente por bandidos faz com que, em investigações complicadas e delicadas, ele se comporte como um elefante numa loja de cristais. Eu estava torcendo para que Felix não tivesse lido esse jornal.

"Mas papai tem tido alguns problemas ultimamente", falei com cuidado.

"O que escrevem no jornal é bobagem! É pura asneira!", discordou Felix. "Eles não entendem que seu pai não é simplesmente um detetive qualquer! Ele tem a investigação no sangue! Não é como outros policiais que apenas se comportam como alguém com quepe na cabeça! No caso do senhor seu pai, a investigação é uma arte! Ele está para a investigação assim como... a Bugatti está para os automóveis!" E apontou com o dedo para enfatizar suas palavras, e nem me importei de ter sido aquele dedo, o dedo do anel.

"Mas num dos jornais", eu disse encabulado, "chegaram a escrever que ele parecia um louco quando deparava com bandidos, e que por causa disso destruía todas as investigações."

"Eles é que são loucos!", discordou, "Também li essas bobagens! Será que pensam que polícia e ladrão é uma brincadeira de criança?"

"E já faz um bom tempo que não dão uma promoção pra ele", eu disse com o coração apertado. Era proibido falar nesse assunto fora da minha casa. Nós da polícia não lavamos roupa suja na frente de outras pessoas, mas eu estava cheio de amargura pela forma como estavam tratando meu pai, e também sabia que Felix era meu aliado.

"É uma sujeira!", Felix bateu no volante. "Eles têm medo porque ele é fantástico!" E franziu os lábios quase até o nariz, resmungando algo azedo.

Eu me esforcei para lembrar suas palavras, para contar ao meu pai no dia seguinte. Lamentei principalmente Gabi não estar ali. Ultimamente ela andava com uma opinião muito irritante a respeito dele como detetive. Eu não entendia como ele se dispunha a ouvir dela todos aqueles insultos e ficar calado. Gabi achava, por exemplo, que papai devia se desligar da polícia imediatamente e procurar outro trabalho. Foi isso que ela disse, de forma simples e direta.

"Outro trabalho?", meu pai perguntou de queixo caído. "Você está falando de mim?"

Estávamos os três na cozinha, preparando o jantar. Eu estava do lado da pia. Papai começou a gritar por cima da panela de macarrão. Ela esperou que ele avançasse para cima dela, e quando isso não aconteceu, tomou coragem: "Você precisa deixar de vez essa profissão! Basta!". Silêncio. Meu pai ficou calado! Gabi continuou cortando legumes com as mãos trêmulas: "Você deu quase vinte anos da sua vida para esse trabalho. E deu também coisas mais importantes. Chegou a hora de você fazer outra coisa, mais normal. Com horário de trabalho normal, sem revólveres nem tiros. Sem risco de morrer a cada dia". Ela lançou um olhar assustado para trás. Papai permanecia mudo. Ela respirou fundo e soltou de uma vez: "Eu sugiro que você se demita, receba o que tem direito, eu me demito com você, juntamos nosso dinheiro e abrimos um restaurante juntos. Por que não?".

Era uma ideia nova e surpreendente. E os antigos projetos? Em vez de chefe de polícia, chef de cozinha? Papai fez uma voz de sapo que dá um salto na Inglaterra e reaparece numa cozinha francesa: "Restaurante? Você disse restaurante?!".

"Sim, sim! Restaurante! Comida caseira! Eu cozinho e você aten...!"

"E quem sabe eu também ponho um avental cor-de-rosa e vou cozinhar? Hein? Será que você acha que eu já sou velho demais pra ser detetive? Fala, fala pra mim!"

Vi que iam surgir problemas. Procurei rapidinho um assunto para mudar de conversa. Não encontrei. Eles vão brigar. Ela vai embora. E essas separações temporárias deixam cada vez mais próxima a separação definitiva. E eu não posso viver assim, nessa insegurança.

"Você já foi um bom detetive", disse Gabi em tom calmo e firme, "você já foi o melhor. Todo mundo sabe. Mas por causa de tudo que aconteceu desde então, toda aquela história, você perdeu totalmente o senso de proporção. Você trata a investigação como sua guerra pessoal contra o mundo do crime. Não se pode ser profissional assim!"

Silêncio na cozinha! Ninguém no mundo pode dizer coisas desse tipo ao meu pai e sair vivo.

E ele continua calado! Calado diante dela!

"Você tem tanto fervor para acabar com eles, com qualquer bandidinho vagabundo, que acaba estragando todas as suas ciladas!" Silêncio. Papai voltou a mexer o macarrão com movimentos vagarosos. Gabi estava tão tensa que não conseguia parar de fatiar um tomate, e foi cortando, cortando mais e mais, fatias cada vez mais fininhas. Ela sentia que papai estava escutando seriamente, para variar. Eu tinha que me meter e dizer alguma coisa, para calar a boca dela. O que é que ela entende de investigações? O que é que ela entende da eterna guerra dos detetives no mundo do crime, o que é que ela sabe do mundo sórdido e atroz do meu pai?

Mas um lampejo de lembrança passou pela minha cabeça. Uma coisa que tinha acontecido com ele não muito tempo antes. Quando papai e eu montamos juntos um esquema para ladrões de automóveis, a forma como ele se comportou. Exatamente como Gabi descreveu, e acabou com o nosso esquema; a sorte foi que eu também estava lá.

Fiquei quieto. Continuei mexendo os ovos na frigideira. Senti que uma situação nova estava se formando.

Papai disse em voz baixa: "É duro quando escrevem sobre você no jornal dizendo que você se comporta como um elefante numa loja de cristais. Imagine como você se sentiria se dissessem que você é como... hã, hã...".

Com esforço heroico, Gabi ignorou o comentário infeliz. "É verdade que o que escreveram sobre você estava cheio de veneno", ela disse, "mas havia também alguns argumentos corretos, e você tem que pensar neles se quiser mudar alguma coisa na sua vida!" Finalmente ela se livrou do tomate, e fitou estarrecida a mancha de polpa vermelha esparramada sobre a tábua. Aí passou a atacar o pepino. "Você fica tão cego de raiva com qualquer marginalzinho ridículo que não tem paciência para planejar uma operação eficiente! Não tem senso de ritmo para conduzir uma investigação! Nem perseverança para os procedimentos comuns!" E para enfatizar o que dizia, cortou o pepino com três fortes golpes de faca, acompanhando os três pontos de exclamação.

Estávamos os três um de costas para o outro. E eu só espiando com o rabo do olho.

"E com certeza também não há uma gota de iodo nesta casa maldita!", ela gritou de repente, jogando a faca para o lado e correndo até o banheiro para tentar estancar o sangue que jorrava do dedo. Papai não se mexeu. Suas costas eram uma rija muralha de pedra. Eu não sabia se devia ir atrás dela ou ficar com ele para consolá-lo. Não sabia a quem eu devia ser leal nesse momento. Ele não viu o que eu vi: Gabi cortou o dedo de propósito. De tanto ódio de si mesma ela cortou o dedo.

"Ela tem razão", papai disse de repente com voz baixa e distante, "todo mundo me diz isso, e eu não escuto. Ela está me dizendo porque isso dói nela, ela realmente se importa comigo. Ela tem razão."

"Não tem, não", eu disse com a boca seca de medo. Qual é, de repente ela tem razão? Ele é o melhor detetive do país. Ele precisa permanecer na sua função, até eu me juntar a ele, e aí, juntos, seremos uma equipe extraordinária.

"Espere aqui um minuto, Nono", disse o meu pai. Sua voz estava macia, a ponto de eu quase não reconhecê-la. "Eu vou fazer um curativo no dedo dela."

Pena ela não estar aqui agora, dentro do carro, para ouvir o que Felix diz.

"E talvez não seja apenas o melhor do país", continuou Felix, balançando algumas vezes a cabeça, para enfatizar as palavras, "talvez não só do país!"

Respirei fundo, deixando que essas palavras me preenchessem por dentro. Viajávamos num silêncio viril, só Felix cantarolando e murmurando sozinho. Uma paz desceu sobre mim, uma paz de sonho. Como se eu estivesse escutando alguém contar uma história. A história de um garoto que tem um pai detetive de polícia, e como presente de bar mitzvah o pai planeja para o filho uma viagem de aventuras pelo outro lado da vida, pelo lado sombrio do crime. Um presente especial para a data em que o filho se torna adulto, para que ele conheça totalmente a vida, os dois lados da moeda. E talvez também para que ele se lembre de que até seu pai tem outro lado, livre, selvagem, feliz.

Ou, pelo menos... tinha.

Quando era jovem. Antes de se casar com Zohara, antes

de trabalhar na polícia. Eu sei muito bem. Gabi me contou, ou insinuou, e de vez em quando alguém me dizia disfarçadamente que meu pai era um belo de um farrista, e que tinha na época dois bons amigos, formavam um grupo unido, chamado de "os Três Mosqueteiros". Não foi nem meu pai que me contou. Era como se bastasse recordar aqueles dias felizes e já começava a ficar triste por causa de Zohara. Mas eu fui juntando e guardando no meu íntimo essas migalhas que Gabi jogava para mim: eram três rapazes felizes, com coração de ouro, toda Jerusalém os conhecia, e principalmente ele, Kobi Feierberg, com seu eterno chapéu de caubói, uma risada que parecia um relincho de cavalo, e todas as coisas malucas que ele fazia: podia, por exemplo, dançar valsa com uma geladeira presa nas costas, ou tinha coragem de roubar uma zebra do zoológico bíblico e passear na rua montado nela; e, à noite, depois do trabalho, os Três Mosqueteiros tomavam banho e lambuzavam os cabelos de óleo e iam aos bailes em Rehávia ou Ein-Kerem, os bairros mais chiques, e tiravam a moça mais bonita para uma dança feroz, girando-a até ela quase cair: um dançava e os outros dois tomavam conta para que ninguém ousasse se meter, e corriam para a festa seguinte… Ele tinha um monte de admiradoras naquela época, quando era solteiro, tinha namoradas, e se divertia com todas elas, deixava-as doidinhas, e não amava de verdade nenhuma delas, e sempre dizia que ainda não tinha nascido a mulher capaz de prendê-lo, e se alguma delas quisesse prendê-lo teria de dar um tiro nele, caçá-lo ou pescá-lo, e dava sua risada viril de cavalo. Sim, um dia meu pai foi assim, um milhão de anos atrás. Levava as moças de Jerusalém para passear numa motocicleta com *sidecar*, um *sidecar* cheio de terra com um pequeno tomateiro, que foi crescendo e amadurecendo, até o dia em que meu pai conseguia pegar e comer tomates frescos enquanto guiava a moto, o "Caubói Tomate", era assim que o chamavam. E se algum guarda quisesse multá-lo por causa do jeito maluco dele de guiar, papai imediatamente o presenteava com um tomate vermelho e fresco, e todos riam e se divertiam, como é que dá para multar um cara como esse, caubói é caubói, e ele nunca vai mudar...

Cadê ele? Cadê aquele rapaz? Por que eu nunca o conheci? Por que eu não o vi nem mesmo por um instante, espiando de dentro dos olhos dele? Cadê o malandro que roubava carros só para botar neles rodas de madeira quadradas? De onde surgiu de repente essa tristeza que traçou, com unha de ferro, aquela terrível fenda entre os olhos?

Felix guiava e cantarolava, e eu só tentava cuidar para que o meu coração não estourasse através da minha arcada dentária. Fiquei tocando incessantemente a minha cápsula, a bala que tiraram do corpo dele. Um bandido deu um tiro nele, e papai continuou o duelo até derrubá-lo. Eu não tirava a cápsula nem no chuveiro. Foi do corpo dele que ela saiu, e vai ficar comigo até o dia da minha morte. Juntos, pensei, eu aqui junto com meu pai. Tudo que faço agora, eu faço com ele. E mesmo quando estou agindo fora da lei, como agora, o espírito dele está comigo na cápsula pendurada no meu pescoço. O espírito dele inteiro, inclusive a parte alegre e exuberante, a parte perdida. Comigo. Junto do meu coração.

Foi um momento profundo e grandioso. Pois não era sempre que eu me sentia tão próximo do meu pai, e não era sempre que eu tinha a sensação de que somos de fato parecidos — não como gêmeos, e talvez nem mesmo como uma dupla de profissionais capazes de agir juntos sem se falar. Às vezes eu era tomado por um acesso de medo, medo de crescer e não ser como ele. Mas naquele exato instante, naquele carro em movimento, eu me senti crescendo. Crescendo junto com ele, e lembro, talvez pela primeira vez, de conhecê-lo até as profundezas da sua alma. Pois só agora ele está se revelando plenamente para mim, entregando-se totalmente a mim, com generosidade e sem medo. Aquele era seu grande presente para o meu bar mitzvah.

Uma viatura de polícia com sirene ligada estava andando à nossa frente na estrada. Dei uma risada de coração aberto, de bandido veterano: há-há-há, talvez os detetives na viatura já estejam procurando os sequestradores do trem, os homens da Bugatti preta! Olhei para mim mesmo: eu nem estava com medo. Quase. O que eu tenho com aquela viatura? Ao contrário: tomara que ela comece a nos perseguir, e vamos conseguir fugir numa corrida desvairada. Claro que vamos conseguir. Sem medo e sem lei. Seremos como dois bichos selvagens. Só por um dia ou dois, não mais que isso, mas totalmente sem medo e sem lei. E estando com Felix tudo vai ficar bem, ele é experiente nessas coisas, tem nervos de aço, quem pode me atingir quando estou com ele? Ninguém no mundo pode me alcançar, a magia dele me protege, o seu olhar azul, só por um dia ou dois, não mais, e depois eu esqueço tudo e volto ao normal, de novo um bom menino, correto, não vou contar mentiras nem fazer bagunça nem loucuras nem nada. Vou chegar uma única vez no ponto máximo da escala das coisas proibidas, e depois, só muito de vez em quando, à noite, sozinho no meu quarto, vou lembrar deste dia, ou destes dois dias, que existiram na realidade, mas que são também como sonho, uma locomotiva sequestrada, uma Bugatti preta, e um revólver sombrio e perigoso, e os uivos ensurdecedores das sirenes de cem pequenos e ágeis carros de polícia que estão no meu encalço, e eu sumo, desapareço, não sou capturado. Pois eu sou ágil e imprevisível, treinado no crime. Nono Feierberg, em breve o melhor detetive do mundo!

Meu coração bateu forte. Juntei os joelhos e apertei um contra o outro, e me curvei na posição de prisão preventiva. Por um instante fiquei meio confuso. Assustado. Afinal, falando sério, quem sou eu?

10. Capítulo para o qual não tenho ânimo de dar um título, muito menos um título engraçado

A Gabi está conosco desde sempre, contei a Felix, quer dizer, desde que eu me conheço por gente. Ela veio morar com o papai e comigo depois que Zohara, minha mãe, morreu, e isso aconteceu quando eu era muito pequeno. Tinha um ano de idade, talvez. Fiz uma pequena pausa na narrativa, pois em geral nesse ponto as pessoas começam a fazer todo tipo de perguntas imbecis, do que ela morreu, se eu me lembro dela, mas Felix ficou calado.

Eu me surpreendi um pouco. Como é possível que ele não se interesse, como é possível que não se importe de estar aqui com um menino sem mãe, um menino literalmente órfão. Mas resolvi não demonstrar que estava surpreso, pois, como já expliquei, é sempre o contrário, em geral as pessoas me pressionam com perguntas que eu não tenho ânimo de responder, então digamos que agora estivesse acontecendo absolutamente a mesma coisa.

Continuei contando sobre a Gabi, uma moça que trabalhou anos e anos com meu pai, que era secretária dele quando ele era vice-chefe do Departamento de Investigações de Fraudes e o acompanhou quando ele se tornou investigador-sênior do Departamento de Crimes Violentos, continuando como sua secretária quando ele passou para o Departamento de Investigações Especiais. Ela ia atrás dele onde quer que ele fosse.

"Sou como o trovão", dizia ela. "Quer dizer, obviamente, se nós considerarmos que o seu pai é o raio."

"Ela é mesmo um pouco como o trovão", expliquei a Felix, "é muito gorda, e também fala alto, mas é dez. Eu não sei como teríamos nos ajeitado sem ela (ligeira pausa) principalmente depois que a minha mãe morreu."

Silêncio. Tudo bem. Ele tem o direito de permanecer calado. Mesmo que, na minha opinião, se um menino diz "depois que a minha mãe morreu", isso, apesar de tudo, o torna um pouco especial. Talvez não. Felix guiava o fusca verde numa estradinha estreita que nos conduzia em direção ao mar e ao pôr do sol. Íamos devagar, como se agora não houvesse nenhum policial no mundo à nossa procura.

"Ela está sempre experimentando dietas novas", revelei a ele, "pois jurou lutar sozinha até que tenha um corpo digno de ser habitado por um ser humano; mas, apesar de tudo, ela adora comer, e devora quantidades enormes de chocolate; além disso, eu e papai fazemos refeições imensas, e ela é obrigada a participar."

Ela come e odeia a si mesma por causa disso. Mas quando papai começa a derramar azeite de oliva, e espalhar sobre a salada fatias finas de cebola, e cogumelos, e cozinhar uma panela de macarrão, não dá para resistir. Às vezes desconfio que papai gosta de torturá-la um pouquinho com isso: fica seduzindo Gabi com comidas, para ela engordar ainda mais, e assim ele pode continuar sem se casar com ela.

"Zohara, por outro lado, era realmente muito bonita", eu

disse sem nenhum motivo específico. "Uma vez eu vi uma fotografia dela."

Silêncio. O motorista dirige rumo ao mar.

"Meu pai guarda só essa foto. Uma foto dela e dele. E todas as outras coisas dela ele não quis deixar em casa depois que ela morreu." Eu falei reforçando a palavra "morreu", pois talvez Felix não tivesse ouvido antes. Mas também desta vez ele não reagiu. Permaneceu curvado sobre o volante, o rosto tenso e comprido.

Que seja. Ninguém é obrigado a falar de uma mulher que morreu, mesmo que tenha sido mãe de alguém que está conversando com você. Afinal, esse próprio alguém não está especialmente interessado em falar dela. Ele mal a conheceu. Tinha um ano quando ela morreu, e desde então ninguém lembrou muito dela na nossa casa. Morreu e pronto.

"E a Gabi?", perguntou Felix subitamente.

"A Gabi também não fala dela", mas às vezes, no meio de uma conversa sobre algum assunto, ela para de repente, e aí se faz um silêncio breve, especial, como se alguém tivesse passado entre nós no vazio da sala, só que ninguém pode dizer que sentiu essa presença. Depois a Gabi sempre recomeça com "então, onde estávamos?". Eu sei que papai a proibiu de lembrar Zohara em casa, porque, toda vez que eu crio coragem para perguntar alguma coisa sobre o assunto, a Gabi diz "para tudo que esteja relacionado com Zohara, favor dirigir-se ao seu pai", e cerra os lábios, mesmo que eu sinta que ela está explodindo de vontade de contar.

"Você não entendeu minha pergunta", disse Felix, "perguntei como a Gabi veio morar com vocês."

"Ah bom."

Não tem problema, pensei, se ele é uma pessoa que não tem o menor respeito pelos mortos, se quer falar só sobre Gabi, vamos falar só sobre Gabi. De qualquer maneira, não há muito o que contar sobre Zohara. Eu não sei nada sobre Zohara. Pode-se dizer que ela é como uma mulher estranha para mim. Por acaso, me pôs neste mundo, mas Gabi investiu em mim muito mais.

"Quando meu pai era casado com Zohara, tirou licença da polícia, quis tentar outra vida, mas depois que ela morreu", continuei, "resolveu voltar. E justamente naquela época Gabi queria sair da polícia. Estava cheia de trabalhar como secretária. Ela tem muitas habilidades, e é capaz de ter sucesso em qualquer coisa."

"Em quê, por exemplo?"

"Em quê? Como atriz ou cantora, por exemplo! E ela é ótima para organizar coisas. Ela organiza todas as apresentações para os filhos dos policiais nos feriados, e escreve esquetes para as festas da polícia, e é boa em palavras cruzadas, e entende de cinema, toda semana nós vamos pelo menos uma vez ver um filme, e ela sabe fazer imitações de pessoas famosas, e que mais?... Ela tem senso de humor, e sempre está bem-humorada. É uma pessoa quase completa."

Felix sorriu.

"Você gosta da Gabi, não é?"

"Ela é cem por cento", repeti. Se eu conseguisse convencer também o meu pai disso, mas ele... por causa da beleza exterior... ou talvez por causa da Zohara...

"Só que ela não é tão bonita para o senhor seu pai", disse Felix, pensativo, e lembrei do que Gabi sempre dizia, "uma cara de bolacha gorda, foi o que meus pais me deram, eu, que nasci para ser Brigitte, a fatal destruidora de corações!" E pensei que, se Gabi assumisse o formato do seu rosto, ia acabar virando uma mulher pesada, amarga, chata e sem vida; e era exatamente o contrário: ela era tão afiada, agitada e cheia de vida. E de repente me passou uma ideia pela cabeça, que talvez a Gabi fosse a

Gabi não por causa dos seus traços hereditários, nem por causa da sua educação, e sim porque sua alma tinha resolvido combater sua forma e seu rosto, e talvez por causa disso ela fizesse tanto esforço para ser tão esperta e especial, e de súbito entendi também como era difícil essa briga que ela vinha tendo a vida toda, sem ajuda de ninguém, sem contar para ninguém, na solidão.

"E me diga por que ela queria sair da polícia naquela época", pediu Felix em voz baixa.

"Porque estava cheia de datilografar relatórios de assaltos e assassinatos e do submundo."

"E principalmente", segundo ela me contou, "eu estava cheia de ver toda manhã a cara azeda do seu pai." Isso não contei a Felix. Meu pai nunca lhe disse uma palavra de simpatia ou afeto, mas era capaz de enlouquecer de raiva se um dia ela faltasse.

"E eu, a burra, achava que era o jeito esquisito dele de mostrar o quanto precisava de mim", reclamava Gabi uma vez por semana, ao me contar essa história.

"Ela quase o deixou", continuei, "mas mesmo assim resolveu ficar mais um pouco."

"O seu pai na época estava tão triste e abatido", recorda Gabi, "que era impossível abandoná-lo, e também era impossível ficar ao lado dele." Nós conversávamos sobre isso pela milésima vez, tomando um copo de chocolate num café depois do filme, ou nós dois sozinhos na cozinha: "As olheiras dele estavam ainda mais escuras, você pode imaginar uma coisa dessas? E é claro que ele, com seu orgulho idiota, não estava disposto a falar da sua dor para ninguém". Aqui ela aproximava o rosto de mim, fechava os olhos e dizia num cochicho cúmplice: "A tristeza simplesmente escorria de dentro dele, e se derramava em tudo que estava ao seu redor! Era um símbolo da tragédia humana, acredite".

"E então, um dia, ela o viu tentando trocar minhas fraldas

em cima da mesa do escritório", contei a Felix, rindo por dentro, pois podia imaginá-lo fazendo isso.

"... quando vi como ele procurava por toda a sala a sua chupeta, que estava presa no coldre do revólver...", aqui, neste trecho, os olhos de Gabi sempre se arregalam, e sua voz fica mais profunda e pausada, "quando vi seu pai tão perdido e impotente, igualzinho ao bebê que berrava na frente dele, percebi que no fundo eu o amava, que todos os anos em que trabalhei ao lado dele eu o amei sem saber disso, e que eu seria a mulher que traria de volta o sorriso para sua face enlutada."

Então silenciamos os dois, em respeito ao sentimento dela. Eu gosto de escutá-la contando isso.

"Pelo jeito assisti filmes demais em que o viúvo casa com a governanta", ela brinca.

"Eu era proibido de chamá-la de mamãe", contei a Felix, quando deixamos o carro verde no estacionamento na frente da praia e fomos andar na areia quente. Ainda antes de ver o mar, quando mal sentia o seu cheiro... já comecei a soltar a língua. O mar sempre tinha uma influência especial sobre mim.

"Ela me explicou que não era minha mãe. Que era Gabi. Que era amiga minha e do meu pai. Quando era pequeno eu não conseguia entender a diferença."

Pois Gabi estava comigo o tempo todo. Só de noite ia dormir no apartamentozinho dela, e às vezes, quando papai estava fora, em serviço, eu dormia lá com ela. Era ela que lia para mim, antes de dormir, todos os livros de que gostava quando tinha a minha idade. Era ela que escolhia minhas babás, meu jardim de infância, ia às reuniões de pais, me levava ao médico quando eu ficava doente, e ficava comigo também durante as injeções e as anestesias (pois meu pai, o grande herói, desmaiou da primeira vez que me deram uma injeção), e era ela que anotava num caderno especial todas as coisas que eu fui aprendendo desde a idade de um ano, e todas as coisas espirituosas que eu dizia, e era ela que sempre convencia o meu pai de que eu já merecia uma promoção, mesmo que na opinião dele eu não tivesse esse direito, e foi graças a ela que cheguei ao posto de segundo tenente, e era ela que isso, e era ela que aquilo, e eu...

E uma vez por mês, mais ou menos, quando a minha pedagoga, a sra. Markus, me mandava embora da escola, "dessa vez para sempre", Gabi voava para a sala dos professores para interceder por mim, e então, num ritual constante, a pedagoga me concedia uma última chance, e Gabi punha a mão no meu ombro e perguntava em voz alta como a escola podia abrir mão de um garoto maravilhoso como eu. A sra. Markus dava uma risadinha dizendo que uma suspensão de uma semana é um castigo decididamente adequado para um garoto como eu, um bagunceiro como eu, um diabinho como eu (naquele tempo os professores dedicavam uma boa dose de reflexão para inventar insultos, não era como hoje), aliás, talvez tenhamos que aceitar o fato de que eu precise de uma estrutura escolar diferente, mais apropriada para as minhas limitações. Podem ter certeza de que Gabi não ouvia essas coisas em silêncio. "Aquilo que aos seus olhos são limitações, eu considero vantagens!", ela declarava para a professora, investindo como uma cobra protegendo suas cobrinhas: "Sim, e podemos chamá-las de vantagens de, por exemplo, uma alma de artista! Sim! Talvez nem todo mundo se encaixe exatamente nessa estrutura escolar quadrada! Pois há garotos redondos, minha senhora, e há garotos gordinhos, e há garotos com formato de, digamos, triângulo, por que não?, e há —", Gabi baixava a voz, erguia a mão bem alto no ar, como fazia a famosa atriz Lola Ciperola na peça *Casa de bonecas*, e sussurrava baixinho: "E há garotos zigue-zague!".

E meu coração, como dizem, se abria para ela.

A minha primeira memória está relacionada à Gabi (estamos sentados juntos no terraço, de tardinha, ela está me dando de comer queijo branco dentro de um pimentão verde, e passa um homem com óculos de sol e fica um tempão nos olhando, e tira o chapéu para nos cumprimentar). E em todas as minhas fotos de bebê a Gabi aparece. Era para ela que eu contava os segredos, e ela foi a única pessoa no mundo que uma vez me viu chorar.

Eu me calei e apertei areia entre meus dedos. Estávamos sentados debaixo de um guarda-sol vermelho, quase sozinhos na praia. No alto de um morrinho de areia havia um cachorro preto latindo. Pelo jeito sentiu meu cheiro de longe. O mar estava liso e azul. Eu quase não consegui resistir a entrar na água e mergulhar. Na opinião da Gabi eu era um peixe que por engano veio para o seco. Na verdade, quando estava no mar, no meio das ondas, eu imediatamente relaxava, fechava os olhos, e dizia a mim mesmo coisas que não ousava dizer fora d'água, as coisas mais importantes eu cochichava para o mar, todas as perguntas que eu nunca me atrevia a fazer fora d'água, todos os segredos que eu nunca lembrava fora d'água eu gritava para as ondas e depois esquecia para sempre, mesmo sabendo que eles se espalhavam dentro do mar até o infinito e ficavam guardados nele como uma carta dentro de uma garrafa gigante.

E ali, na praia, eu quis muito contar a Felix sobre ela. Não simplesmente dizer "minha mãe morreu", para impressionar. E sim, falar com ele sobre ela. Pois quando falei da Gabi, e de como ela se apaixonou pelo meu pai, senti uma melancolia nova e estranha.

Eu ainda não conseguia entender por que Felix ficava tão calado. Não parecia entediado com aquilo que eu contava. Absolutamente. Mas também não me estimulava a falar. Ele me escutava de um jeito especial. Nunca nenhum adulto me escutou daquele jeito. Nem a Gabi. E comecei a sentir que tinha me enganado a respeito dele, quando percebi que ele não estava interessado em ouvir sobre Zohara. Só queria me deixar falar sobre o que eu tinha vontade, sem atrapalhar.

Talvez por causa daquele seu jeito de prestar atenção, aquilo me aconteceu: comecei a compreender coisas sobre as quais nunca tinha pensado de verdade. Por exemplo, que Zohara foi uma pessoa real, não só alguém imaginário cujo nome não se pôde mencionar em casa durante tantos anos. Tinha sido uma mulher de verdade, com rosto, corpo e estados de espírito, com memórias de infância. Tinha sua própria voz, seus próprios pensamentos. E se movimentou pelo mundo. Sua boca deu risadas. Derramava lágrimas quando chorava. Ela existiu.

E foi também a mulher do meu pai. Sim: de repente ficou claro para mim, mais claro do que jamais esteve: ele a amava. Talvez fosse o amor da vida dele, seu único amor, talvez ele realmente não pudesse mais amar outra mulher.

Estranho que antes eu não tivesse entendido isso dessa forma. Talvez porque sempre tenha ouvido a história do amor deles só pela boca da Gabi. E nas suas histórias, era sempre ela que estava no centro. Ela, o amor dela pelo meu pai, a frustração dela com meu pai, a expectativa de que ele interrompesse de vez aquele luto e voltasse a viver, quer dizer, voltasse para viver com ela. Mas só naquele exato momento na praia compreendi que quem era tão triste e melancólico era meu pai. E quem era tão solitário até hoje era ele. Ele ainda vivia o luto pela morte da Zohara. E estas não eram só palavras de uma conhecida história da Gabi, palavras que ela já dizia pela milésima vez, a ponto de esquecer o quanto eram carregadas de dor. Aí começou a brotar uma pergunta de dentro de mim, e me pressionar por dentro: como é possível que até hoje ele não fale uma única palavra sobre ela? Nem mesmo comigo? Eu já sou bem crescido para isso. Fazer bar mitzvah é virar adulto.

E por que nunca, nem uma única vez, eu lhe perguntei alguma coisa a respeito? Talvez, se eu tivesse perguntado, ele teria falado. Sim, talvez comigo teria falado. Talvez estivesse me esperando, esperando eu perguntar. Eu poderia ter começado com uma conversa qualquer, alguma coisinha à toa, na época em que ainda trabalhávamos juntos em uma das rodas do carro, na faixa branca que remetia aos dias de guerra em Londres, e aí perguntado, assim sem mais nem menos, onde ele conheceu minha mãe, por exemplo, o que faziam quando estavam juntos, do que ela morreu, e se ele não quisesse responder, podia fazer cara de quem não ouviu. Por que não perguntei? Como se pode começar a perguntar depois de um silêncio de treze anos? Será que é tarde demais para começar a perguntar?

"Não sei nada sobre ela", eu disse a Felix, sem voz. Felix se curvou um pouco mais na minha direção e não disse nada, para não me atrapalhar.

"Não me contaram nada sobre ela."

Senti uma pressão muito forte na garganta, como se alguém estivesse me estrangulando, e uma dor estranha dentro dos olhos. Talvez, se eu mergulhar a cabeça naquela água azul, eu possa me acalmar. Eu não tinha experiência em falar essas coisas fora d'água.

Uma vez papai e Gabi discutiram longamente se deviam me contar ou não. Eu estava em outro quarto. Devia ter uns quatro ou cinco anos, e papai disse irritado que há crianças que têm mãe e mesmo assim são infelizes, e que eu preciso me acostumar, e ela disse que talvez não seja possível se acostumar com uma coisa dessas, e ele disse que para mim era uma situação natural crescer sem mãe, já que praticamente tinha nascido sem mãe, e que se eu começasse a pensar demais nela ia acabar ficando com pena de mim mesmo, e quem tem pena de si mesmo desperta irritação no meu pai, e que ele também tinha perdido muitos amigos que morreram nas guerras, e que tratava de não pensar neles, pois assim é a vida, a vida não é uma apólice de seguro, e nem todo mundo consegue seguir até o fim, há pessoas que caem pelas laterais do caminho, e aqueles que conseguem passar precisam seguir adiante e não virar a cabeça para trás nem uma vez.

Ele não sabia que eu estava ouvindo. Desde então eu me mantive fiel à sua ordem. Não o decepcionei nunca. Quase não pensava nela. E se ela tentasse se intrometer sorrateiramente nos meus pensamentos, eu fechava os olhos com toda a força e a tirava de lá com delicadeza, mas com firmeza, e eu tinha uma voz especial, um murmúrio que fazia dentro da cabeça, entre os dentes, para calar os pensamentos quando pensava nela, fui absolutamente fiel, e só quando estava no mar, isto eu já contei, no meio das ondas, às vezes eu a sentia, sentia alguma coisa em volta de mim, esvoaçando ao meu redor, mas esquecia logo, saía da água, me enxugava com força e esquecia tudo. Mas agora pela primeira vez eu estava pensando, e se ele ainda a ama? E se às vezes ele próprio vira a cabeça para trás?

"Eu sei que ela era jovem quando morreu. Tinha vinte e seis anos."

Vinte e seis anos. É só o dobro do que eu tenho, pensei espantado. É só treze mais treze. Ela não era muito mais velha do que eu sou hoje.

Apertei os joelhos contra a barriga com toda a força, inflei as bochechas e enfiei as unhas nas palmas das mãos. Fiquei assim alguns segundos até me acalmar um pouco. Não disse uma palavra, nem mesmo enxuguei o suor que brotou na testa. Minhas costas e meus ombros estavam rijos como madeira seca. Senti que se eu abrisse a boca e dissesse o nome dela, alguma coisa poderia sair da minha garganta. Felix fitava o ponto onde o sol ia se pondo no mar. O cachorro preto em cima do morro de areia não parava de latir para mim. Sua cabeça estava virada para o céu e a cauda esticada para trás. Enfiei um dedo na areia, procurando o lugar onde começava a umidade do mar. Uma leve brisa começou a soprar, e uma flor deixou cair suas pétalas brancas.

"Eu gostaria que...", comecei a dizer e engasguei um pouco. Eu gostaria de ter conhecido ela um pouco. Era isso que eu queria dizer.

De uma hora pra outra, aquela se tornou a coisa mais importante e mais urgente na minha vida, e qualquer outra coisa era dispensável, um estorvo. Não conseguia entender como a vida toda não tinha perguntado nada e não tinha me interessado, como se estivesse dormindo ou algo assim, e não entendia por que tinha acordado e começado a fazer essa pergunta justo para ele, para esse tal de Felix, que eu quase não conhecia.

"Então, onde estávamos?", perguntei distraído, e não pude continuar.

O silêncio dele ao meu lado era pesado demais. Mesmo sem olhar para ele senti que o silêncio ia ficando mais consistente e profundo, consistente e profundo demais. Sua respiração chegou aos meus ouvidos, rápida, dura e ofegante. De repente pensei que ali estava acontecendo uma coisa nova, na qual era preciso prestar atenção. Virei para ele. Um pequeno músculo no seu rosto tremia muito, ferozmente.

Algo no fundo da minha barriga de repente ficou branco e vazio e flexível.

"Por quê?", perguntei num terrível sussurro. "Será que por acaso você a conheceu?"

11. Parem, em nome da lei!

Alguns minutos depois de deixarmos a praia e subirmos pela estradinha rural, passou por nós mais um carro de polícia. Suas luzes de alarme giravam freneticamente. Os policiais sentados dentro dele não se dignaram a nos olhar. Estavam à procura de uma Bugatti preta de portas amarelas, e não de um fusca verde. Buscavam um príncipe, não um sapo. Mas quando desapareceram, Felix esticou a mão para pegar a maleta de couro e começou a revirá-la ao mesmo tempo que guiava. Tirou de dentro dela um par de óculos de armação grossa e mais alguma coisa que não consegui identificar, uma coisa peluda e cinzenta, esquisita e flexível, que cheguei a pensar que era uma coisa viva, ou que um dia tivesse sido uma coisa viva.

"Favor fechar os olhos um instante, senhor Feierberg", disse ele, "agora vamos brincar de carnaval, pois estou vendo que a nossa polícia já está um pouquinho nervosa."

Fechei os olhos. Devo ter ficado uns cinco minutos assim. O fusca virava para a direita e para a esquerda ocupando toda a largura da estrada. Presumi que ele estava guiando sem as mãos.

"Já pode abrir."

Abri os olhos. Ao meu lado estava sentado um velho encurvado de óculos, o pescoço encolhido dentro do peito, o lábio inferior como que retorcido, repuxado para o lado direito. Em vez dos cabelos bastos e ondulados de Felix, ele tinha agora um montinho ralo de cabelos grisalhos e óculos de armação grossa. Seu terno branco, com cravo na lapela, tinha se transformado num paletó puído, e ele também tinha ganhado um novo bigode, grisalho e maltratado, e um sorriso diferente, débil e flácido, numa boca frouxa, como se ele não tivesse dentes.

"Debaixo do seu banco está a sua fantasia", disse Felix. Até sua voz tinha mudado, ficado ainda mais aguda e esganiçada.

Quase perguntei feito bobo: "Felix?".

Toda sua figura tinha mudado. A respiração ficou mais curta e ofegante, como se o nariz também tivesse mudado, e ele ficou mais comprido, mais corado. Era quase impossível reconhecer naquele homem o Felix, a pantera de ar agressivo. Eu me curvei e tirei debaixo do banco um grande saco plástico. Espiei dentro dele e vi uma saia, uma blusa e sandálias de menina. Além de uma peruca preta: cabelos de menina, com uma longa trança.

"Nunca na vida que vou pôr uma coisa dessas!"

Felix ficou calado. Deu de ombros. Peguei a peruca com um pouco de nojo. Eu lá sabia de quem tinham sido aqueles cabelos um dia? Talvez de alguém que morreu. Como é que as pessoas podem pôr uma coisa dessas na cabeça?

Mais um carro de polícia passou por nós uivando.

"Nervosa, nossa polícia está nervosa...", exclamou Felix. "Totalmente atrapalhados. Quem sabe não lhes contamos o que realmente aconteceu no trem?", e soltou sua risada contida.

As coisas que ele tinha dito na praia antes de irmos embora ressoavam sem parar dentro de mim. "Conheci sua mãe muito bem", ele disse, "até antes de conhecer seu pai!" Sua mãe e seu pai. Numa única frase ele conseguiu juntar minha mãe e meu pai, e de um jeito que pela primeira vez eu tive a sensação de já ter tido um casal de pais, marido e mulher.

"Sua mãe era mulher muito forte", disse, "e muito bonita. Ela tinha a força que têm as pessoas muito bonitas." Ele parecia escolher as palavras com muito cuidado, e não se tratava exatamente de um elogio. Havia algo de cauteloso demais na sua voz. Não ousei perguntar. "Muito forte e muito bonita." O que queria dizer "forte"? Forte de corpo? Forte de espírito? "E muito bonita." Quer dizer que Gabi não tem a menor chance em comparação a ela. "Ela tinha a força que têm as pessoas muito bonitas." O que quer dizer isso? Que ela era meio durona, ou coisa assim? Durona como meu pai? Que gostava de fazer tudo sozinha, do jeito dela? E que ninguém se metesse nos assuntos dela, e não lhe dissessem o que fazer? Não perguntei, e ele se calou. No único retrato que restou em casa, ela era linda: sentada, papai olhando de trás dela. O rosto na foto era cheio de vida e entusiasmo. O cabelo preto e comprido espalhado no rosto, como se na hora da foto tivesse batido um vento, e os olhos, meio distantes um do outro, brilhavam como olhos de criança, iluminados e esplendorosos como ela.

Por causa desses olhos estranhos eu pensava que talvez aquilo não fosse uma foto e sim um desenho. E alguém tinha feito um corte diagonal embaixo dela, como se quisesse esconder a cadeira onde Zohara estava sentada. Por quê? Onde ela estava sentada? Por que tudo era cheio de segredos? Às vezes, quando procurava algo na gaveta do meu pai, encontrava essa foto cortada, virada para baixo. Sempre virada para baixo. Desenho ou fotografia? Aqueles olhos pareciam exagero do desenhista. Mas o resto da sua fisionomia parecia ter vida. Fotografia? E quem a cortou? E qual é a força que têm as pessoas muito bonitas? Não perguntei. Fiquei sentado ao seu lado em silêncio. Todo meu destino estava na boca dele, as respostas para muitas das minhas perguntas, e eu não ousei perguntar. E no retrato também havia meu pai, atrás dela, as mãos em volta dela, olhando não para o fotógrafo, mas para ela, para a boca dela, o sorriso hesitante dele imitando, sem ele perceber, a risada solta dela, como se quisesse aprender a ser feliz e solto como ela, com a ajuda dela... O sol se pôs e sumiu. Felix continuou em silêncio. Eu não falei. Se eu fizesse mais algumas perguntas, já saberia de tudo. Mas, de repente, não tive forças para começar a saber de tudo de uma só vez.

"Se quiser, eu posso contar pa...", Felix começou baixinho.

"Depois", eu disse depressa, e me levantei, "e vai contar também o que significa ela ser muito durona, mas depois."

"Mas eu não disse i..."

"Bem, aquilo que você disse. Não tem importância. Depois nós conversamos."

E Felix, ainda sentado na areia, olhou para mim lá de baixo, e disse: "Sim, também eu penso melhor esperar um pouco com a história. Quem sabe depois do jantar?".

"Sim. Eu já estou com fome. Vamos sair daqui." Pois não aguentava mais ficar parado num lugar só, e as articulações das minhas pernas ardiam.

"Será sua decisão de quando escutar", disse Felix fazendo uma profunda reverência, "é a sua história."

"Isso mesmo. Depois você vai me contar tudo."

"Também sobre o castelo deles, e os cavalos, tudo, depois."

Ui, essa não.

"Cavalos?"

"Certamente! E um lugar como um castelo. Na montanha mais alta. Isolado. Ao lado da fronteira. Seu pai construiu para ela."

"Um castelo? É mesmo...?", minhas pernas se dobraram, e eu me sentei na sua frente.

"Não, não um castelo como o do rei da Romênia ou Napoleão. Mas para eles era como um castelo."

Juro que não tenho forças para tudo isso, pensei. Agora ele vai começar a me contar como eles eram juntos, e como meu pai era quando ela estava viva, e eu já estou começando a entender que não foi só minha mãe que eu não conheci... também sobre o meu pai, no fundo, eu sei muito pouco. Afinal, o que foi que eu fiz a minha vida toda? Um detetive fracassado. Horas e dias e semanas e meses sem pensar em nada, sem fazer as perguntas importantes. E todas aquelas tardes que passei deitado na cama olhando o teto. O que foi que o meu pai construiu para ela? E por que justo no topo da montanha, e por que na fronteira, e que história é essa de cavalos que de repente eles tinham?

"Bem, é uma história especial", disse Felix, e enquanto falava tirou do bolso uma carteira de couro surrada, e começou a enchê-la de areia, "seu pai levou Zohara para montanha distante, perto de fronteira com Jordânia, e em volta só montanhas e vento e bichos e lobos, e ali ele fez um lugar, e ela era como rainha, e ele como rei, e pessoas não iam lá, tinham medo, e seu pai cuidava de ela..."

Sua expressão ficou quase delicada. Eu me agachei e escutei.

"E lá eles tinham cavalos, e cabras que davam leite, e ovelhas que davam lã", ele encheu carteira com areia da praia e a guardou de novo em bolso de paletó puído, e eu não perguntei nada e não entendi nada, e não tinha força para captar tudo que ele contava e fazia. "Eles não queriam que lá houvesse eletricidade, nem telefone, para eles ali era paraíso..."

Não, não, neguei firme com a cabeça, para apagar aquilo de dentro de mim, essa história, essas surpresas desconcertantes, não quero, não agora, é muito assustador pensar que eles eram assim. Que um dia ele já foi assim. Ainda não é hora de pensar neles assim. Preciso de tempo para me acostumar. Alô, me deem um tempo. Sou lerdo para entender as coisas, e aquilo estava me rasgando por dentro, essas mudanças repentinas, as saudades...

"E também como ela montava a cavalo, a sua mãe, como era afá..."

Não é uma cadeira. Nono, seu bobo, é um cavalo na fotografia. Um cavalo que seu pai cortou da foto. Ele cortou tudo. O cavalo, a montanha, toda a vida dele, e Zohara.

Como um redemoinho, giraram ao meu redor as visões e os pensamentos sobre os dois. No paraíso deles. Por que ele nunca me contou sobre isso? Por que nunca me levou lá?

"Por que eles foram para lá? Tão longe?"

Felix estendeu a mão e tocou com o dedo no meio da minha testa, naquele ponto que já funcionava como um ponto de ebulição, o que provocou um abalo e uma explosão dentro da minha cabeça. E gritei: "Eles fugiram de alguma coisa?".

"Talvez queira então escutar a história toda? Agora, aqui?"

Sua língua lambeu rapidamente os lábios. Os olhos se fixaram em mim. Ele queria contar. Estava louco para contar. Era estranho. Por que queria tanto contar para mim? Afinal, só nos conhecemos hoje e somos quase estranhos. O que será que ele quer de mim...

"Não! Conte depois", eu disse correndo. Uma decisão firme e definitiva. Levantei e fiquei parado por cima dele.

Ele ficou atordoado por um momento, como se eu o tivesse despertado de um sonho: "Depois quando? Talvez não haja tempo para depois!".

"Depois. Não aqui." Ir embora. Dar o fora. Não ficar parado num só lugar. "Basta. Vamos sair daqui."

Ele me olhou lá de baixo mais um instante, assentiu, esticou a mão para mim, e eu o puxei até deixá-lo de pé.

Saímos da areia. Apagamos as nossas pegadas para o caso de alguém estar nos perseguindo. Ambos tínhamos muita prática em apagar pegadas, cada um por seus próprios motivos profissionais. Vez ou outra ele me dava uma olhada estarrecida. Eu não conseguia lhe explicar o que se passava dentro de mim. Ele precisaria me contar depois. Apaguei os rastros com os dois pés e também com um galho de árvore ali jogado, para não deixar pista nenhuma. Depois vou ouvir dele o resto da história. Não há motivo para ter pressa demais. Preciso me acostumar...

Saímos de lá bem devagarinho. O cachorro preto em cima do morro começou a correr, nos acompanhando de uma distância segura. O tempo todo latindo para mim. Mas Felix disse que eu não devia me impressionar com o cachorro que latia para ele, que os cães sempre latiam para ele. Eu não tinha disposição para discutir e contar de todas as vezes que cachorros avançaram em mim sem mais nem menos, sem motivo, como se houvesse alguma coisa em mim, no meu cheiro, que de repente deixasse sua cachorrice doida, mas justamente por causa do cachorro voltei a sentir afeto por ele, e pensei que aos poucos vamos nos acostumando um com o outro, e que nem sempre a gente precisa descobrir de imediato todos os segredos, o importante é saber que existe um segredo desses, um segredo comum aos dois.

Andamos em zigue-zague sobre a areia branca, e eu tinha a sensação de que ela caminhava conosco. Cheguei até a olhar uma vez para trás, para ver se havia pegadas dela no meio das minhas e das dele. Acho que ele entendeu o que eu estava procurando, pois sorriu e enlaçou meus ombros, e assim andamos até o fusca, meio cambaleando e dando risada, como dois bêbados.

Muito forte e muito bonita, e durona.

Durona? Como os profissionais são durões? Espera aí: será que ela trabalhava com o meu pai? Será que era detetive? Uma mãe detetive?! Será que era por causa dela que ele fazia tanta questão de combater o crime? Como foi que eu nunca pensei nisso?

Me retraí mais e mais. Não vale a pena pensar nisso agora,

na viagem, no meio da aventura. Depois vai haver mais tempo. À noite. Ou amanhã.

Ele construiu um castelo para ela. Um lugar dele e dela. No topo de uma montanha alta, perto da fronteira. Havia ovelhas e cavalos. Sem luz, sem telefone. Talvez ele quisesse viver com ela uma vida pura. Como Adão e Eva no paraíso. Estava até disposto a deixar a polícia por causa dela.

Uma viatura nos localizou. A sirene ligada, a todo volume. Fiquei atordoado.

"Senhor Feierberg", Felix me lembrou, "é nossa última chance."

Se me pegam agora, pensei, não vou ouvir o resto da história dela. Deles.

Tirei as roupas do saco. Saia vermelha e blusa verde. Cores fortes, meio berrantes. Como é que vou vestir roupas de menina? Vou morrer de vergonha. Vou ficar com nojo de mim mesmo. Prefiro guiar outro trem e não ter que vestir uma saia. Tem coisa que não é questão de coragem, e sim de... de quê? Como se chama isso?

Com o carro andando, passei para o banco de trás, para trocar de roupa. Por um instante minha cara apareceu no espelho. Eu estava com cara de alguém que precisa engolir um remédio muito amargo. Uma vez meu pai precisou se disfarçar de mulher. Na época, ele estava perseguindo um malandro que tinha prometido se casar com dez mulheres para roubar o dinheiro delas. Meu pai, com todo seu profissionalismo, ficou tão desanimado de se ver vestido de mulher que acabou obrigando a Gabi a servir de isca, e foi assim que ela recebeu — como ela mesma diz — as três propostas de casamento da sua vida: a primeira, a última e a única. Tirei as calças, botei a saia. Vesti ao contrário, é óbvio. Com a parte da frente virada para trás. Como é que eu podia saber? Virei a saia. A saia, pelo menos, não é preciso tirar toda para virar ao contrário. Calcei as sandálias fininhas, com as tiras de enrolar. Pronto, estou disfarçado. E daí. Faz parte da nossa profissão. E se eu conseguir enganar alguém com este disfarce; é sinal de que sou mais profissional do que meu pai? Ou menos viril que ele? Porque sempre tive a sensação de que ser profissional é ser viril, e neste momento estava bem confuso.

Passei o tempo todo tentando não pensar que menina tinha vestido essas roupas. O tamanho era perfeito para mim. Só que pareciam roupas velhas, não como as que as garotas da minha classe usavam. Quis perguntar a Felix de onde ele tinha trazido aquelas roupas. Não perguntei. Como foi que não perguntei? Como foi que não exigi dele que me explicasse de onde um velho como ele tinha arranjado roupas de menina? E o que foi que aconteceu com a menina de quem ele pegou as roupas? Fiquei calado. Eu me debatia com pensamentos ruins que me atormentavam por dentro. Se eu não soubesse que meu pai confiava em Felix de olhos fechados, talvez tivesse ficado meio preocupado. Não assustado, só um pouco mais alerta. Um leve frescor emanava das roupas. Um cheirinho especial. Cheiro de um lugar fechado, frio e escuro. Talvez tivessem ficado muito tempo guardadas no armário.

Meti a peruca na cabeça. O lado de dentro era feito de couro, ou de borracha. Foi como se eu pusesse na cabeça a parte de dentro de uma bola de futebol. Logo meu couro cabeludo começou a coçar. Tive certeza de que a peruca estava cheia de formigas e elas estavam começando a se espalhar pela minha cabeça. A borracha se prendeu no meu cabelo, fazendo os fios se esfregarem uns contra os outros. Se isso continuasse assim, talvez eu nunca mais pudesse ficar sem peruca. A trança, atrás, provocou uma coceira na minha nuca. Puxei os cabelos para fora do colarinho, mas no instante em que virei a cabeça eles voltaram para dentro. Puxei outra vez, e eles voltaram mais uma vez para o lugar. Pensava o tempo todo no que Micha diria se me visse agora.

"Oi, Nono, você tem uma peruca."

Pulei de volta para o banco da frente. Felix me olhou avaliando: "Está muito bom", ele disse, "se queremos que dê certo para nós, precisamos ir até o fim! E mudar todas as regras! Precisa ousar! Precisa *courage*! É isto mesmo: coragem!". Ele lambe um pouco os lábios, recupera um pouco o ar de velho com o lado direito retorcido e declara com sua nova voz: "E agora vovô Noah e a pequena Tammy vão juntos a um piquenique. Certeza beleza!".

Tammy?

Pensei sem dizer nada. A peruca me incomodava. A parte de trás da minha cabeça coçava. Em situações menos exigentes eu teria começado a reclamar e perturbar. Mas olhei para minhas pernas saindo por debaixo da saia. Eram finas e lisas. E os meus pés pareciam diferentes naquelas sandálias. Como pés de menina.

Se eu tivesse uma irmã, ela seria parecida comigo agora.

E se eu tivesse nascido menina, esta seria a minha aparência.

E eu faria gestos de menina, e quando crescesse ficaria parecida com minha mãe, e não com meu pai.

Esses pensamentos me deixaram irritado.

Em mais cinco dias eu devo me tornar homem, e aqui me transformam numa garota. Fiquei até ofendido de ainda poderem me transformar desse jeito. Na nossa classe havia um garoto, Shimshon Yulzari, que já estava começando a fazer a barba, e eu aqui sentado com uma trança.

Mas se tivesse nascido menina, talvez realmente a minha aparência fosse esta.

Uma menina assim. Meio esquisita, mas menina.

E minha vida teria sido totalmente diferente.

O tempo todo um medo se agitava dentro de mim, medo porque, se um garoto consegue imitar uma garota com perfeição, alguma coisa dela pode acabar grudando nele e ficar ali para sempre.

Felix deu mais uma olhada para mim, e por um momento quase esqueceu que estava guiando. Foi exatamente da mesma maneira que me olhou da primeira vez, quando me viu através da vidraça da cabine do trem: o olhar de um homem que se lembra de alguém e curte a saudade.

Quem sou eu?, eu pensava. Estava perplexo, era um estranho para mim mesmo. Quem sou eu?

A trança preta, seca como palha, pulava nas minhas costas. Ficava me cutucando por trás. Dava a impressão de que havia alguém o tempo todo me cutucando e me pedindo para eu me virar. As roupas esvoaçavam ao meu redor. Roçavam na minha pele e se afastavam, encostavam e grudavam, empurradas pela brisa. Aliás, percebi que, se você usa saia, o vento também entra por baixo.

E então...

Uma motocicleta preta e pesada surgiu de repente na janela do lado de Felix, e o motociclista, capacete de guarda na cabeça, fez um sinal para parar no acostamento.

"Tudo está perdido", eu disse baixinho. Com um amargo pesar por termos sido apanhados. Por esta estranha aventura estar terminando depois de mal ter começado.

"Só tente parecer natural", disse Felix com sua voz de sempre, enquanto o guarda caminhava na nossa direção com andar de caubói querendo impressionar.

12. Eu descubro a identidade dele: a espiga dourada e a echarpe lilás

"Documentos, por favor."
De perto vimos que ele era jovem, muito magro e comprido. O nariz também — como todo seu corpo — era fino e alongado. Espinhas brotavam de suas bochechas. Não parecia tão durão assim, o uniforme era grande demais para ele, e parte de suas insígnias estava rasgada. Lembrei do policial e do prisioneiro fictícios que encontrei de manhã, um milhão de anos atrás, e por um instante tive a esperança de que esse guarda também fosse parte da encenação que papai e Gabi prepararam para mim. Mas ele era de verdade, e de uma forma preocupante.

Felix tirou os documentos e mostrou para ele. O guarda demorou-se os examinando.

"Esta é minha neta Tammy", disse Felix com sua voz vacilante, um pouco trêmula, "e vamos indo para piquenique na praia. Eu espero, senhor guarda, que guiava conforme lei? Certo?"

O guarda o examinou e depois abriu um sorriso: "Guiava direitinho, vovô. Mas este carro não vai aguentar muitos anos". E deu uma batidinha carinhosa na porta do fusca.

"Já está comigo faz quinze anos", comentou Felix rindo, um riso tão equino que até bolhas de cuspe surgiram nos cantos dos lábios, grudando no bigode grisalho. Foi meio forçado, mas ao mesmo tempo superconvincente.

O guarda tirou o capacete. A testa também estava cheia de espinhas, e o cabelo bagunçado. "Você não viu aqui nas redondezas um automóvel preto, luxuoso?", perguntou.

Meu coração deu um pulo e ficou estrangulado.

"Automóvel preto?", vovô Noah não entendeu a pergunta e pôs a mão em concha atrás do ouvido, para escutar melhor.

"Um carro preto, grande!", gritou o guarda nos nossos ouvidos, "como nos Estados Unidos!"

"Você viu algum carro como ele diz, Tammynka?"

Em algum ponto do meu corpo, talvez no calcanhar ou no tornozelo, formou-se a palavra "Não!", porém ela não achou o caminho de saída. Simplesmente fiz que não com a cabeça. A trança bateu duas vezes na minha nuca.

"Um carro parecido com um Chevrolet novo. Ou um Lark. Um automóvel que não existe em Israel. Com um senhor e um garoto dentro."

"Ah!", vovô entendeu alegremente: "É carro de eles?".

"Não. Parece que é roubado. Uma história estranha: estava estacionado num pomar na região central. Já estava lá desde ontem à noite, as pessoas viram. Hoje foi pego por um homem com um garoto, que saltaram de um trem no meio da viagem."

"No meio da viagem? Mas como é permitido?!", espantou-se Felix, os olhos se arregalando por trás das grossas lentes.

"Nem tudo está muito claro. Parece que o homem parou o trem ameaçando o maquinista com um revólver. O garoto saltou junto com ele. O maquinista da locomotiva ainda está meio confuso, não é possível entender exatamente o que aconteceu. Parece que foi um sequestro. Ele sequestrou o menino e o usou como refém para fazer o trem parar. Não está claro."

Apesar de todo o meu medo tive que fazer força para não soltar uma boa risada: sim senhor, um sequestro.

"E onde eles estão agora?", perguntou Felix, limpando um grão de poeira da farda do policial.

"Quem vai saber?", grunhiu o guarda. Percebi que ele tinha o hábito de colocar a mão sobre os olhos, como que para protegê-los do sol, mas no fundo era para esconder de nós as espinhas da testa. "Também descobrimos dentro do trem alguns tipos suspeitos entre os passageiros." E continuou num tom irritado: "Pessoas adultas vestindo fantasias! Pode imaginar uma coisa dessas? Numa simples viagem para Haifa!".

"Fantasias?", exclamou o velho avô com enorme perplexidade: "Assim, como Purim?".

"Purim no meio do ano", disse o guarda com um sorriso irônico. E se curvou em direção à janela, de modo que pudemos ver seu rosto só até a sobrancelha. Ele tinha de se esforçar, planejar cada movimento na tentativa de esconder as espinhas. Precisava tampá-las com a mão e ficar se mexendo sem descanso. "Encontramos dois palhaços, um acrobata e também um mágico."

Claro, pensei, o homem de cartola preta, o coveiro.

"E um que engole fogo, e uma malabarista, e uma mulher-borracha. Um circo inteiro…" Ele soltou uma risadinha, como se estivesse com vergonha das bobagens que precisou nos contar.

Numa fração de segundo pensei em todas as apresentações que perdi por ter resolvido passar por cima deles para chegar direto na estação final do jogo, Felix. De maneira nenhuma senti ter perdido algo importante. Palhaços e engolidores de fogo a gente pode ver no circo, mas Felix só existe um.

Como a Gabi e meu pai planejaram tudo isso? Quando? Onde estava eu quando eles se encontraram com o engolidor de fogo e com a mulher-borracha? E o que mais acontece na vida deles que eu não sei?

"Estamos investigando o acontecido com todo o empenho", declarou o guarda em tom de mistério. Eu sabia que ele sentia algo misterioso por causa do olhar ansioso, indefeso, que Felix lançou. "Eu, pessoalmente", e o guarda diminuiu a voz até transformá-la num sussurro cheio de mistério, "estou convencido de que foi uma armação. Escutem só: todo aquele circo, sua função era desviar a atenção dos passageiros da ameaça que pairava sobre o maquinista... Meus sentidos...", ele disse, e tocou com o dedo o nariz cheio de espinhas, "meus sentidos me dizem que se trata de um mistério. E meus sentidos nunca se enganam!"

"O que vai ser de nós aqui em Israel!", exclamou Felix dando de ombros num gesto de conformismo, os lábios se movendo sem parar sobre as gengivas, como se não tivesse dentes. O guarda podia ver que ele tinha dentes. E não viu. "O que vai ser de nós aqui na nossa terra! Eu te digo, senhor guarda, nem sempre foi assim! Antigamente, homem simples como eu podia sair de casa, deixar tudo aberto e não acontecia nada! Ninguém entrava para pegar migalhas! E hoje? Hoje?!" Sua voz se transformou numa melodia de queixa e lamentação, a ponto de até mesmo eu esquecer por um momento que Felix não era exatamente aquele "homem simples", e sim alguém que pertencia, justamente, ao grupo daqueles por causa de quem o senhor H. Simples já não podia mais sair de casa em segurança.

"E a menina, a neta, não está na escola?", perguntou o guarda devolvendo os documentos a Felix. "Ela não tem aula hoje?"

"Estamos em agosto, ela está de férias!", respondeu o velho em tom de crítica, "e alguém precisa ouvir as historinhas chatas do vovô, certo, Tammy'le?"

Dei um sorriso sem graça. Meus dedos alisaram a trança. Nestes últimos momentos eu tinha começado a gostar da brincadeira.

"Tímida!", vovô disse rindo para o guarda, "mas você precisa ver o boletim dela, está tudo ótimo! E que boa menina ela é!"

"Minha mulher também está grávida", disse de repente o guarda, as bochechas corando um pouco. "Mais dois meses e vamos ter o primeiro filho."

Ele não tinha obrigação de nos contar isso. Felix não tinha lhe perguntado nada a respeito. Ele se dispôs a contar por iniciativa própria. Alguma coisa saltou de dentro dele e se materializou como um presente nas mãos hábeis de Felix. E eu adivinhei que era sempre isso que acontecia: que ele inspirava absoluta confiança nas pessoas, desde o primeiro momento; que o seu olhar e aquele sorriso levavam as pessoas a depositar em suas mãos alguma coisa cara, um presente, a coisa mais importante para elas. E foi assim que o guarda lhe deu num piscar de olhos a história do seu filho que estava prestes a nascer. E foi assim que eu lhe contei imediatamente sobre Zohara. E foi também assim que o maquinista do trem, mesmo tentando brigar com ele, acabou concordando em me deixar guiar a locomotiva. E tudo isso era incompreensível, pois afinal, Felix, como dizer isso sem magoá-lo, ele é uma espécie de vigarista, certo? E quem sabe meu pai tenha se enganado, e seja impossível saber a personalidade de uma pessoa pelos traços faciais? E por que um homem que nasceu com um rosto que inspira tanta confiança escolhe justamente ser um picareta na vida?

E eu, com meus sete pecados capitais no coração e carinha de anjo?

As bochechas de Felix pareceram se acender de tanto prazer. "Uh, senhor guarda, toda sua vida vai ser diferente depois que nascer seu primeiro filho!" Um sorriso de saudades e lembranças iluminou seu rosto.

"Sim", sorriu também o guarda, "todos os meus amigos que têm filhos dizem a mesma coisa."

"E vou lhe dizer por experiência própria, meu jovem", continuou Felix, a face irradiando felicidade, "no instante em que seu filho nascer, imediatamente você será outra pessoa. Uma pessoa nova. De repente uma coisa muda aqui, aqui!" E bateu com a mão trêmula no peito raquítico, e explodiu numa tosse rouca.

O guarda bateu delicadamente nas suas costas, sorrindo o tempo todo para si mesmo, um sorriso tímido, pois refletia sobre palavras que Felix tinha acabado de lhe dizer. Só então percebi que tinha olhos bonitos, grandes olhos amendoados, com cílios grandes. Ele permaneceu debruçado sobre a janela de Felix, dava para sentir que ele estava tendo um prazer especial com essa proximidade: como se estivesse sentindo que aquele homem velho e sábio podia lhe transmitir, por um meio imperceptível, sua experiência e sabedoria.

Foi um desses momentos que é impossível medir pelo relógio, só pelas batidas do coração. Mesmo eu, que estava fora do círculo caloroso que envolvia os dois, quis muito estar com eles, no interior do círculo. Esqueci totalmente que Felix estava só fingindo. Que ele próprio me contou como tinha sido desleixado com a filha quando ela era pequena, e como se arrependia disso. Esqueci. Não queria lembrar.

O guarda desfrutou o momento até o fim. Depois fez um meneio pesaroso com a cabeça, lançou um olhar profundo na minha direção e disse em tom imperioso: "Divirta-se com o vovô!".

"Eu faço bat mitzvah no *Shabat*", contei a ele.

Eu não precisava ter dito isso. Ninguém me perguntou nada. E mesmo assim eu disse, saiu de repente, e ainda por cima com a voz certinha da Tammy-de-tranças. O guarda me deu um sorriso, deu uma batidinha no ombro de Felix, mais uma espiada na carteira de motorista dele, para lembrar o nome: "Fique bem, com saúde, senhor Glick", disse. Afastou-se de nós, subiu na motocicleta e saiu voando.

Senhor Glick?

Foi o nome que o guarda disse.

Ele leu o nome na carteira de motorista de Felix.

Glick. Felix Glick.

"Parabéns para a menina bat mitzvah", disse rindo para mim o avô de Tammy, pondo o fusca em movimento.

Meu Deus do céu, pensei: estou viajando com o próprio e ilustre Felix Glick!

O homem das espigas de ouro.

"Não sabia que tinha esse talento", disse Felix.

"Que talento?"

"Um verdadeiro talento de ator", ele disse. "Alguém da sua família foi ator, talvez?"

"Acho que não." Falei sem encará-lo, para ele não perceber a minha emoção. Felix Glick foi o maior criminoso aqui de Israel anos atrás. Era milionário e perdeu milhões. Assaltou bancos no mundo inteiro. Enfrentou governos. Desafiou policiais. Tinha um iate particular. Mil amantes.

E foi meu pai quem o capturou.

"E também um belo talento para mentir. Ficou frio como um peixe. Talvez tenha um grande futuro, rapaz! Costuma mentir muito?!"

"Às vezes. Não muito."

Por exemplo agora, senhor Glick.

"Bem, ele praticamente implorou para ser enganado", disse Felix. "O que aconteceu, você se assustou com a sua própria coragem?"

"Por quê? Por que está perguntando isso?"

"Porque está meio branco. Quer que paremos? Não está se sentindo bem? Precisa vomitar?"

"Não. Tudo bem comigo... pode ir. Continue guiando."

Toda vez que cometia um crime, ele deixava atrás de si uma

pequena espiga, feita de ouro puro. As polícias do mundo todo sabiam identificá-lo pela espiga de ouro, mas ele voltava a cometer crimes, sempre deixando espigas douradas no lugar. Aliás, o grande sonho da Gabi era segurar na mão uma espiga dourada de Felix Glick: uma espiga de ouro dele e a echarpe lilás da atriz que ela adora, Lola Ciperola. Se tivesse essas duas coisas, ela costumava dizer, fecharia os olhos e faria um único e gigantesco pedido, e vamos ver se ainda há milagres no mundo.

"Aonde estamos indo?", consegui soltar a pergunta em meio aos engulhos de emoção presos na minha garganta.

"Comer. Estamos indo para o melhor restaurante do país. A Bugatti dos restaurantes! Este é o seu dia!"

Não virei a cabeça para ele. Papai nunca disse uma palavra sobre Felix Glick, como sempre; mas Gabi (também como sempre) me contava coisas dele de vez em quando. Aliás, não foi pouco: sobre as aventuras dele, e sobre a sua coragem desvairada, e sobre a lendária riqueza, e sobre todos os amores que teve no mundo, e sobre o que as pessoas diziam, que para adivinhar suas façanhas era necessário pensar com dois cérebros juntos: todas as polícias do mundo estavam atrás dele, batalhões de detetives trabalhavam apenas em seus crimes, e ele escapava de qualquer armadilha, sumia como uma sombra, e só o meu pai conseguiu botar nele sua mão pesada. "Eles se conhecem do trabalho", pensei, e quase caí na gargalhada: e como se conhecem do trabalho!

Estiquei as pernas com toda a força. Não olhei para ele. Estava com medo de que Felix visse tudo na minha cara. Inspirei profundamente o ar fresco. Agora a programação do meu pai parecia ainda mais bonita e doida, muito mais: quase me vieram lágrimas aos olhos de tanto que isso tocou meu coração, que agora, talvez depois de vinte anos, papai e Felix tinham se juntado para me proporcionar tamanho prazer no meu bar mitzvah. E logo descobri também exatamente como foi, como papai o procurou, e como se encontraram e conversaram, esses dois homens fortes e especiais, e como Felix lhe disse: "Vamos esquecer o passado, senhor Feierberg. Tivemos entre nós uma luta dura, o senhor venceu. Eu sei dar valor ao profissionalismo. Você me pegou, e por isso é o melhor detetive do país, e talvez não só do país. Nós dois conhecemos a solidão dos melhores. Portanto me parece natural que me procure, e eu aceito como grande elogio o fato de estar me pedindo auxílio para mostrar ao seu filho o mundo do crime. Não vai conseguir um guia melhor do que eu, *yes sir*!".

E meu pai, meu pai sempre triste, apertou sua mão com força, e a face ficou ruborizada.

Era tudo tão emocionante, a ponto de eu quase dar um pulo e abraçá-lo, abraçar Felix.

"Pelo menos nos deixou um belo presente", disse ele de repente num tom divertido.

"Quem?"

"O rapazinho, o policial."

Ele ergueu a mão, e no seu pulso, junto à abotoadura de ouro da camisa, estava o grande relógio do guarda, um relógio Marvin, que todos os policiais ganharam como bônus no último Pessach.

"Como…? Quando conseguiu…?"

"Sei lá! De repente bati o olho nisso aqui e peguei. Os meus dedos pensam mais rápido que eu."

Fiquei quieto. Não sabia o que dizer. Não sabia exatamente o que estava sentindo nesse momento. Por um lado… era um roubo de verdade. Por outro lado… Felix olhou para mim e viu direitinho o que eu estava pensando dele. O rosto dele também endureceu.

"Bobagem", exclamou por fim, "você está certo… realmente eu não precisava ter pegado... não foi bonito. Rapaz simpático ele era."

"Então por que pegou?"

Felix diminuiu a velocidade, a cabeça meio encolhida entre os ombros, e agora parecia realmente envelhecido. O bigode grisalho de repente pareceu combinar com ele.

"Talvez... me parece que, não ria de mim, mas eu acho que queria me exibir um pouco na sua frente..."

"Se exibir? Em quê?"

"Sei lá, isto aí, que eu posso tirar o relógio do guarda... roubar dele no momento exato em que ele está me examinando... fazer uma coisa engraçada assim... uma brincadeira, para podermos rir depois juntos, eu e você, os dois..."

Fiquei bravo por ele ter pegado o relógio. Justamente esse roubozinho estragou um pouco o nobre esquema dele com papai, e por causa disso voltei a sentir a chama que ardia dentro de mim sem cessar no fundo do coração, me avisando de que eu estava muito enganado, de que havia alguma coisa que eu absolutamente ainda não estava entendendo em relação a esse tal de Felix. Mas então vi sua expressão arrependida, e seus lábios murmurando coisas para ele mesmo, e meu coração se encheu de pena. Ele quis me alegrar, pensei, se ele soubesse, digamos, dançar, teria dançado na minha frente para me deixar alegre. Se soubesse cantar, teria cantado para mim. Mas ele só sabe furtar e roubar e atirar com o revólver. Então, primeiro atirou, e agora fez uma pequena demonstração de furto.

"Talvez... será que não podemos devolver o relógio?", sugeri.

"Talvez... sim. Vamos deixar o relógio neste carro, quando o largarmos."

"E por que vamos largar o carro?"

"Somos obrigados a mudar o tempo todo. Carro. E Purim.

E a história. Senão, a polícia logo pega o Felix e estraga toda a brincadeira! Mas não precisa se preocupar: Felix está acostumado com isso." E soltou uma risada não muito alegre: "Ele é pessoa mutante. A vida inteira foi assim".

"Espera aí", uma desconfiança despertou dentro de mim. "Este carro é roubado?"

Felix Glick deu de ombros, estarrecido. "Pequeno senhor Feierberg", disse, "todo este jogo é roubado. Do começo ao fim não há uma única coisa correta. E a única pergunta é: O senhor vai jogar?"

Pensei no meu pai, como se encontrou com Felix depois de vinte anos, como me confiou a ele e como apertou sua mão com força. Pensei em Zohara. Na história dela que só Felix se dispõe a me contar. Me ajeitei no banco: Claro que vou jogar.

13. É possível apalpar sentimentos?

Depois viajamos em silêncio. Como se ambos tivéssemos nos aborrecido pela mesma coisa, que eu não sabia explicar o que era. Como se tivéssemos falhado em alguma coisa. Mas era Felix que tinha roubado o relógio. Por que eu também sentia aquela dor amarga? Talvez porque eu tinha visto como ele mente, como mentir é fácil para ele, e eu sabia que ele também era capaz de me tapear desse jeito. Talvez também por causa da sua cara, que se virou para mim num piscar de olhos com o ar envergonhado de uma criança pega numa travessura — a vergonha de um menino oculta na pele de um velho; e imediatamente me ocorreu uma lembrança ruim, aquela história com Haim Stauber voltou e esbarrou no meu coração, como sempre esbarra: a forma como eu quis impressioná-lo, chamar sua atenção para mim, e o que aconteceu com a vaca do Mautner por causa disso; talvez eu não seja muito melhor que Felix, e quem sabe até onde eu sou capaz de chegar, depois de ter começado.

Fechei os olhos. Fingi que dormia. Sem dó nem piedade recordei tudo que tinha acontecido com Haim, para que doesse mesmo, para que me machucasse. Como Haim chegou no nosso bairro, como seus olhos se iluminavam como pequenas faíscas quando ele se entusiasmava, como até então eu só tinha Micha como amigo, e Micha era só um quase-amigo, eu sempre soube disso, mas não tinha ninguém além dele, ele nunca discutia comigo, e quase não falava, e quando me escutava, sua cara ficava pesada e entediada, às vezes eu tinha a sensação de que ele não me escutava por amizade, e sim quase pelo contrário — como se ficasse contente de me ver arrastado pelas minhas histórias e exageros.

E quando Haim apareceu, tudo mudou. Toda a vida ficou diferente.

Ele chegou na nossa classe no meio do ano letivo. Uma semana antes já nos avisaram que entraria um garoto especial, um verdadeiro gênio, e que seu pai era um importante pesquisador na universidade, e que ele próprio era pianista.

Pouco depois do Purim, no meio de uma aula de matemática, a diretora bateu na porta e fez Haim entrar. Nós o examinamos dos pés à cabeça. Parecia um garoto comum, mas tinha uma cabeça muito grande, sinal de genialidade. A testa também era especial: meio morena e muito alta, e ele tinha um cabelo espesso, preto e penteado para trás. Isso era raro. Fizeram-no sentar ao lado de Michael Karni, e nos disseram para receber bem o novo companheiro.

Naquela época eu ainda fazia parte de uma turminha de garotos, fazíamos coisas juntos e tínhamos um lema, um esconderijo, atividades, uma casinha na árvore e uma vítima de quem infernizávamos a vida constantemente — que era apenas um tal de Kremmermann que morava um andar acima do meu; em suma, éramos uma turma de verdade. Talvez eu deva ressaltar que naqueles tempos os garotos realmente brincavam uns com os outros, não só pelo vídeo.

No recreio eu disse à turma para convidarmos também o novato, para ele não se sentir sozinho.

Ele ficou contente e veio se juntar a nós. Jogamos futebol juntos e o botamos no gol. Ele não era bom goleiro; era um goleiro muito fraco, seus dedos pareciam peneiras, mas ele tinha espírito de luta, e isso me agradou. Eu me lembro de ter dito a Micha, veja só como ele se joga na bola, e Micha disse com aquela sua voz pesada e indiferente, do que adianta ele se jogar se todas as bolas entram.

No fim da aula fomos juntos para casa, eu, Micha e Haim Stauber. Eles caminhavam e eu, como sempre, ficava dando voltas no skate. Naquela época eu vivia sobre rodas, não saía de casa sem meu skate grande e incrementado, e quando voltava do colégio com Micha, ele vinha a pé e eu ficava girando em torno dele, dando voltas e mais voltas, falando com ele de todos os lados, e curtia ver como ele me procurava sempre num lugar onde eu já não estava mais. Nesse dia, quando Haim voltou com a gente, aumentei as voltas em torno deles. Mostrei, de um jeito casual, o que um skatista profissional é capaz de executar. Girar sem sair do lugar, saltos mortais da calçada, uma arriscada passagem numa perna só entre dois carros ferozes — minha rotina habitual. Haim Stauber me engolia com os olhos. Essa foi a primeira vez que vi como seus olhos se iluminavam, como se alguém acendesse um fósforo dentro deles. Ele tinha uma verdadeira faísca no globo ocular. Logo percebi que ele estava se contendo para não me pedir uma volta, e eu já começava a planejar quanto poderia cobrar dele por cada volta que eu vendesse. Ele parecia um garoto bem rico. Nós o acompanhamos até sua casa. Ele morava numa mansão ao lado do nosso conjunto habitacional, e quando paramos para bater papo junto ao portão, a mãe dele saiu, quase correndo, e ainda de longe gritou "Haim, Haim'keh, como foi seu primeiro dia?". E Haim cochichou rapidamente para nós, "Não digam que eu joguei futebol", e ficou quieto, deixando que ela o abraçasse e afagasse como se fosse um bebê.

"E esses são seus novos amigos?", disse a mãe depois de se acalmar, e nos examinou, e eu tive a sensação de que ela estava tentando penetrar debaixo da minha pele, saber se eu era bom o bastante para o filho dela, e logo fiz a minha cara de anjo, e disse baixinho, "*Shalom*, senhora Stauber", estendendo a mão para um aperto.

Ela deu um sorriso de surpresa e apertou minha mão. Ela tinha uma mão, uma mão... que mão! Morna, macia e sedosa, com dedos longos, finos e delicados, e por um instante não consegui me soltar dela, mas logo puxei minha mão de volta, minha mão suja, coberta de todo tipo de pequenos furtos, sujeiras e vermes, e para minha sorte tive a presença de espírito de esconder atrás das costas também a mão esquerda, com a unha do dedinho que eu deixava crescer e já era a mais comprida da classe e talvez de toda a escola.

Esse foi meu primeiro encontro com ela. Fiquei embasbacado com sua beleza e delicadeza, e não ousei abrir a boca, para não deixar escapar que Haim tinha jogado futebol, mesmo sem entender o que ele tinha para esconder.

"Por causa do piano", ele explicou no dia seguinte. Não compreendemos muito bem qual era a relação, e ele explicou que por causa da música não podia pôr as mãos em risco, que todo dia sua mãe verificava seus dedos e cuidava deles. Micha deu sua risada lenta e idiota, e eu, não sei o que aconteceu comigo, fui logo dizendo que sua mãe tinha razão, que talvez de fato ele não devesse jogar. Haim Stauber disse que, se sua mãe pudesse, guardaria seus dedos o tempo todo dentro das mãos dela, e só os soltaria para seus exercícios de música e concertos. Então de repente ele soltou um grito forte, deu um pulo no ar e bateu palmas com toda a força. E logo olhei de canto para ver se não havia acontecido nada com aqueles dedos, que a mãe queria guardar dentro de suas mãos e manter aquecidos.

Sem pensar, ouvi a mim mesmo dizendo outra vez com firmeza que sua mãe tinha cem por cento de razão, e agora que os fatos estavam claros para mim, eu mesmo tinha intenção de me responsabilizar por isso, pois afinal de contas o piano era seu futuro, e talvez, graças a ele, de todo o Estado de Israel, e bons jogadores de futebol há por toda parte, mas um bom pianista ainda é um em um milhão.

Micha me olhou estupefato, e eu também estava estarrecido com o que tinha dito, afinal, o que é que eu tenho a ver com os dedos dele, o que me importam os dedos dele, mas, no instante em que me ouvi, soube que tinha dito a coisa certa, correta, autêntica, e essa foi uma das pouquíssimas vezes na minha vida em que senti que afinal de contas eu tinha um princípio, quer dizer, algo importante pelo qual estava disposto a lutar, mesmo que não me trouxesse nenhum proveito. E para demonstrar a seriedade da minha intenção, desci imediatamente do skate, peguei-o na mão e caminhei ao lado de Haim, como um guarda-costas. Haim pareceu bastante surpreso com o fato de eu assumir responsabilidade sobre ele, e perguntou hesitante se eu também tocava, e eu ri, de onde é que eu ia saber tocar, e Micha disse, ele toca nos nervos. E sou obrigado a dizer que, a partir do momento em que Haim Stauber se juntou a nós, tudo que Micha fazia ou dizia me parecia péssimo, bobo e grosseiro, e torci para Haim não tirar conclusões a meu respeito com base em Micha.

No dia seguinte, na escola, Haim insistiu em jogar futebol, apesar de tudo. Cheguei perto dele discretamente, puxei-o de lado, e expliquei que era perigoso demais, mas ele me disse que não se importava. Tentei convencê-lo, tentei até suborná-lo, mas ele não quis me escutar. Os garotos já estavam gritando que o recreio estava terminando, e fui obrigado a deixar. Nesse dia também abri mão da posição de centroavante e me concentrei em defender a meta dele. Não saí da área, e punha para fora toda tentativa de chute a gol. Fui um zagueiro tão bom que Haim Stauber ficou totalmente sem trabalho, de mãos vazias, e inteiras. Não me lembro de outro jogo em que tenha me empenhado tanto.

E foi assim também nos dias seguintes. Ele teimava em jogar, justamente na posição de goleiro, e eu tomava conta dele como se toma conta de uma fruta delicada. Avançava ferozmente contra as pernas de qualquer jogador que ousasse se aproximar da área daqueles preciosos dedos. Parei de me comportar como jogador de futebol, e agi com o profissionalismo de um guarda-costas. Toda vez que conseguia desarmar algum jogador que tentava chutar contra a sua trave, virava para Haim e sorria, e sentia um calor gostoso por todo o corpo de tanto prazer. Às vezes, apesar da minha marcação severa, algum jogador conseguia penetrar na área, aí eu constatava, com o coração apertado, como Haim estava colocando em risco o seu futuro com aqueles saltos terríveis, diretamente contra as pernas do atacante, e eu fechava os olhos e me encolhia todo, sentindo como as mãos quentes e longas da sua mãe se fechavam com delicadeza e afeto em torno do meu coração.

Fora o futebol, que mexia com os meus nervos, também tínhamos momentos gostosos. Esse Haim, eu não sabia quem eram seus amigos antes de ele vir para o nosso bairro, ele nunca falou neles, mas conosco ele realmente começou a se divertir. A turma tinha um teste de coragem no pequeno vale perto de casa. Éramos obrigados a passar lá uma vez por mês, como confirmação da nossa aliança de amizade. O teste consistia em rastejar por um cano estreito de esgoto que já não era usado. Rastejávamos dentro dele algumas dezenas de metros, até chegar à fossa de esgoto, onde dávamos meia-volta debaixo da terra e voltávamos rastejando pelo cano. Dava muito medo andar lá, naquela escuridão. Ninguém garantia que de repente, depois de tanto tempo, o esgoto não voltaria a correr e encher o cano. Shimon Margolis jurava que uma vez uma cobra preta tinha passado ao lado dele (e eu, na semana seguinte, fui obviamente obrigado a ver uma serpente de alguns metros). Quando se chegava finalmente à passagem da grande fossa, podia-se ouvir a água correndo lá no fundo, escura e imunda. Mas nunca senti tanta tensão quanto nos minutos em que Haim rastejou ali sozinho.

Ele teimou em percorrer o trajeto todo, e até chegou a gritar comigo por eu tentar mais de uma vez usar o bom senso. Os garotos da turma já tinham começado a fazer comentários sobre minha preocupação com ele, dizendo que eu cuidava dele como uma avó velha, e até mesmo Micha dava suas risadinhas.

O que eu podia fazer? Fiquei parado de lado, mascando grama, rezando baixinho, pedindo a Deus para alargar o diâmetro do cano de esgoto, por compaixão, e principalmente rezei pela mãe de Haim Stauber, e juntei as minhas mãos com as dela, e aquecemos dentro delas os dedos de Haim, que de repente tinha resolvido virar bagunceiro.

Quando ele saiu, sua cara estava suja de terra e as mãos arranhadas, e eu vi ali um garoto feliz. Shimon Margolis perguntou como tinha sido, e ele disse que teve um pouco de medo, especialmente em cima da fossa, mas que foi legal. É isso aí. Não se exibiu, não tentou dizer que o coração desceu até as cuecas ou que viu um fantasma branco do seu lado, como eu vi uma vez. Só disse que foi legal. E que na semana que vem iria de novo.

Estava me deixando louco, esse tal de Haim. Tudo que eu proibia, ele queria fazer, como se fosse só para me irritar e me deixar preocupado. Às vezes eu me sentia como a babá de um menino maluco. Ficava sentado na classe olhando as costas dele e me surpreendendo com minhas novas preocupações. Imaginem só que cheguei à situação de Haim Stauber me oferecer dinheiro em troca de voltas no meu skate, e eu recusei. Até mesmo Micha, Micha que era feito de ferro, me disse literalmente que eu estava exagerando, mas tenho a impressão de que ele estava com um pouco de ciúmes.

E ele tinha motivo. Esse Haim Stauber, exceto por sua determinação de me tirar do sério, era um garoto especialmente interessante e inteligente. Tinha um cérebro de enciclopédia. Ficávamos horas andando juntos e eu só escutava. Ele me contou sobre as crianças que vivem na Austrália, sobre os esquimós, sobre os indianos. Uma vez viajou para o Japão com seus pais, e disse que lá as pessoas constroem casas de madeira e cultivam árvores-anãs. Falava com uma voz baixa e tranquila, e dizia as coisas mais incríveis, mas com simplicidade, sem esforço e sem encenação. Não tentava absolutamente me impressionar, só contava fatos, mas os fatos que ele contava eram mais surpreendentes do que todas as minhas fantasias. À noite, na cama, eu tentava imitar seu jeito de falar, sua tranquilidade e precisão, por exemplo quando contou que "no Japão estivemos num lugar em que comiam formigas cozidas em chocolate. Eu não comi, porque minha mãe não deixou".

E era principalmente por isso que eu o admirava: por ter coragem de contar que a mãe não deixou. Eu, se fosse contar uma história como essa das formigas cozidas em chocolate no Japão, já teria inventado mil coisas. Como eu tinha comido um quilo inteiro delas, e como algumas formigas vivas continuavam me fazendo cócegas por dentro da barriga, e como o chef das formigas jurou nunca ter conhecido um garoto durão como eu, podem acreditar.

E a mãe dele. Já falei das suas mãos, mas ela era toda maravilhosa de se olhar. Era uma mulher muito grande, mais alta que o pai, com uma pele branca como giz, e cabelos cor de mel que caíam em cachos sobre os ombros, e olhos azuis que piscavam lentamente. Como os de uma boneca grande. Parecia que a cada instante ela ia abrir e fechar os olhos dizendo "mamãe", mas ela dizia apenas "Haim". Assim: "Há-im?". Com delicadeza, e sua voz tinha uma melodia que subia no final do nome, como se toda vez ela verificasse se ele estava mesmo vivo, existindo, e pertencendo a ela. Quando eu estava na casa dele, ela vivia entrando no quarto, sempre com uma desculpa diferente. Uma vez fechou a janela para não entrar vento, outra vez acendeu a luz para os olhos dele não se cansarem, outra vez o chamou para tomar alguma vitamina especial que fortalece os ossos. Ali, naquela casa, quando ela estava, eu falava muito pouco, e toda vez que sentia começar o zumbido entre os olhos, baixava a cabeça com educação e respeito, e sugava as bochechas para dentro até parar a minha circulação. O tempo todo eu procurava falar um hebraico especialmente bonito, e fazia questão de não mencionar a minha rica experiência com a polícia e os infratores da lei, pois tinha a sensação de que isso poderia afugentá-la.

Se fosse possível, ficaria na casa dele o dia todo, até de noite. Mas Haim sempre queria sair. Dizia que se sentia sufocado dentro de casa, e que sua mãe o deixava doido. Não entendo o que o endoidava tanto. Ela simplesmente se preocupava com ele, como deve ser, e cuidava dele. A mim não importava que ela entrasse no quarto a todo instante com sua cara de boneca e o piscar lento de seus olhos azuis, dizendo delicadamente "Há-im?" e às vezes "Haim-keh?". Eu até esperava que entrasse e nos perguntasse com sua voz grave e rouca se estava tudo bem, se estávamos com vontade de tomar um suco natural, ou se queríamos biscoitos. Eu sentia tanto sua preocupação e sua dedicação a ele, a ponto de conseguir prever, com precisão de minuto, quando ela voltaria a entrar.

Os meus dias preferidos eram aqueles em que Haim ficava doente. Aí eu podia ir até a casa dele e vê-lo deitado na cama; a cabeça, com seu cabelo preto e testa alta, pousada num travesseiro grande, o rosto pálido, quase transparente. Assim ele ficava bonito e frágil, mas também protegido de todos os perigos de fora. Nesses dias eu assistia à aula com uma disposição que só o Nono tem, anotava cada palavra e copiava da lousa o dever de casa, para passar toda a matéria para o Haim, especialmente quando sua mãe ficava junto no quarto. Ela entrava a cada tantos minutos, ajeitava o lençol ou afofava o travesseiro com gestos suaves e arejados, e, por estar assim tão fraco, ele não podia se opor. Ela fazia um movimento todo especial quando o cobria, enfiando as bordas do cobertor debaixo do seu corpo, embrulhando-o muito muito bem, como se embrulha um bebê, até o queixo. Às vezes verificava se tinha febre, não com o termômetro, mas com os lábios, encostando-os na testa dele, e aí seus olhos se fechavam, e os dele também, e os dois ficavam juntos assim por um longo instante, até que ela os abria devagarinho e dizia: "Ainda está com um pouco de febre, proponho que agora você durma, e Amnon voltará amanhã".

Ela me testava o tempo todo. Haim me contou que ela sempre fazia um exame muito meticuloso de todos os seus amigos. Se alguém lhe parecesse não merecedor, era rapidamente expulso, e para sempre. Assim foi em todos os lugares anteriores onde a família tinha morado, em Israel e no exterior. Em contrapartida, se a mãe aceitava você como amigo, havia a possibilidade de ser convidado uma vez para o jantar festivo do *Shabat* com a família, e isso, aparentemente, era algo especial.

Esse ritual me interessou desde a primeira vez em que ouvi falar dele. Haim disse que eles jantam com um jogo de louça especial, trazido da Suíça. E que sempre há convidados interessantes, especialmente visitas do pai. E que cada membro da família prepara um texto com significado, e lê na frente de todo mundo. E o próprio Haim toca para as visitas.

Eu achava graça nessas suas palavras, "um texto com significado", e todo domingo (Haim era proibido de sair na rua para brincar no *Shabat*, para eles esse dia era consagrado à convivência familiar) eu ia correndo perguntar como tinha sido o jantar de sexta-feira. Quem tinham sido os convidados, e sobre o que conversaram, e que "texto com significado" cada um leu. Às vezes eu saía de casa às sextas-feiras à noite — de qualquer maneira, Gabi e papai estavam ocupados preparando um monte de coisas que não tinham tempo de terminar no serviço durante a semana — e passava de skate na frente da casa de Haim, ficava rodeando, dando uma porção de voltas grandes, ou trepava na casinha em cima da árvore e tentava espiar através das grossas cortinas, ver alguma coisa, ou escutar algum "texto com significado".

Outros dias, entre quatro e cinco e meia, eu escutava Haim tocar. Interessante que não precisavam obrigá-lo a tocar. Ele próprio queria. Dizia que sem a música a vida dele era vazia. Eu não entendia como um garoto que sabia tanta coisa, que tinha viajado pelo mundo todo, podia dizer que a vida seria vazia se não passasse uma hora e meia por dia dedilhando ao piano. Pedi a ele que me explicasse, com palavras de gente, como o piano preenchia sua vida. Que dissesse. De uma maneira que eu pudesse entender. Quem sabe eu também poderia preencher a minha vida com o piano?

Mas ele não conseguia explicar. Dizia que não há palavras para descrever uma coisa dessas. E eu me irritava, e dizia para ele tentar mesmo assim, afinal ele sabia falar, certo? Então que se esforçasse um pouco e me explicasse, em hebraico simples, como as notas musicais podem preencher a vida de uma pessoa. O quê, elas são feitas de concreto? De areia? De água?

Haim fez um meneio com a cabeça, ficou pensativo e franziu um pouco sua testa alta, depois disse que não conseguia, é algo que se passa lá dentro, bem lá no fundo, e não dá para explicar para alguém de fora. Com isso eu parei de perguntar. Porque, se para ele eu era alguém de fora, eu não estava mais interessado. Bem, eu, por mim, aprendi com meu pai a desconfiar de coisas desse tipo. Ele dizia: "Eu só acredito nas coisas que posso ver e tocar! Alguma vez você viu o amor? Alguma vez você viu um sentimento? Alguma vez você segurou na mão um ideal? Se não viu e não tocou, não acredite! Eu não passo de um simples vendedor de biscoitos, e de uma coisa eu sei: o comércio exige coisas concretas!".

Apesar de tudo, no fundo do coração, eu sentia que Haim não estava me enganando, que tampouco fazia força para eu acreditar nele. Era isso que me atraía nele, e também me angustiava. Pois eu sempre tentei convencer os garotos a acreditarem em mim. Mesmo quando mentia (especialmente quando mentia). E Haim era exatamente o contrário. Para ele, bastava que ele mesmo acreditasse, ele não tinha necessidade de que os outros também pensassem como ele. Quer dizer, os outros do lado de fora.

Criei um hábito: todo dia, entre quatro e cinco e meia, subia na minha casa na árvore e ficava ali deitado. Escutando Haim tocar, ou pensando, ou cochilando, ou simplesmente tentando entender o que é de fato uma vida vazia. Se é como um grande salão vazio, onde a gente vagueia de uma parede a outra sem ter um momento de descanso. Se é como uma sala grande onde não há nenhum móvel, e toda palavra se ouve com eco. Pensava também, que sorte que a minha vida é tão cheia, que não tenho um minuto de tédio, sempre tenho o que fazer, e toda essa coisa com a polícia, ser detetive, os exercícios de treinamento, de modo geral pode-se dizer que não perco tempo com pensamentos supérfluos. E também, digamos que eu tivesse aqui e ali dias monótonos e vazios, agora, graças a Haim e à nossa amizade, estavam todos preenchidos.

Às vezes eu me perguntava como foi acontecer de um menino gênio como ele ter ficado tão entusiasmado comigo. Pois eu comparava a minha personalidade e a personalidade dele (do ponto de vista artístico) e sabia que ainda havia uma grande diferença, que eu ainda tinha muito a aprender com ele. E já então supus com dor no coração que talvez nunca chegasse a ser como ele, e permaneceria sempre como artista de futebol, ou de escalar postes de luz, ou de fantasias exageradas e criações esquisitas.

Micha às vezes subia na minha casa da árvore, perguntando o que se passava comigo nos últimos tempos, por que eu tinha sumido e me isolado. Eu fazia um gesto com a mão para ele se calar, e apontava com o dedo as notas musicais de Haim Stauber. Micha assentia com sua cabeça pesada e dizia que para ele música era uma coisa chata. Uma ou duas vezes briguei com ele, dizendo que ele não tinha respeito por coisas com significado, e depois me desligava dele, ficava com pena.

Mas logo depois que terminava de tocar, Haim Stauber saía correndo, voando, para brincar comigo. Toda a cultura e a tranquilidade se transformavam. Sua mãe não fazia ideia do que lhe acontecia quando ele saía de casa. Graças à minha cara de anjo e ao meu cuidado na casa deles, ela tinha certeza de que eu era um garoto como ele, certinho e responsável. Pelas histórias de Haim, fiquei sabendo que dali a algum tempo, não muito, ela iria começar a se relacionar com as pessoas da vizinhança e a fazer perguntas também sobre mim, e quando soubesse exatamente quem eu era e o que eu era, saberia que o tempo todo eu a tinha enganado. Que na sua casa eu me fingia de menino ingênuo e educado, ordeiro e responsável, mas que a verdade era exatamente oposta.

Só que eu sentia também que a verdade não era totalmente oposta, e até me revoltei no meu íntimo contra o julgamento que pairava sobre mim, era uma pena que eu não soubesse como explicar aquilo a ela: a verdade não era oposta, pois eu era assim, mas também assado. Nunca conseguia saber o que seria no instante seguinte. E justo na casa deles eu era bonzinho de verdade. Quase puro. A minha unha crescida eu cortei por causa dela, sem que ela soubesse, uma semana antes da avaliação definitiva. Uma onda de devoção e responsabilidade passava por mim quando ela entrava no quarto de Haim e perguntava com sua voz suave se não era bom tomarmos um copo de suco natural, ou comermos biscoitinhos de manteiga.

Eu sabia que ela ia descobrir tudo. Milagre não ter descoberto até agora.

Mas o próprio Haim Stauber descobriu.

Não, não que eu fosse maluco demais, desvairado, às vezes mais do que só desvairado. Disso ele até gostava. Talvez o problema fosse esse: que ele só gostasse disso em mim. Quando eu acabei de mostrar a ele tudo que sabia fazer, depois de ter lhe mostrado todos os meus lugares, como rastejar num cano de esgoto, como assustar motoristas pulando inesperadamente da calçada, como roubar pedaços de bolo da loja da Sara, como grudar um cachorro num gato com cola, como tirar dinheiro da caixa de caridade da sinagoga, como fazer um escorpião amarelo se suicidar, e mais mil e uma travessuras especiais que eu conhecia — ele acabou se enchendo um pouco de mim.

É preciso escrever a verdade, por mais que ela doa, ainda hoje:

Ele se encheu de mim. Chegou depressa demais até o fundo da minha pessoa.

Senti isso antes de acontecer. Sempre tive os sentidos aguçados, e sempre me preparei para o momento de ele me abandonar. Quando vi que seus olhos começavam a ficar vazios quando eu contava alguma coisa, isso me deixou mal, vazio e aborrecido.

Minha cabeça começou a trabalhar horas extras. Sugeri, por exemplo, que fôssemos ao laguinho da Casa do Canadá na Universidade, e pescássemos ali alguns peixes. Haim Stauber perguntou se era permitido, e eu disse que era proibido, e ele disse com máxima decepção — só proibido? Respondi de imediato que era até ilegal, um verdadeiro roubo de uma instituição científica, e ele disse — vamos nessa!

Aí fomos nessa, pegamos alguns peixes com saquinhos de plástico e depois despejamos os peixes no lago grande da Universidade, no lugar onde os turistas jogam moedas. Fizemos isso umas cinco ou seis vezes, e em menos de um mês os peixes acabaram, e foram obrigados a trocar a água.

Bem, isso acabou, e depois precisei inventar outro desafio, capaz de acender seu olhar. Pois era isso que ele queria de mim. Que fizéssemos coisas. Coisas cada vez mais ousadas, e tudo foi ficando cada vez mais complicado, pois eu queria simplesmente estar com ele, ouvi-lo contar sobre a Guerra da Secessão nos Estados Unidos, sobre a vida dos indianos, sobre os incas, sobre a vida de Mozart, sobre os ciganos, sobre todas as coisas que ele sabia contar com sua voz calma, com elegância e sem exibicionismo. Eu queria olhar para o seu cabelo preto e espesso, ver como as raízes grossas desse cabelo brotavam da testa alta e bonita. Isso era tudo que eu queria. Não mais que isso. Acho que ele foi o único garoto que conheci a quem não propus vender ou alugar alguma coisa, por hora ou por período. Se ele se interessava por algo meu, eu lhe dava na hora, de presente. Toda a amizade com ele para mim era um presente.

Tenho vergonha de contar o que inventei para mantê-lo ao meu lado. Fiz coisas que se meu pai soubesse me mandaria para um instituto correcional juvenil: uma noite Haim e eu entramos sorrateiramente e despejamos açúcar no tanque de gasolina do carro do diretor da escola, Aviezer Karmi, e inutilizamos seu motor para toda a vida, e o carro ficou parado na frente da casa dele, estragado durante anos. Para todo o sempre.*

Mas entenda, senhor diretor, eu não tinha opção. O medo de que Haim Stauber pudesse me deixar era insuportável. Pois a amizade com ele me salvou de algo, não sei direito do quê, talvez de um destino como o de Micha Dubovsky. De ser simplesmente mais um garoto comum. Quando estava com Haim eu sentia que era mais. Que tinha a possibilidade de aprender alguma coisa nova. Quando Haim começou a se cansar de mim, eu me senti caindo de volta lá na boca aberta de Micha.

Mas eu não pude evitar. Haim encontrou amigos novos, meninos que pelo visto o interessavam mais. Talvez soubessem falar com ele sobre Mozart e sobre os incas, talvez entendessem sem palavras o significado de "vida plena".

A mim restou Micha. Eu gozava dele. Provocava. Ele não entendia o que estava se passando, ou talvez entendesse. E talvez gostasse das minhas provocações, pois assim ressaltava ainda mais a minha feiura.

Um dia, durante a aula, Haim Stauber disse alguma coisa sobre touradas. Se bem me lembro, contou que em cada tourada na Espanha matam seis touros. Voltei para casa e fiz o que qualquer cidadão responsável faria se fosse informado de uma coisa dessas. Telefonei na hora para a polícia.

Pedi a Gabi que interrompesse todo o trabalho que estava fazendo e que me contasse o que sabia sobre touradas.

Gabi pegou um táxi, passou pela biblioteca da Casa do

---

* Se o sr. Aviezer Karmi, nosso antigo diretor e pedagogo, por acaso ler esta história, peço a ele agora perdão, e é óbvio que estou disposto a ressarci-lo do prejuízo.

Povo e chegou em casa com uma folha escrita à mão, onde tinha copiado trechos da enciclopédia. Corremos para a cozinha. Ela leu para mim. Não fez perguntas. Só deu uma olhada rápida, viu na minha cara a história toda, murmurou "conhecimento é poder, né?" e leu de novo. Fiquei sentado de olhos fechados, cada palavra dela penetrando dentro de mim, direto no ponto de inveja ferido no meu cérebro.

No dia seguinte de manhã achei uma oportunidade de dizer a Haim que a pequena espada que exibem no começo da *Corrida de Toros* é chamada *banderilla*, e que é feita em formato de ferrão de abelha, por isso é fácil de ser enfiada no touro e difícil de sair. Haim escutou atento, de cabeça baixa, e disse que não sabia disso, mas perguntou se eu sabia a diferença entre *torero* e *matador*.

Gabi trabalhou duro nessa noite para solucionar essa difícil questão. Telefonou para alguns amigos, e depois também para uma mulher com quem tinha estudado na universidade. A conclusão foi que *torero* é todo aquele que participa da tourada, mas só o *matador* mata o touro.

Despejei isso para Haim Stauber num dos intervalos de aula e ressaltei também que em Portugal, por exemplo, não se matam os animais na tourada, e o matador que se sobressai numa *Corrida* na Espanha recebe como prêmio a orelha do touro, às vezes as duas orelhas, e se for grandioso como Paco Camino ("o conhecido", fiz questão de acrescentar), pode ganhar até o rabo. Os olhos de Haim se arregalaram. Disse que seu pai lhe prometeu conseguir cartões-postais coloridos de touradas reais, e aí poderia mostrá-los para mim. Comentei, da minha parte, que seria bom ele conseguir postais onde aparecessem fotos de *banderilleros*, que seria uma festa para os olhos (juro que disse isso) ver as tiras de papel coloridas penduradas nos seus instrumentos, as *banderillas*.

E fui embora.

E Haim veio atrás de mim.

E assim, com cautela, fazendo mil rodeios, começou a voltar para mim.

Diariamente trocávamos opiniões referentes à tourada, sobre os uniformes e tipos de facas e enfeites. Ele acabava de tocar às cinco e meia e corria para a minha casa na árvore. Ficávamos lá, juntos, só alguns minutos, falando de um único assunto. Era a coisa certa a se fazer. A nossa amizade renovada era tão frágil que não se podia sobrecarregá-la. Talvez Haim tenha sentido que eu estava todo ferido.

Naquela época havia entre nós um pacto não explícito, um pacto de piedade: tomávamos o cuidado de não falar sobre outras coisas, sobre as quais ele sabia muito, e eu não. Ele era realmente um garoto especial.

Conversávamos alguns instantes, falando de algum *matador* famoso a respeito de quem Gabi tivesse conseguido algum material, ou sobre ocasiões trágicas em que o touro mata o *matador*, ou sobre estilos de manuseio da espada. Por puro prazer saboreávamos nomes como Rafaelo di Paula, ou Ricardo Torres, ou Luis Mazzaniti, e testávamos mutuamente nossos conhecimentos sobre as touradas famosas de cada um deles, onde tinham ganhado uma orelha ou o rabo, e onde viviam suas vidas maravilhosas... Só alguns minutos de conversa leve, frágil como uma teia de aranha, brilhando sob a luz do sol, e logo Haim dava o fora, sem grosseria, e eu ficava deitado de costas, por uma hora inteira, feliz, e até perdoava a cara grande de Micha que surgia no meio dos galhos.

"E aí, Nono, beleza?"

Uma semana. Duas. Um fio tão frágil. E se ele se romper estarei perdido para sempre. Não vou aguentar outra ferida dessas. Gabi trabalhava feito um demônio. Todo dia telefonava para o departamento de cultura da embaixada espanhola e arrancava mais e mais informações. Viajou para a casa dos pais em Ness Tziona e de lá trouxe um livro de poemas de um poeta espanhol chamado Lorca, que escreveu sobre as touradas. Eu, do meu lado, disfarçadamente comecei a prestar atenção em Péssia, a vaca que o nosso vizinho Mautner trouxe quando deixou o kibutz. Ele não tinha aparado os chifres quando ela era nova, por isso agora ela tinha um par de chifres grandes e lindos, e nunca os utilizou. Tinha uma natureza tranquila e sossegada, adorava ficar parada no cercadinho que Mautner fez ao lado da sua casinha, para ela mascar grama, mexer para os lados seu grosso beiço e ficar meditando até seus olhos se encherem de uma expressão que era quase humana. Um dia corri na frente dela com uma toalha vermelha que eu tinha tirado do cesto de roupa suja. Ela me seguiu com os olhos, espantada, mas o rabo começou a se mover como um pêndulo, e pensei que talvez, apesar de tudo, algum de seus antepassados podia ter nascido na Espanha, e alguma gota dessa herança ainda corria no seu sangue. Na mesma noite Gabi leu para mim, com emoção e grandiloquência, o poema "Pranto por Ignacio Sánchez Mejias", escrito pelo poeta Lorca em memória de um *matador* que tinha morrido. Havia versos como "Começaram os dobres do bordão/ às cinco da tarde.[...] As feridas ardiam como sóis/ às cinco da tarde.[...] Ai que terríveis cinco eram da tarde!".*

Gabi acabou de ler o poema. Sua expressão estava rija e sombria. Sua mão tremia no ar, e a cabeça estava jogada para trás, como se ela tivesse sido decapitada. Eu tremia debaixo das cobertas. As palavras daquele Lorca percorreram meu corpo como vinho amargo. Me cobri até a cabeça, e tive a impressão de

---

* Tradução de Jorge de Sena, publicada em seu *Poesia do século* xx, Porto: ASA, 2001. (N. E.)

que a minha cama ardia em chamas. Depois disso, depois que toda aquela história terminou, Gabi disse que, se ela soubesse o que aquele poema iria provocar em mim, leria somente poemas do tipo "Éramos todos crianças". Mas naquela noite ela quis que as palavras do poema ressoassem pelo meu quarto madrugada adentro, que preenchessem minhas pálpebras sonhadoras com gotas vermelhas de sangue... No dia seguinte, na frente do bebedouro, eu disse a Haim e a Micha que tinha tomado uma decisão. Tinha definido o meu objetivo na vida:

Eu vou ser o primeiro *matador* israelense.

Fez-se um silêncio. Sobre a minha cabeça pairavam, em vermelho, nomes espanhóis.

"Mautner?", sussurrou Haim em tom de respeito, "você vai entrar no pátio do Mautner?"

"Eu, claro, com certeza. O que é que tem. Vou travar com aquele touro uma luta de vida ou morte."

Principalmente de morte, eu sabia. Pois Mautner era um sujeito duro, muito duro.

"Vaca", salientou Micha, "Péssia é fêmea."

Uma onda de medo de mim mesmo tomou conta de mim. O motorzinho zumbia como um monstrinho ruim.

"Mas ela tem chifres", Haim retrucou lentamente, pois tinha começado a entender que eu estava sugerindo a maior das aventuras, a mais louca e terrível, o símbolo supremo da minha amizade.

"Vocês topam?", perguntei, "eu preciso de dois picadores com espadas."

Houve um silêncio momentâneo. Um silêncio durante o qual se reviraram dentro de mim sensações terríveis, um sentimento amargo no coração, gritos agudos e súplices. Mas depois os olhos de Haim começaram a passar à minha frente como duas tenazes, e ambos, clc e eu, começamos a dar uma risada selvagem, histérica. Micha ficou parado, me olhando com raiva. E talvez também com alegria, pois já sabia o que ia acontecer. Eu não quis olhar para ele. Não queria ver sua cara escura e gordurosa. O que é que ele entende de coragem, de loucura, de amizade, de desafios. De uma vida plena de significado. Eu e Haim nos demos as mãos e começamos a pular feito doidos, torcendo, em silêncio, para que a mãe dele não aparecesse de repente e visse em nós dois os meus sete pecados.

14. Procura-se: Dulcineia

"Ah, isso é que é uma bela refeição!", disse Felix, pousando o garfo na mesa e dando seu sorriso amigo de cumplicidade. Uma penumbra agradável e rósea tomava conta do restaurante. Velas em candelabros rosados iluminavam as mesas. Minha barriga estava cheia e redonda e sobre a mesa estavam os restos da refeição mais maravilhosa que já tive na vida. Felix pediu como entrada patê de fígado, depois sopa de aspargos selvagens, e como prato principal, pato ao molho de laranja. Quanto a mim, mal pude resistir aos bolinhos suculentos que passavam na minha frente, mas me controlei e devorei batatas fritas e arroz, e que batatas fritas! Que arroz! Duas vezes pedi para repetir, depois tomei uma sopa de cogumelos selvagens, comi pimentão recheado com nozes e amêndoas e três porções de mousse de chocolate, e quando Felix me perguntou o que eu tinha achado da comida, eu disse, provocando, que o cozinheiro da cantina da polícia ainda tem muito o que aprender.

"Mas principal é que hoje e amanhã nós fazemos grandes coisas!", disse de repente Felix com a voz daquele outro, o vovô Noah.

"E que coisas vamos fazer?", perguntei preocupado, e logo repeti a pergunta com a voz de Tammy, para ninguém por perto começar a desconfiar.

"Vamos tornar o nosso mundo um pouco melhor, talvez", ele disse rindo, "vamos fazer coisas que pessoas vão ouvir que fizemos e dizer: 'Uh-lá-lá! Isso é arte! Que coragem desses dois amigos! Isso é estilo!'"

"Mas o quê, o que vamos fazer?", perguntei de novo, cochichando.

"Eu não sei. Qualquer coisa que você decidir. Tudo é permitido. Não há limite! Não há regra! Basta *courage*! Coragem! É preciso ter ousadia!"

Hah! Só é preciso ter ousadia. Fácil dizer. Pedir o quê? Ir ao cinema? Entrar de noite na sala dos professores na minha escola? Roubar o esqueleto da sala de biologia? Logo senti que essas empreitadas eram pequenas e ridículas aos olhos de um homem como ele. Preciso ousar mais, me liberar, ser digno dele, correr riscos de verdade, ser meio doido, criminoso. É preciso ter ousadia...

Quem sabe subir nos telhados das embaixadas e trocar as bandeiras, como meu pai fez uma vez, antes de ser policial? Ou roubar algum bicho do zoológico e sair montado nele?

Quero fazer algo novo. Algo meu.

O garçom corpulento que nos serviu durante a noite voltou até nossa mesa, curvou-se numa reverência e tirou a garrafa de champanhe do balde de gelo. Derramou a champanhe rosada no cálice longo de Felix. Eu ainda estava na minha primeira taça. A espuma transparente dançava. No começo do jantar houve um momento, um momento que sei que nunca vou esquecer, quando o garçom estourou a rolha da garrafa. Foi impressionante: fez um barulho de explosão de verdade, a rolha voou e um jato de espuma saiu da boca da garrafa...

Numa hora dessas, pensei, na minha casa estaria tendo uma vida totalmente diferente. Numa hora dessas, se Gabi não está conosco, meu pai e eu, cada um fica no seu quarto em silêncio e paz. Eu jogo contra mim mesmo futebol de botão, ou folheio os catálogos de armas de serviço e equipamento da polícia, ou faço os exercícios que meu pai me passou, ou fico simplesmente deitado na cama, chupando bala, sem pensar em nada. Devaneios, os olhos se fecham, os dedos passeiam por uma rachadura na parede, eu quase conseguia senti-la agora na ponta da unha, uma rachadura em forma de raio que eu fiz e se aprofundava toda vez que tinha vontade de chorar. Meu pai no quarto dele, lendo jornal (ultimamente ele precisa de óculos de leitura, mas Deus me livre alguém vê-lo de óculos!), ou examinando alguma pasta de investigação, ou telefonando a cada cinco minutos para saber se todos os encarregados de plantão estão nas suas funções. Depois, um de nós — geralmente eu, pois estou sempre com fome — começa a preparar o jantar. Se estamos em casa só os dois, não cozinhamos grande coisa. Fazemos uma sopa de cogumelos de caixinha, abrimos uma lata de homus e outra de milho, ou bolinhos de carne para o meu pai. Trabalhamos juntos. Temos uma divisão de tarefas fixa, não precisamos nem falar. O rádio toca músicas hebraicas, de que nós dois gostamos, e há um silêncio gostoso. Às vezes eu conto coisas que me aconteceram na escola, mas ele não escuta com atenção. Posso contar coisas que nem aconteceram, inventar nomes de colegas, mentir, e ele olha para mim como se estivesse me vendo de longe, só mexe a cabeça. Como será que vou me sentir da próxima vez que estiver com ele numa hora dessas, agora que já sei como a vida acontece em lugares de verdade, como neste restaurante?

"Estou vendo que está com dificuldade de resolver, Tammy'leh?"

Sorri para ele como se estivesse num sonho: "Sim, tem tantas coisas que...".

"Tudo bem. Vá com calma. Não é urgente."

Me calei de novo. Alisei a trança bem devagar. O que eu podia pedir? Até onde pode ir a ousadia? Como é possível que eu não tenha me preparado para uma situação como esta, com um gênio na forma de Felix vindo e se prontificando a realizar três desejos? Quando eu chegava na ponta da trança, minha cabeça ficava um pouco repuxada para o alto, bem no meio da testa, e era gostoso. Fazia cócegas no meio da testa. O que posso pedir a ele? Qual é a coisa que mais quero fazer agora?

Permanecer dentro deste sonho. Mergulhar nele como dentro de um cobertor de lã. Sentir um pouquinho de saudades de casa.

Pois se é dia de Gabi estar conosco, dia em que não há grupo de estudos de cinema, nem de francês para principiantes, nem sobre a melhor maneira de emagrecer rapidamente — em suma, se é domingo ou quarta-feira, estamos todos juntos na cozinha, fazendo comida, comendo um belo jantar, conversando e discutindo a cada frase. Às vezes fico calado e deixo os dois falarem e discutirem. Nessas horas eles se comportam como um casal de verdade. Quase sempre ele começa cada frase com "Veja, ahm, Gabi", como se fosse difícil lembrar o nome dela, ou como se ela se chamasse "Ahmgabi". E ela o provoca chamando-o de meu querido, luz dos meus olhos e flor da minha juventude. Em raras ocasiões meu pai resolve nos contar algum problema no serviço que o esteja perturbando. Uma noite dessas, Gabi o ajudou a solucionar o caso do constante roubo na lapidação de diamantes em Natânia. (Acontece que o dono da lapidação aproveitava justo o casaco do meu pai e punha os diamantes dentro dos bolsos; depois, após a revista diária que meu pai fazia nos funcionários, o dono da lapidação tirava os diamantes do casaco facilmente, vendia tudo e ao mesmo tempo recebia o dinheiro do seguro.) Depois do jantar nós passamos para a sala, lemos um pouco de jornal, papai fuma com os pés em cima da mesinha da sala o cigarro diário que Gabi lhe permite, Gabi prepara o café turco especial que só ela sabe fazer, que ferve exatamente sete vezes, e grita da cozinha as últimas novidades do mundo todo, depois me puxa para um canto e exige saber o que há de novo na escola, se há algum casal de namorados novo, e quem pediu quem em namoro, e se nas nossas festas já estão dançando aquela dança nova (como se eu soubesse). Todas essas coisas a mobilizam muito, quando ela estava no colégio, era só isso que lhe interessava; e então, mais ou menos às dez horas, quando meu pai e eu já estamos mortos de cansaço, ela resolve de repente revirar nossos guarda-roupas, descobre roupas de inverno ou de verão, faz pilhas "para passar", "para dobrar" e "para guardar", e a casa toda se enche de roupas que voam, viram e viajam de um lado a outro; e Gabi, com as calças arregaçadas até os joelhos, as bochechas vermelhas, fica cantando músicas dos Beatles, põe roupa na máquina de lavar, passa a ferro no meio da sala, ocupa todo o hall, e entre uma coisa e outra corre até a cozinha para preparar o lanche que tem grau sete na EIPRADES (Escala Internacional de Prazeres e Delícias Sublimes): pudim instantâneo sabor chocolate, que só Gabi sabe fazer do jeito certo, sem as bolotinhas no meio. Enquanto isso, ela manda meu pai lavar a louça, pendurar a roupa, jogar fora os jornais velhos espalhados pela casa, e eu — até que enfim — arrumar as pilhas de bagunça no meu quarto. Papai e eu, como dois empregados descontentes, resmungamos e reclamamos dela, e quando nos encontramos rapidamente no corredor do banheiro, sem ela ver, também fazemos caretas nas costas dela, mas nós não temos opção, fomos criados para o trabalho duro, e nos vendemos ao pudim instantâneo, que só ela sabe preparar sem bolotas, e à meia-noite nós três despencamos, a casa já está outra vez decente para ser habitada por seres humanos, ouvem-se apenas os últimos ruídos de três colherinhas raspando o vidro dos pratinhos, tentando arrancar uma última gotinha de pudim, meus olhos já estão se fechando, e papai está tão esquecido de si mesmo que põe a mão sobre o ombro dela e lhe dá um beijo na testa, como se eu não estivesse ali, mas o que me importa, que ele a beije, tomara que sim, pronto, o dia acabou, estou enrolado em cima da cadeira, mas ele me leva para a cama em seus braços fortes, mas comigo eles são delicados, pronto, estou dormindo, e quem será que me beijou devagarinho, talvez tenha sido um beijo de amizade entre dois colegas de uma equipe de profissionais competentes.

De muito longe ouvi Felix sussurrar: "Mas agora é preciso ter ousadia! É preciso pensar grande, Tammy'leh! Pensamentos com bastante colorido! Como no cinema, como no teatro!".

Quando ele disse "teatro", senti uma fagulha se acender dentro da minha cabeça: que burro que eu sou! Quer dizer, que grande burra! Mas não ousei dizer o que de repente me ocorreu. Ele vai achar que é uma ideia tola, que eu não passo de um bobão, alguém a quem propõem ser ousado e criminoso, e pede presentes para uma garota.

"Para uma garota, talvez?", perguntou Felix com um sorriso, e mais uma vez constatei que a minha cara mostra todos os meus pensamentos, por causa da minha pele fina. E como é que ele ainda não percebeu que eu já sei quem ele é?

"Sim...", Felix sorriu e se recostou, me fitando com prazer, "vê-se pela sua cara — é para uma garota. Que bonito! Também ele, como é mesmo o nome, Dom Quixote, fez toda sua guerra pela Dama Dulcineia!"

Mesmo eu, que não costumava ler livros na infância, tinha ouvido falar nessa mulher, nada bonita, que morava na cidade de Toboso, e que por sua causa Dom Quixote saiu para suas aventuras.

"Então o que você diz, minha menina?", indagou Felix em

tom irônico, "já resolvemos a quem você quer dedicar nossa coragem? Quem é sua beldade? Felix guarda segredo!"

"Gabi", exclamei.

"Gabi?", ele caiu na gargalhada. Faíscas de riso brilhavam em seus olhos. "Eu achei que você ia dizer nome de uma lindinha do colégio. Não sua mãe postiça!"

"Gabi não é minha mãe, nem é postiça. Ela é a Gabi!"

"Bem, bem. Peço perdão! Tudo bem. Gabi. Beleza. Você é fiel a ela, que beleza."

"Não", eu disse em tom de desculpa, "a princípio pensei em Zohara", menti, "mas Zohara já morreu", justifiquei, "e a Gabi... ninguém no mundo está disposto a ser cavaleiro dela, então..."

"Entendo tudo!", Felix apontou o dedo para mim. "Pequeno senhor Feierberg disse Gabi, então que seja Gabi!"

Eu me senti bobo e infantil. Eu devia ter dito o nome de alguma menina da minha classe. Smadar Kantor, ou Batsheva Rubin, as rainhas que brigam entre si. Mas eu não gostava de nenhuma das duas, e não quis fazer algo só por fazer.

Mas Zohara. Como foi que não pensei nela primeiro?

"Realmente foi surpresa para mim", disse Felix, "senhor é garotinho simpático, um verdadeiro *gentleman* para Gabi. É realmente um cavalheiro. Mulheres vão gostar muito de pequeno senhor, ouça o que Felix diz..." E depois acrescentou: "Faz que eu me sinta novo. Novo homem".

Eu? Ele?

"Então vamos dar nossa *courage*, nossa coragem, para a senhora Gabi." E me deu um aperto de mão por cima da mesa: "Existe alguma coisa especial que queira levar para Gabi? Algum brilhantezinho, ou quem sabe preparamos um pequeno iate para ela e a levamos num passeio até Chipre?".

"Não... ela tem enjoo de mar, até mesmo na praia...", murmurei, e um brilhante me parece um pouco lindo demais para ela. Baixei os olhos para a mesa. Encolhi os ombros como se não tivesse nenhuma ideia do que a Gabi poderia querer. Não sabia como começar a dizer isso sem me sentir um completo idiota.

"Mas com certeza existe alguma coisa que ela quer muito...", considerou Felix, e já reconheci esse tom de voz que dizia: "Pode sonhar, não tenha vergonha, peça tudo, tudo que é possível, e também o impossível. É preciso ter ousadia".

Comecei a rir: "É besteira, mas ela... não. É só bobagem".

Felix se inclinou na minha direção. Seus olhos brilhavam de curiosidade. "Bobagens são hobby meu", disse com voz macia e sorrateira, "eu sou especialista mundial em bobagens!"

Eu disse à meia-voz: "No fundo, há uma atriz que a Gabi adora. Na verdade, uma atriz que ela venera".

"Uma atriz?"

"Sim... de teatro. Lola Ciperola."

Uma centelha? Um raio de advertência? O que foi que passou como um raio dentro dos seus olhos? Será que suas orelhas se esticaram um pouco para trás, como as orelhas de um predador?

"Lola Ciperola! Ah... sim... conheço o nome... uma vez até encontrei ela..." Seus olhos se transformaram em duas fendas azuis, e eu sabia que ele estava mergulhando dentro de si mesmo, entretendo uma conversa interior. Uma confabulação interna. Mas em breve voltou e me disse: "Sim... Lola... ela é do meu tempo! Quando eu era mais jovem, ela era como uma rainha de Tel Aviv...", e ele moveu os dois braços sobre a mesa em gestos de dança leves e flexíveis e cantou com voz grave: "'brilham teus olhos, dia-man-tes, acenando adeus do cais...', ela canta, Lola, e representa, e dança... ela tudo sabe!". E mais uma vez sua voz adquiriu um tom de reflexão: "Só não sabia que Lola ainda era popular entre jovens como senhora Gabi...". Agora tinha chegado meu grande momento: estiquei as pernas e contei como Gabi sabia imitar Lola Ciperola. Como me fazia rir quando encenava trechos das peças de que Lola Ciperola participava. Eu conhecia cenas inteiras de cor de tudo quanto era peça, graças a Gabi.

"E senhora Gabi sempre a admirou?"

"Acho que sim... e sabe cantar 'Brilham teus olhos' igualzinho a ela, como Lola Ciperola. Com todos os gestos dela. Não dá pra ver diferença. E ela diz, Gabi, que se ela tivesse, a... como é mesmo, a echarpe... bem, é bobagem." As besteiras que eu falo.

"Não, não é bobagem!" Felix ergueu um pouco a voz e seu sorriso ficou mais largo. "Nada é bobagem! Diga tudo, conte! Que história é essa da echarpe? Que é que tem a echarpe de Lola?"

Pro inferno, o que me importa?

"Às vezes ela diz, Gabi, bem, é só de brincadeira, que se ela tivesse a echarpe de Lola Ciperola, poderia ser, assim, atriz ou cantora. Ou tudo que quisesse. Bobagem."

"A echarpe?"

"Essa atriz", expliquei, "Lola Ciperola, ela sempre usa essa echarpe. Uma echarpe lilás. Sempre aparece no jornal a foto dela com essa echarpe, ela anda sempre com a echarpe, em casa, no teatro, na rua. É o símbolo dela."

"Sim, isso eu sei. Sempre foi assim... a echarpe de Lola... você já viu ela alguma vez?"

Sorri: "Uma vez? Onze vezes!".

"Ouou! Como assim?"

"Principalmentc em peças de teatro." Gabi me levou três vezes para assistir *Romeu e Julieta*, duas *Crime e castigo*, uma *Bodas de sangue* de Lorca, quatro vezes *Macbeth*. "E uma vez também a encontrei na vida real. Na rua, em Tel Aviv."

"Assim, sem mais nem menos, vocês se encontraram por acaso?"

Hesitei. Era um segredo meu e da Gabi, nem meu pai podia saber.

"Por acaso. Esperamos um pouco na frente da casa dela, e ela saiu."

"Ficaram esperando por acaso na frente da casa dela?"

"É, sim... e aí ela saiu..."

Esperamos lá pelo menos umas cinquenta vezes, mas só vimos Lola uma vez.

"E falaram com ela?"

"Quase. Gabi perguntou as horas, mas ela não ouviu. Estava com pressa."

Como a mão da Gabi tremia no meu ombro quando Lola Ciperola passou ao nosso lado! Daquela vez ficamos esperando uma hora e meia na frente da cerca viva da casa dela em Tel Aviv. Quase tomamos chuva, as nuvens estavam baixas e pesadas, de repente ela apareceu e o mundo se recobriu de dourado: ela estava sentada no táxi que a trouxe. Um chapéu preto e largo cobria sua cabeça. Não saiu do lugar enquanto o chofer não desceu para lhe abrir a porta. Aí pôs para fora uma perna longa e fina, recusando-se a segurar a mão estendida do chofer disposto a ajudá-la a descer. Com sua voz altiva de rainha disse ao chofer: "O teatro Habimah paga a corrida". Caminhou de cabeça erguida, com movimentos de rainha, e aquela echarpe, transparente, lilás, esvoaçando atrás pelo ar. Ficamos do lado dela talvez por um minuto inteiro, nada nos separando. E por causa dessa vez voltamos para esperar mais uma porção de vezes, horas e mais horas de expectativa, de frio, de calor, de chuva, e guarda-chuvas quebrados, e quilômetros de falatórios sobre ela, e o coração batendo forte, e as frustrações, mas nunca desistimos de tentar, toda vez que eu viajava para curtir Tel Aviv com a Gabi.

"E ela, Lola, disse alguma coisa?"

"Não. Estava meio com pressa." Gabi me empurrou na direção dela. Me empurrou mesmo, para eu ficar na frente dela. Mas uma mulher como Lola Ciperola não está absolutamente disponível para prestar atenção no que se passa no mundo aos seus pés. Ela nem sequer deu uma olhada, passou toda empertigada e distante, e nós entendemos e desculpamos, afinal, quem somos nós.

Felix refletiu um pouco. Sua boca estava escondida atrás das mãos fechadas em concha. Agora que tinha descoberto quem ele era, eu já não conseguia mais me calar: "A Gabi diz que na echarpe está o segredo da magia dela, da Lola Ciperola, mas é claro que isso é só de brincadeira". Até mesmo pronunciar o nome Lola Ciperola me dá prazer. Tinha um sabor de chocolate branco, suíço.

"Mas qual é exatamente a magia de Lola?", perguntou Felix, pensativo. Me surpreendeu que ele a tenha chamado pelo primeiro nome.

"A sua magia é ser uma atriz tão...", busquei a palavra de Gabi: "Tão genial."

O garçom corpulento com cara de maçã trouxe a bandeja com o café. Não parava de se curvar e fazer reverências diante de Felix. Com toda a certeza sentia pela atitude e prodigalidade que ganharia uma gorda gorjeta. Eu já tinha calculado, pelos preços do cardápio, quanto ia sair um jantar desses. E tinha levado um susto: mais ou menos metade do salário do meu pai. Talvez ser garçom não seja uma profissão tão ruim. Talvez a ideia da Gabi, de abrirmos um restaurante, tenha algum sentido. Tomei o café preto bem devagar. Tinha um gosto amargo e forte, mas mantive a compostura, para Felix não perceber que era o primeiro café preto que eu tomava na vida.

Felix estava mergulhado em pensamentos, e eu refletia sobre todos os amantes que ela tinha tido, Lola Ciperola, os poetas e pintores que a admiravam, e como uma vez ela disse, literalmente, numa entrevista para o jornal *Maariv*, que não queria se casar nunca, pois casamento é servidão, e não existe homem que ela deixe dominar sua alma e seu corpo. Não existe no mundo homem digno disso, disse Lola Ciperola em outra entrevista, no *Jornal da Mulher*, e não existe homem capaz de amar uma mulher da maneira como uma mulher sabe amar um homem. Ela dizia coisas desse tipo sem a menor vergonha.

"Eu poderia beijar cada palavra dela", Gabi lambeu os lábios, "se eu tivesse um quarto da sua coragem, seria uma pessoa feliz."

Os garçons trouxeram um bolo com velas acesas para uma mulher bonita sentada num canto distante. Todos nós, clientes do restaurante, cantamos "Parabéns a você". Eu me sentia bem, aquecido. As luzes das velas brilhavam nas taças e cálices. Minhas bochechas ardiam. Agora, depois de ter contado a Felix a minha ideia, me sentia leve e aliviado. E me transformava continuamente, oscilando entre Tammy e Nono. Coisa mais fácil: bastava dar uma alisada na trança, até a pontinha, como se puxasse a corda de um sino, ou o balde de um poço, para fazer Tammy brotar de dentro de mim. E quase não precisava mudar nada na cara ou nos gestos, só na sensação, como se passasse de um compartimento do coração para outro, um movimento quase imperceptível, tique-taque, de lá pra cá, de cá pra lá, Amnon-Tammy...

De repente Felix tirou o monóculo do bolso e me fitou com ar de curiosidade, e suspirou, e sua expressão ficou novamente suave e feliz, não importava que ele estivesse vendo e percebendo as minhas pequenas transformações, realmente me deu prazer ser visto de novo através do monóculo, pois quando apareço no monóculo eu posso tudo, como se jogassem um feitiço em mim, eu posso ser qualquer pessoa e tudo o que eu quiser, que é que há, pois eu sou um profissional. Profissional-e-pronto. Sou um garoto mutante. Mais um ou dois dias de treinamento e vou poder ser como Felix. O dublê dele. O sósia dele.

Felix pôs o monóculo de volta no bolso, ergueu a taça de champanhe, como que brindando o meu profissionalismo, e bebeu até o fim. "Restaurante magnífico", disse lambendo os lábios, "uma época, muitos anos atrás, quando Felix ainda era Felix, eu vinha desfrutar aqui pelo menos uma vez por semana. Reservava o restaurante inteiro por uma noite, para mim e amigos. Naquela época eu tinha dinheiro para pagar a refeição." E sorriu para mim, um sorriso largo, de boca inteira. Não prestei muita atenção. Devia ter escutado com atenção máxima, mas a emoção deixava tudo nebuloso. Ele torceu a boca e disse à meia-voz: "E senhora Gabi também quer ser atriz genial?".

"Ela já quis. Agora só quer ter a coragem de Lola Ciperola. Pois também quer fazer na vida só aquilo que lhe interessa, sem levar em conta as opiniões dos outros." Ser independente como Lola, é isso que Gabi quer, forte como Lola, saber como deixar os homens loucos sem ter que aguentar muita coisa deles, como Lola, e convencer meu pai a se relacionar com ela de verdade, pra variar. E fazê-lo implorar para ela concordar em se casar com ele. É isso que ela realmente deseja, mas é óbvio que não contei tudo isso a ele.

"E o que o senhor seu pai diz de tudo isso?", perguntou Felix, que lia o meu rosto como quem lê um livro aberto.

Só falta ele saber. É um segredo meu e da Gabi.

"Que Gabi admira Lola", insistiu Felix.

"Sci. E que encontramos com ela em Tel Aviv, e que vamos às suas apresentações." Gabi tinha me feito jurar que eu não diria uma única palavra sobre isso. Que não mencionaria o nome Lola Ciperola em casa. Nem mesmo como insinuação. Talvez também não precisasse dizer isso a Felix.

"Você não vai contar para ele, vai?"

Felix pousou a mão sobre o coração, e fechou os olhos. Seus longos cílios tremiam: "Eu prometo".

"Não. Você tem que jurar."

As chamas tremulantes das velas dançavam em seus óculos: "Saiba uma coisa, senhor Feierberg. Quando Felix jura, ele sempre quebra juramento. Mas quando Felix promete, ele cumpre. É assim. Então, prometo com palavra de honra de um criminoso".

Refleti um pouco, e concordei.

Talvez por ele ter falado em quebrar juramento, me ocorreu uma ideia sombria: "O que você disse agora há pouco?".

"Sobre o quê? Eu disse muita coisa."

"Que não tem dinheiro para pagar o restaurante?"

"Ah! Ela é uma ótima moça!", anunciou Felix num tom feliz. "Uma moça cem por cento!"

"Quem? Lola Ciperola?"

"Não. A nossa senhora Gabriela Gabi, a nossa Dulcineia. Estou começando a gostar muito dela." Fiquei tão contente de ouvir isso dele que esqueci o que queria perguntar. Ele murmurou alguma coisa para si mesmo, algo rolando nos seus pensamentos. Depois disse: "Ela deseja a echarpe de Lola?".

"Sim."

E também a espiga de ouro dele. Mas não ousei dizer isso em voz alta.

"E o que mais ela deseja, a senhora Gabi? Não tenha vergonha. Diga tudo!" Ele falou no seu tom brincalhão, mas percebi como seus dedos começaram a se esfregar rapidamente uns contra os outros.

"Como você sabe que ela quer mais alguma coisa?"

"Estou esperando, senhor Feierberg."

Então compreendi que ele já sabia. Fixei os olhos na mesa. Era questão de vida ou de morte. "Uma espiga dourada, uma de suas espigas."

"Eu sabia que ia dizer isso", disse Felix, sem sorrir.

Meu coração bateu forte. Pensei que estava tudo terminado. Todo o sonho maravilhoso que eu tinha com ele.

Ele brincou com um fósforo entre os dedos e perguntou num tom casual: "Sabia o tempo todo quem eu sou?".

"Só depois de hoje à tarde", contei. "Quando o guarda leu o seu nome na carteira de motorista."

"Pensei que não tivesse prestado atenção", murmurou Felix. Seus ombros caíram um pouco. "Pensei que ele, o guarda, era jovem demais para lembrar meu nome, e também pensei que você não tinha prestado atenção..." Ele dobrou o fósforo até ouvirmos o ruído da quebra, e então disse: "Guardou o tempo todo, ficou calado. Sabia que sou o conhecido Felix Glick, e não disse nada. Realmente ainda vai ser o melhor detetive do mundo".

Mas sua voz assumiu de repente um tom duro, e senti que ele dizia isso como se estivesse atrás de uma barricada. Senti outra vez o perigo que havia nele, me ameaçando nesse momento.

"O que mais sabe a meu respeito? O que mais a nossa senhora Gabi contou sobre mim?"

"Ah, mais ou menos o que você contou enquanto comíamos. Como você era rico, e como perdeu tudo, que você já foi como um rei em Tel Aviv, viajou pelo mundo todo, e... fazia coisas em bancos, assaltava, caçoava de todas as polícias do mundo." Para não magoá-lo ainda mais, não mencionei que sabia como meu pai e ele haviam se encontrado da primeira vez.

"E imagino que ela nunca diga isso perto do senhor seu pai?"

"Nunca. É um segredo meu e dela."

"Ela é uma moça muito, muito especial", disse Felix pensativo, alisando lentamente, com movimentos redondos, seu anel preto, "acho que é ainda mais esperta que eu. E também que o senhor seu pai. É mesmo uma pimentinha!"

"Hein? É mesmo? Você acha que ela é especial?" Às vezes, de tanto estar com ela, vendo como meu pai se relaciona com ela, eu esqueço o quanto ela é esperta e especial.

Felix refletiu ainda mais antes de juntar as palavras: "Acho que, se de fato entendo a ideia e o plano dela, tiro meu chapéu para ela e digo: 'Parabéns, senhora Gabi! A senhora é fogo!'".

Tive a impressão de que estava salvo. Que toda a jornada estava salva. Que eu e Felix iríamos seguir adiante. Não me atrevia a acreditar.

"Então você concorda comigo? Vamos tentar cons... conseguir a echarpe?"

"E a espiga de ouro, com certeza."

Bendito seja Ele, bendito o Seu nome, Senhor dos Exércitos, e das multidões de estrelas, força, força, sejamos fortes.

"E será que a nossa senhora Gabi por acaso te disse para que deseja a espiga de ouro?"

"Eu não sei. Não me lembro."

Menti. Não quis ofendê-lo.

Pois Gabi brincava dizendo que, se tivesse uma alma ligeiramente criminosa, papai se apaixonaria por ela imediatamente; o fato é que só o mundo do crime interessava e atraía loucamente o meu pai. Talvez eu devesse dizer isso a Felix. Talvez ele recebesse isso como um elogio. Gabi falava assim: "Felix Glick e Lola Ciperola! Essa é a união perfeita! Me consiga a echarpe lilás e a espiga de ouro, Nono, e eu farei um único pedido para os gênios bons, mudar o destino deste coração, agir sobre o coração do recusador! Consiga-as para mim, meu cavaleiro!".

E piscava agilmente seus olhinhos.

Felix disse: "Talvez Lola quer que nós fazemos algum favor para ela, para dar uma coisa tão importante!".

"Ela pode pedir o que quiser! Essa vai ser a nossa missão!"

"Mas pode pedir uma coisa difícil!"

"É preciso ter ousadia!", lembrei a ele, quase explodindo de felicidade.

Felix alisou devagar seu bigode colado no rosto. "Então também eu talvez peço alguma coisa em troca da espiga. E então? Uma coisa assim ninguém consegue tão fácil."

O sininho de advertência começou a tocar dentro de mim: "O que... o que você quer exatamente?".

Falei com voz aguda demais. Falei como se ele fosse um estranho.

"Não tenha medo, senhor Feierberg!", foi logo dizendo. Sinto que ele se magoou: "Ainda não confia totalmente em Felix, não é?".

"Eu só pergunt..."

"Não! Não fale agora, não minta!" De uma hora para outra ele passou a me censurar: "Felix nunca o enganou! Senhor Feierberg sim, fica testando Felix o tempo todo. Isso não é bonito! Isso é uma pena!".

E se calou. Sua boca se retorcia de raiva, sua testa se franziu toda, na largura e na altura, e as duas bolinhas de pele ao lado da boca tremiam. Era um homem já bem velho, mas por causa do insulto de repente parecia um menininho.

Fiquei com muita vergonha. Superabatido, perguntei: "Eu só queria que dissesse o que é. O que é que você quer que eu faça para você?".

"Ainda não. Eu preciso ter certeza de que realmente está pronto para isso." Cruzou os braços sobre o peito sem olhar para mim.

"Eu estou pronto. Vamos lá, basta. Já estou pronto!"

Sacudiu a cabeça. "Ainda não. Ainda desconfia de mim. Testando o tempo todo!" Ele tinha esquecido totalmente seu disfarce de vovô Noah, e falava com sua voz habitual. "Ainda não entende que Felix está te fazendo uma proposta especial! Proposta para que um dia possa pensar como Felix. E fazer lei de Felix. E ser como nas lendas! Mas só se confiar em mim, acreditar também nas minhas mentiras, vai estar pronto para a minha lei!"

O que eu podia dizer? Queria tanto que ele ficasse satisfeito comigo, e tinha medo o tempo todo. Talvez não confiasse nele totalmente. Talvez não fosse capaz de ser um total criminoso, mesmo dentro de um jogo, pois eu sempre fico no quase, e aí me assusto comigo mesmo.

"Agora acabe o seu café, vamos embora", disse, "e não precisa tomar toda a borra do café no fundo da xícara. Temos muito trabalho pela frente."

Pus a xícara na mesa. Nos entreolhamos. Percebi que ele estava começando a se acalmar. Que talvez um dia pudesse me perdoar por tê-lo ofendido desse jeito.

"Já sabe aonde nós vamos?", ele perguntou.

"Pegar a echarpe de Lola Ciperola", respondi vacilante, esperançoso. Não acreditei que algum dia essa frase pudesse sair da minha boca. Queria que ele soubesse que eu de fato estava mudando diante de seus olhos.

"Bravo!", comentou com ar cansado, "está aprendendo depressa."

"Venha", eu me levantei entusiasmado, queria contagiá-lo com a minha animação, minha alegria, e que ele esquecesse de uma vez o que tinha acontecido. "Vamos lá!"

"Só um instante!", disse antes de se levantar, ainda com a boca retorcida de mágoa, mas com o olhar já começando a brilhar de um jeito novo, ao mesmo tempo astuto, solene e ofendido. "Isso é jeito de se comportar, senhor Tammy Feierberg? Isto aqui é um restaurante! Primeiro precisa pagar!"

15. Tourada

"E o que acontece se ela não estiver em casa?", perguntei depois de alguns minutos de viagem.

"Vai estar", murmurou Felix, continuando com seu zumbido constante, acompanhado de estaladas rítmicas da língua e batidas no volante. "Agora talvez ainda esteja no teatro, terminando a apresentação, mas depois vai logo para casa."

"E se ela resolver ir para algum outro lugar?"

"Não. É obrigada a vir para casa."

Me irritou um pouco o fato de ele subitamente virar perito em Lola Ciperola. Afinal, eu tinha investido em Lola muito mais tempo do que ele.

"Por que ela 'é obrigada a vir para casa'?"

"Porque existe regra que diz assim: o que tem que ser, será. E pronto. Ela precisa vir para a casa dela, e dar a echarpe para nós, e pronto!"

"De quem é essa regra?"

"Do... do... de todo o nosso passeio. Regra especial! Aos poucos vai entender tudo."

Não entendi. Estava gostoso ficar sentado no banco largo e fundo do velho fusca. Eu me larguei, mole como um fole (Gabi), e já estava cansado demais para ter medo de alguma coisa. Nem do garçom corpulento que deixamos no estacionamento gritando e gesticulando, nem das duas viaturas de polícia pelas quais passamos facilmente, sem ninguém desconfiar de nós. Eu tinha a sensação de que hoje era meu dia de sorte.

Mas quem sou eu?

Um vigarista. Um impostor. Um garoto que se fantasia de garota. Que come num restaurante sem pagar. Afinal, isso é roubo. E mesmo assim, o leve prazer, agudo até doer, que penetra em mim a partir daquele ponto entre os olhos, e se espalha pelo espaço da cabeça com sabor doce, e desce até a base da coluna... O prazer de ver a precisão da pequena operação de Felix ao sairmos do restaurante — como conseguiu convencer o garçom a empurrar um pouco nosso carro para ele pegar, e como o deixou para trás, segurando na mão uma carteira pesada, mas vazia, quer dizer, cheia de areia da praia... Vou pular os detalhes. Não são importantes. Talvez eu simplesmente esteja com vergonha de contar o que fiz. Como fui cúmplice de um pequeno e insignificante delito.

De súbito entendi que meu pai iria até o restaurante no dia seguinte de manhã para pagar a conta, óbvio. Fiquei um pouco aliviado e não quis mais pensar no assunto. Com um movimento vagaroso tirei a peruca preta e cocei a cabeça com minhas dez unhas. Basta. Eu sou eu, e chega dessa besteira de Tammy. E meu pai, com toda a certeza, virá ao restaurante amanhã de manhã com uma carteira gorda e recheada. Nunca o vi com a carteira gorda e recheada, mas mesmo assim. Com um sorriso amigável ele vai explicar tudo, pedir desculpas, consertar as coisas; vai pagar e deixar uma gorda gorjeta, tudo gordo na minha cabeça; e quando ele for embora, todo mundo já vai estar de bom humor, dando risada, inclusive o garçom corpulento, gordo, todo mundo dizendo "Mas que bela operação, só pode ter sido organizada por um verdadeiro profissional, e muito bem executada; só nos resta desculpar e aplaudir um desempenho tão perfeito, não podemos ficar zangados com tamanha genialidade, certo?", e meu pai vai sair correndo para a próxima parada, a escala seguinte de Felix, para também ajeitar as coisas.

Bobão. Tolo imbecil que eu sou. Nono visionono.

"Mas ainda me deve uma coisa, senhor Feierberg", zumbiu Felix. "Prometeu que vai me contar por que é vegetariano e não come carne."

"Quer mesmo saber?". O que é isso comparado com as histórias dele, as aventuras que ele passou na vida.

"Se eu quero saber?", ele riu. "Felix quer ouvir toda e qualquer história a seu respeito! Qualquer coisa da sua vida eu quero saber."

Aí está, essa também era uma de suas frases que eu não levava a sério. Achava que ele só queria me bajular, para me estimular a contar a história. Só bem depois fui descobrir o quanto ele realmente levava a sério cada palavra que me dizia. Queria mesmo saber de tudo. Cada mínimo detalhe da minha monótona vida. E eu, bobão, não acreditava, não entendia, e não atinava o que ele pretendia.

O fusquinha verde ia percorrendo com vagar a estrada costeira. Já se sentia o ar de Tel Aviv, quente e úmido. Carros passavam voando por nós, a caminho da farra. Numa hora dessas Jerusalém já estava dormindo, e aqui a vida parecia que tinha acabado de começar. Felix parou de zumbir para me escutar. Mas como fiquei quieto, ele não conseguiu aguentar o silêncio e ligou o rádio. Um som agradável de jazz preencheu o carro. Gabi adora esse tipo de música. Fechei os olhos e pensei na minha casa, nela e no meu pai. No fato de não ter ligado para eles nenhuma vez o dia todo para contar como estou, agradecer a ideia maluca que tiveram. E dizer o quanto sentia meu pai perto de mim. Pensei: como, apesar da sua guerra de vida ou morte contra o crime, ele se dispôs a me proporcionar uma experiência dessas...?

Aí, sem perceber, como se fosse um sonho, comecei a falar.

Não comecei pelo começo. A minha língua estava pesada, e o pensamento lerdo demais. Também não quis contar a ele toda a história com Haim Stauber. Comecei pela minha ideia de ser um toureiro hebreu, e contei como fizemos, Haim, eu e a turma toda, *banderillas* com cabos de pás e enxadas que quebramos; e as decoramos com papel crepom colorido tirado de uma cabana de Sucot. Depois construímos cavalos com cabos de vassoura, e as cabeças eram feitas de meias compridas coloridas recheadas de trapos, e passamos por todas as ruas do bairro furtando das pilhas de roupa suja camisetas vermelhas, saias e vestidos vermelhos e toalhas vermelhas — pois não é assim que se faz para deixar um touro bravo?

E eis os nomes dos filhos de Israel e suas respectivas funções:

Banderilleros: Shimon Margolis e Avi Kabessah.
Picadores: Haim Stauber e Micha Dubovsky.
Matador: Eu, Nono.

"Muito bonito ter sido o *matador*", comentou Felix.
"Bonito, por quê?"
"Me agrada o papel principal. Me agrada que seja como eu."

Depois, exatamente às cinco da tarde, conforme o relógio de Lorca, entramos todos, pelo buraco na cerca, no pátio de Mautner. Péssia, a vaca, estava ali pastando seu capim, e nos olhou com seus olhos negros, mexendo de um lado a outro os grossos beiços, sem desconfiar de nada. Era uma vaca grande, malhada de branco e preto. Mautner a adorava e a tratava bem. Preocupava-se em inseminá-la artificialmente uma vez por ano, e não tinha dó de vender os tenros bezerrinhos que nasciam. Mautner não tinha esposa nem filhos, e Péssia era, pelo visto, seu parente mais próximo. Eu ousaria dizer que ela era sua companheira de alma, se acreditasse que ele tinha alma.

Era um homem alto e largo, usava um corte de cabelo militar com fios ruivos espetados no seu crânio enorme. A cara dele estava sempre vermelha, como se estivesse prestes a explodir de raiva. Tinha um bigode ruivo curto, e sob o bigode emitia apenas frases curtas, entrecortadas e irritadas. Toda quinta-feira, às quatro e meia em ponto, pegava seu carro, um Cortina, vestindo bermudas cáqui e uma camisa cáqui clara com insígnias militares no peito, e partia para sua reunião semanal da organização dos veteranos da Haganah — a organização paramilitar precursora do exército. Uma vez por semana, no dia em que meu pai e eu costumávamos trabalhar na Pérola, ele passava na frente do nosso quintal, marchando com seu andar marcial, marcando o ritmo com a mão na lateral do corpo, e então parava e perguntava ao meu pai por que ele tinha medo de botar a Pérola na estrada, como todo mundo faz. Era um ritual fixo dele e do meu pai: papai não se levantava do chão, só dizia — "A Pérola não é como qualquer outro carro, senhor Mautner. Se ela sair e sentir o cheiro da liberdade, vai ficar doida. Um carro desses precisa de espaços amplos, não como as estradas que temos aqui em Israel!". E Mautner retorcia a boca, como se estivesse mascando, e dizia que, se meu pai lhe vendesse a Pérola, ele a botaria para andar, e a trataria como se trata uma boneca. E então, tudo num mesmo e único movimento, meu pai lhe mostrava a mão suja de graxa do motor e dizia: "Só quando brotarem pelos aqui na palma da minha mão — aí você vai poder andar nela".

E acabaram brotando.

Às cinco da tarde me postei diante da vaca de Mautner. Usava uma capa vermelha feita de toalha, com quatro meias compridas vermelhas penduradas nas bordas, parecendo raios de sol vermelhos. Era a minha *muleta*, que eu agitaria na frente do touro. Shimon Margolis e Avi Kabessah vestiram, em honra da ocasião, seus únicos paletós, calças de tergal e camisas brancas. Avi Kabessah, que já tinha feito bar mitzvah, adicionou ao seu traje uma gravata-borboleta preta.

Haim Stauber era o mais festivo de todos: veio de terno. Foi o primeiro menino que conheci que tinha um terno. Calça preta, impecável, e camisa branca, e paletó preto, cortado em baixo formando dois bicos.

"É para os meus concertos", ele se explicou, "papai comprou para mim no exterior. Não posso sujar."

Todos nós nos apertamos as mãos, de cara séria. Depois, agarramos nossos cavalos de pau e trotamos lenta e pausadamente diante de Péssia.

"Um murmúrio de excitação percorre o público", irradiei, e logo prossegui: "Os olhos do touro brilham com instinto assassino, e senhoras e senhores!, ele pateia o chão de areia!". Péssia Mautner, uma alma boa como só ela, continuou a mascar capim, ruminando.

"*Los banderilleros!*", gritei. Fiz um aceno, e meus colegas se curvaram numa reverência.

Shimon Margolis e Avi Kabessah avançaram em seus cavalos num trote rápido. Pelas regras da tourada eles deviam estar a pé, mas ambos se sentiram diminuídos em sua honra, ameaçaram organizar uma manifestação para elevar o status do *banderillero* hebreu e insinuaram que abandonariam o confronto. Fui obrigado a ceder.

Com gritos retumbantes de "Olé!" eles se incentivaram mutuamente, agitando com entusiasmo suas estacas. Avi era o mais ousado dos dois: aproximou sua estaca até quase encostar em Péssia, e depois, com determinação férrea, conseguiu passá-la bem na frente do seu focinho. O cavalo se pôs sobre as duas patas traseiras e empinou, e Avi tocou levemente o lombo de Péssia com a estaca feita de um cabo de enxada.

Ouviu-se um mugido grave. Haim Stauber estava ao meu lado, apertando as pernas uma contra a outra.

"Você a atingiu", disse Micha num tom sério e lento, "Mautner vai acabar com a gente."

Mas Avi Kabessah já estava embriagado de orgulho, rodeando o animal com os gritos da torcida do time Hapoel Yerusháim, e tocou Péssia novamente, desta vez na traseira.

A grande vaca deu um passo para trás. Ergueu a cabeça e nos observou com os olhos espantados. Os raios de sol se uniram por um instante às pontas de seus chifres, e numa fração de segundo anteciparam sua terrível fúria.

Mas a fúria ainda não havia despertado. Ainda estava adormecida, bem guardada dentro de seus chifres.

A seguir se apresentaram os meus *picadores*, Micha e Haim. Eles e seus rápidos cavalos, e suas capas coloridas berrantes, e sua dança de abelhas diante da vaca. Micha não teve sucesso como *picador*. Faltavam-lhe (para ser delicado) agilidade e presença de espírito. Eu o encarreguei dessa função só por um sentimento de obrigação pela nossa amizade. Haim Stauber, por sua vez, foi maravilhoso. Aproximou-se com seu cavalo chamado Morte, rodeou a vaca como um louco, arremeteu de lugares inesperados, berrou na orelha dela com voz de trovão, as abas de sua casaca esvoaçando atrás. Uma vez chegou a roçar as costas dela com seu punhal.

Péssia saltou e deu um coice.

Num piscar de olhos o combate terminou. Os *picadores* e

os *banderilleros* se entreolharam, as faces brancas como giz. O espírito de combate se esvaiu numa fração de segundo.

"Um coice só e vocês já se assustam?", perguntei. E marchei adiante, agitando o meu lençol vermelho em volta da cara, um lençol que alguém tinha roubado de um hotel em Tiberíades.

Haim Stauber estava parado, estático e ofegante. Seus olhos me fitavam com curiosidade e expectativa. Ele tinha olhos incomuns. Olhos capazes de respirar: eles se alargavam e encolhiam em momentos de emoção.

"Você tem coragem?", ofegaram seus olhos.

"E eu tenho alternativa?", retrucaram meus olhos.

Caí de joelhos e pedi a Deus que iluminasse meu caminho. E por ser o primeiro toureiro judeu da história, fiz no ar o sinal da estrela de davi e me imobilizei nessa postura, como Paco Camino, Rafael Gómez e Juan Belmonte. Talvez já estivesse sentindo o que estava para acontecer e quisesse desfrutar esses últimos momentos. Depois me levantei com movimentos vagarosos, como um presságio, e montei no meu bom cavalo.

Primeiro dei algumas voltas em torno da vaca. Ela já estava nervosa, e me acompanhou com sua cabeça agitada. De perto chegava a dar medo. Muito grande, uma cabeça mais alta que eu, e larga como um armário de quatro portas. Depois, agitei a capa na frente dela, bem diante do seu nariz preto, vi o focinho se abrindo para mim, preto e úmido, e no último instante passei do lado dela, e dei uma palmada, de mão aberta, na traseira junto ao rabo.

O som da palmada pareceu uma chicotada. Minha mão toda doeu, e Péssia voltou a cabeça para trás e soltou um mugido grave de amargura.

Esse mugido me deixou desnorteado e ao mesmo tempo agitado. Foi um autêntico mugido. Era assim mesmo que ela mugia quando Mautner lhe tirava o bezerro uma vez por ano.

Algumas vezes chorava e uivava, exatamente como estava fazendo nesse momento. E de repente eu não soube mais o que fazer. Me virei. Péssia também se virou com uma graça surpreendente, ficou parada com os olhos fixos em mim. Suas tetas pesadas balançavam, cheias de leite. Bati os pés no chão. Ela também. Baixei a cabeça, ela também. Esperei o mugido. Estava louco de ansiedade para ouvir de novo aquele som terrível. Mas ela ficou em silêncio. Não quis me dar esse prazer! Então, de súbito, com terríveis berros guturais, praticamente me lancei para cima dela, e no último instante, desviei para o lado, e mais uma palmada com a mão inteira aberta, e suas patas voaram no ar e me acertaram o coice, ela mugiu, e eu me esquivei.

A coisa estava começando a ficar séria. A minha turma se espremia junto ao buraco da cerca. Prontos para fugir. Não vi seus rostos. Às vezes captava o olhar ardente de Haim, e sabia que agora ele seria meu para todo o sempre. Sabia que esse combate era um pacto da nossa amizade, pois o que mais ele podia exigir de mim, e o que mais eu podia dar? O que mais eu tinha além dessa loucura na qual me meti por causa dele?

Meu cérebro sentia o fluxo de sangue, e entre os olhos fervia aquele zumbido estranho, aquele das minhas histórias, das mentiras, da vontade de que alguém soubesse como sou especial... Numa das minhas investidas tropecei e quase caí aos pés da vaca. Só por milagre consegui rolar para o lado, e ela foi em frente, fincou a pata em cima do meu cavalo, e despedaçou o cabo da vassoura com a mesma facilidade de alguém que quebra um fósforo.

Sem o cavalo eu me senti mais vulnerável, menor. Corri esticando os braços para os lados, como asas de um avião, berrando com toda a força, sentindo que estava muito próximo o momento de começar o verdadeiro combate, um combate de vida ou de morte.

Ela sentiu a mesma coisa: ficou parada batendo a pata traseira contra o chão, levantou o rabo e soltou um jato estranho e assustador de mijo. Péssia exalava um cheiro forte, cheiro de suor, mijo e medo. As patas batiam com força contra o chão, que foi virando lama. Como uma bala de revólver voei em direção a ela. Cheguei a ver a cabeça se inclinando para baixo, o contorno preto de seus chifres e o movimento de cabeça, de surpreendente agilidade. Ela me acertou.

Nunca levei uma porrada dessas. Sua cabeça, pesada, grande e sólida como uma rocha, me atingiu no ombro e ao longo do braço. E arrancou minha alma de dentro de mim. Voei e aterrissei no meio do vinhedo de Mautner. A turma veio correndo na minha direção. Eu mal conseguia ver alguma coisa, meu olho esquerdo estava fechado, coberto de sangue, o ombro direito sangrava em abundância, e ali eu fiquei com uma cicatriz para toda a vida. Mas me levantei. Cambaleando, mas levantei.

Agora já estava inteiro imerso na roda viva do combate. Devagar fui pegando a grande chave de fenda do meu pai. Não conseguia dizer uma palavra, minha mandíbula pesava uma tonelada, e mesmo assim, com um gesto autoritário, me apossei do cavalo de Micha e comecei a rodear a vaca lenta e dolorosamente.

O sol estava quase se pondo. Péssia virou todo seu corpo para mim, acompanhando cada movimento meu. Às vezes tentava investir contra mim e me atingir outra vez. Seus olhos estavam vermelhos de raiva. Uma baba branca escorria do seu beiço. Três vezes, uma atrás da outra, consegui passar a capa vermelha diante do seu focinho, sem saber se logo em seguida não seria atingido pela sua enorme cabeça com chifres.

O sangue jorrava dos meus ferimentos. O ombro era um conglomerado de dor, mas eu lutei. Apesar da dor e do medo. Apesar da lógica. As abas da capa vermelha esvoaçavam ao meu redor, reflexos do sol pareciam aos meus olhos o brilho dos binóculos de mil espectadores. E, principalmente, aquele zumbido no meio dos olhos penetrou fundo na minha testa, como uma broca gigantesca, acompanhado da sensação de que eu estava fazendo uma coisa que nenhum outro garoto jamais tinha feito, algo que me era proibido fazer, e que eu era o maior, e também o mais desprezível deles.

Quando o sol lançou seu último feixe de luz, ataquei pela última vez.

Investi com toda a força, olhos vidrados de medo e de desvario, agitando já de longe a comprida chave de fenda. Péssia baixou seus grandes chifres. Eu me joguei na frente dela. Saltei mais alto do que jamais tinha saltado, me curvei por cima de seus ombros, enfiei a chave de fenda no flanco, ao lado das costelas, e caí rolando na lama.

"Com a chave de fenda?", perguntou Felix, e pisou por engano no pedal do breque, e nós dois fomos jogados para a frente e para trás: "Assim mesmo?"

Assim mesmo. Do lado direito do seu corpo. De cima para baixo.

Jorrou sangue. Vermelho-escuro, e muito quente.

A vaca Péssia ficou parada por um momento, virou lentamente a cabeça para mim, com espanto e até mesmo tristeza. Ficamos parados, olhando um para o outro, surpresos.

Então ela soltou um mugido.

Seus olhos se encheram de ferocidade. Escureceram e cintilaram ainda mais. Ela mugiu outra vez, ergueu o rabo no ar e começou a correr desenfreadamente.

Era uma visão terrível. Ela saiu de si. Disparou na direção da casa de Mautner, e com uma única investida pôs abaixo a porta de entrada. Seu corpo enorme destruiu a parede de blocos e despencou imediatamente para dentro. Dentro da casa. Eu fiquei petrificado e apavorado, pois não conseguia vê-la. Via só o buraco de entrada, e uma parte da sala de Mautner, e dentro da casa a vaca enlouquecida corria de um lado a outro, e ouvi os móveis se quebrando, e vidros se espatifando, e batidas pesadas, ensurdecedoras como trovões. Talvez ela estivesse procurando a saída, talvez realmente não tivesse a intenção de destruir nada, mas no curto intervalo de tempo que ficou lá dentro ela deixou a casa em pedaços, destruiu os móveis, acabou com a geladeira...

Então um silêncio se fez. Olhei para a direita e para a esquerda. Meus amigos tinham sumido. Eu estava parado no meio do pátio de Mautner. Da casa ouviu-se de repente um longo uivo, um uivo de espanto. Ouvi Péssia andando lá dentro, no meio da mobília, revirando com as patas e os chifres mesas e cadeiras. Por um instante podia-se até pensar que ela estava arrumando a casa. Depois sua figura surgiu na abertura da parede. Cabeça enorme, ombros imensos. Num passo pesado ela voltou para o pátio. Olhou para mim como se não me visse, como se eu já não existisse, e recomeçou a pastar o capim. Havia sangue ressecado no seu flanco, no lugar onde eu a tinha atingido.

Ficou parada pastando, compenetrada, com grande concentração. Como se quisesse deixar claro para mim, e para si mesma, o que é uma vaca e o que a vaca faz.

Um silêncio pesado se fez dentro do carro. Felix me olhou de lado com um olhar novo.

Fiquei em silêncio. Não devia ter contado essa história.

"E então, e então", ele disse, pondo as duas mãos no volante.

Por causa da tourada a minha amizade com Haim Stauber acabou. A minha pequena turma se desfez em definitivo. Meu pai foi obrigado a dar a Mautner o Humber Pullman como indenização. Agora já não tínhamos mais a nossa Pérola e, o que é mais importante, o ritual das terças-feiras à tarde, quando nós dois conversávamos sozinhos sobre coisas de homem, deixou de existir. Aliás, foi aí que me mandaram para Haifa pela primeira vez, para tomar uma lição de moral do irmão de meu pai.

E houve ainda outras coisas. Um dia Mautner trouxe uma caminhonete, pôs Péssia em cima dela, e a devolveu ao kibutz. Aos vizinhos contou que desde o ocorrido não conseguia mais chegar perto dela. Que Péssia o tinha decepcionado e ele não queria mais nenhum contato com ela. Os meninos da minha classe começaram a se afastar de mim. Parecia existir ao meu redor um castigo geral e silencioso. Não um castigo oficial. Um castigo não declarado. Tinham medo de mim. Ou aversão. Tomavam o cuidado de não encostar no meu corpo, nem por acaso, como se pudessem ser contagiados por alguma coisa ruim. Só Micha permaneceu fiel. Talvez não exatamente fiel. Talvez, apesar de tudo, ele tivesse algum estranho prazer em estar sempre comigo, diante dos meus olhos, sua presença me fazendo recordar, como por ironia, aqueles momentos assustadores.

Dentro de mim teve início uma coisa nova. Antes de tudo, virei um total vegetariano. Fiz alguns cálculos e concluí que, se não comesse bifes nem salsichas durante dez anos, completaria uma vaca inteira e assim seria perdoado por tudo que causei a Péssia: o ferimento, o fato de tê-la deixado louca e de ter sido expulsa de casa por minha culpa. Comecei também a ter medo de mim mesmo. Porque sabia que me aconteciam coisas sobre as quais eu não tinha nenhum controle. Que sou tomado de loucura e de repente explode de dentro de mim outra pessoa, que não sou eu e sim uma criatura estranha, e não consigo entender por que ela resolveu entrar justo na minha alma.

Uma boa parte dessas coisas eu disse pela primeira vez em voz alta naquela noite, viajando com Felix Glick pela estrada litorânea. Contei-lhe para que ele soubesse que eu estava me entregando totalmente nas mãos dele, entregando todo o meu ser, o bom e o mau. Talvez tenha contado também para dizer a ele: cuide de mim. Pois você está me sugerindo que façamos uma boa farra juntos, sugerindo que eu seja um fora da lei junto com você, mas eu já estou meio confuso, sem entender direito o que está se passando comigo, e quem é você de verdade, e agora estou totalmente nas suas mãos. Mas lembre-se de Péssia e do que às vezes acontece comigo, como pode acontecer rápido, de uma hora para outra. E por favor, tome cuidado comigo, não me ponha numa situação ruim, afinal você já está vendo quem eu sou e o que eu sou.

Felix não disse uma palavra, e eu sabia que ele estava ouvindo todos os meus pedidos silenciosos, pois ficou me escutando de um jeito que nenhum adulto tinha escutado até então.

O carro avançava em silêncio pela estrada do litoral. Os faróis estavam todos no amarelo, e tive a impressão de que todo o tráfego tinha sumido da nossa frente enquanto eu contava a história. O som de jazz vinha do rádio em sussurros, trazendo um pouco de conforto. As luzes da rua lançavam aros amarelos em volta de nós. Eu disse a Felix que Gabi se manteve leal a mim, mesmo depois daquele fato. Ela foi o segundo adulto, depois da mãe de Haim, a chegar na cena do crime. Mesmo ali, eu coberto de sangue e lama, paralisado de medo, Gabi me abraçou, e disse não se preocupe, eu vou proteger você do seu pai.

Pois no final conseguiram acalmar Mautner, mas meu pai quase me matou. Então, na mesma terrível explosão de raiva, ele disse em voz alta, pela primeira e única vez, algo sobre Zohara, sobre a maldição dela, que pelo jeito tinha passado também para mim.

16. Um breve instante de luz entre uma escuridão e outra

Um cheiro bem leve de perfume tomava o ar. A luz do pequeno abajur chinês brotava como uma neblina, espalhando-se pela sala. Eu estava sentado numa poltrona funda, as mãos fortemente agarradas nos seus braços.

Felix estava mais calmo. Mas Felix sempre fica calmo em situações de perigo. Estava sentado na poltrona à minha frente, pernas cruzadas, um cálice de vinho na mão. Já tinha bebido uma garrafa de champanhe, três copos de uísque e agora vinho.

Minha pequena alma se remexia e gritava sem cessar uma única frase: Quero sair daqui!!!

Eu mantinha os pés no alto, longe do chão, para não sujar o enorme tapete. Os olhos estavam muito bem guardados dentro das pálpebras. Para não macularem com meu olhar esta sala santificada.

Sair daqui. Sair daqui rápido. Já está ultrapassando todos os limites.

Uma parede da sala estava cheia de fotos emolduradas. Foto ao lado de foto. Como numa loja de artigos fotográficos. Mas aqui, em todas aparecia uma mesma mulher — Lola Ciperola. Numa delas ao lado de um ator famoso, noutra com um ministro do governo. Ou então sozinha, com um enorme buquê de flores na mão; e fotografias tiradas em festas com um monte de gente, e outras em que ela aparecia no palco, os braços estendidos em gestos grandes e largos; e de novo sozinha, numa sala vazia, a face voltada para a luz, ou apoiada sobre a mão com ar cansado, enquanto certamente murmurava o nome de algum amante morto, o único afortunado com quem ela se dispôs a se casar, por não tentar controlar seu corpo nem sua alma.

Em quase todos os retratos havia algumas palavras escritas à mão na diagonal. Vi a dedicatória em inglês de sua excelência a atriz Elizabeth Taylor, sim, ela própria, e uma frase que uma vez David Ben Gurion escreveu para ela, e uma do ator Danny Kaye, e até mesmo uma de Moshe Dayan. Todas essas figuras importantes enchiam a sala e me metiam medo. Como Gabi teria ficado feliz se estivesse aqui comigo! Afinal, esperamos juntos durante horas do lado de fora da casa, tentando imaginar como ela seria por dentro, e agora aqui estou eu, sem ela, sem Gabi. Sabia que devia me lembrar de cada móvel, de cada retrato, de cada planta. Para termos material para conversar. Mas eu não me atrevia: era como se, ao tentar guardar alguma coisa na memória, eu invadisse a privacidade da casa. A sua intimidade.

"Esta noite a dama está atrasada", comentou Felix dando uma olhada no grande relógio pendurado na parede.

"Ela sempre recebe muitos aplausos", expliquei num sussurro, "e depois da peça ela tem que dar autógrafos para os admiradores..."

"Também já pediu autógrafo, senhor Feierberg?"

"Não. Fiquei com vergonha. Agora vamos sair daqui."

"Sair como? Sem echarpe?"

Meu estômago se revolveu de susto. Mais um pouco e eu vomitaria em cima do magnífico tapete.

"Venha, basta, não podemos entrar assim sem mais nem menos na casa dela."

"Assim sem mais nem menos como?"

"Assim, como você...", procurei uma palavra que não o ofendesse, "como você entrou sem... sei lá, você abriu a fechadura com uma chave de fenda."

"Apenas porque esta prezada senhora tranca a casa e não deixa chave."

"Para que estranhos não entrem!"

"E nós somos estranhos?" Ele ergueu as sobrancelhas triangulares espantado: "Como ela sabe que nós somos estranhos se ela não nos conhece?".

Virei e revirei essa frase, sem conseguir entendê-la completamente.

"Vamos fazer as apresentações", prosseguiu Felix detalhando seus planos de gelar o sangue, "depois perguntamos se ela nos quer dentro da sua casa ou não. E se não quiser, vamos nos levantar e sair e muito obrigado e até logo e bênção." E soltou um risinho de orgulho: "Felix nunca obriga ninguém a recebê-lo em sua casa!".

"E se ela chamar a polícia?"

"Aí é realmente sinal de que ela não nos quer aqui", ponderou Felix. "Mas por que você precisa resolver por ela o que ela quer ou não quer? Por tudo que ouvi, ela é mulher liberada, e não quer que ninguém resolva nada por ela."

Levantou e se serviu da garrafa que estava sobre a mesa redonda no canto. Ouvia-se o tique-taque do grande relógio. Felix parou na frente da janela. Um minuto se passou, e mais outro. Toda vez que eu ouvia passos no fim da rua, quase desmaiava. De repente Felix soltou um suspiro profundo.

"Um dia Felix também já morou em casa como esta."

Como se estivesse falando com alguém na janela.

"Vamos sair lá fora", tentei de novo, "lá você me conta."

"Por que lá fora? Lá fora é perigoso para Felix! Aqui é bom. Uma casa boa. Pena que Felix não teve cabeça para fazer uma casa como esta para morar. Uma casa para quando Felix já esteja velho. Não só uma casa para festas, para muitas visitas." Ele apontou com a mão toda a sala imersa numa luz agradável, as poltronas acolhedoras e as toalhas de mesa bordadas, as grandes plantas verdes. "Veja só, tudo isto Felix perdeu. Ele tinha possibilidade de ter a casa como esta. E perdeu. Porque teve necessidade de viajar pelo mundo todo! De viver correndo de lá para cá! E muito dinheiro, ahá!"

Apoiou a mão no batente da janela, curvado e frágil.

"Lá-draku!" exclamou de repente. E apesar de eu não ter entendido as palavras, senti que era um palavrão numa língua que eu não conhecia. Não lhe caía bem xingar. Fiquei um pouco tenso.

"Mas assim é Felix!", grunhiu com força, erguendo o copo contra a luz da janela, e tentou sorrir: "Às vezes para baixo, às vezes para cima! Hoje só uma carteira cheia de areia e fugir do garçom gordo, e amanhã de novo o Felix do grande mundo! O Felix que todos amam! O Felix que todos danç..."

De repente ele desabou. Lançou um gemido agudo e despencou na poltrona. Fez um gesto para eu não chegar perto. Não encostar nele. Pulei e fiquei de pé: num instante senti como ia se esticando a linha invisível desenhada ao seu redor. Como com meu pai quando ele fica doente: penetra em si mesmo. Luta internamente com sua dor e seu sofrimento. Para que ninguém veja, para que ninguém ajude.

Felix enfiou a mão trêmula no bolso e tirou uma caixinha redonda. Engoliu uma pílula, e mais uma. Fechou os olhos. Gotas de suor se formaram na sua testa. O rosto estava amarelo, e ele não parava de murmurar: "Velho... e também doente... ninguém vai chorar quando Felix acabar".

Cheguei um pouco mais perto dele. Me afastei. Não me atrevi. Ele parecia impotente e solitário, enrolado em si mesmo, e de súbito a expressão do seu rosto não era mais profissional. Via-se que tinha medo de ficar sozinho para além da linha transparente desenhada ao seu redor, e me forcei a ultrapassar a linha, sua fronteira, e seja o que Deus quiser. Me ajoelhei ao lado da sua poltrona e toquei sua mão com cuidado. Felix estava atordoado. Abriu os olhos frágeis, sorriu para mim com esforço, e não tirou a mão. Até pousou sua outra mão sobre a minha. Vi como ele lutava com toda sua alma. Queria falar e não podia. Respirei junto com ele, para lembrá-lo de como se faz, e o tempo todo ele tentava esticar a camisa que tinha formado dobras, talvez estivesse envergonhado de eu vê-lo assim daquele jeito, desarrumado, não impecável, não como Felix, e eu só fiquei ali sentado, assustado, fazendo "não" com a cabeça, para ele saber que estava enganado, que mesmo o conhecendo há pouquíssimo tempo, na verdade nem um dia inteiro, eu não me esqueceria dele nunca mais, pois nunca tinha tido um dia como aquele, e já existia uma ligação especial entre nós.

Ficamos ali sentados daquela maneira por alguns instantes, até sua respiração voltar ao normal. Ele se endireitou um pouco na poltrona, ajeitou a gravata, olhou para mim e sorriu com dificuldade.

"Peço perdão... com certeza só um pequeno ataque de dor de barriga... agora tudo bem! Tudo como sempre, *yes sir*!" Ele fazia força para falar com voz forte e inteira.

Fui até a cozinha para lhe buscar um copo d'água. Como é possível que uma mulher tão famosa e importante como Lola Ciperola viva numa escassez como esta? Era uma cozinha pequena e antiquada. A geladeira era mais baixa que eu. Sobre a mesa havia metade de um pão preto. Lola Ciperola tinha esquecido a luz acesa. Na casa do meu pai ela já teria levado uma bronca por causa disso. Botei água num copo de vidro e levei para Felix. Ele se reanimou um pouco. Ou fingiu que se reanimou.

"Muito bem, então me conte", eu disse, "me conte sobre aqueles tempos."

Para ele esquecer seu mal-estar. Para eu esquecer o meu pavor.

"Sente aqui, não se afaste." Por um instante segurou a minha mão e olhou nos meus olhos: "É um bom garoto, senhor Feierberg. Sinto que é um garoto de bom coração. Como Felix um dia já foi. Só que Felix aprendeu a vencer seu coração. Tome cuidado. A sua vida vai ser difícil se for tão bom assim. Tome cuidado com as pessoas, elas são más. As pessoas são como lobos".

"Conte", pedi outra vez.

Mas ele ainda não conseguia falar. Tentou uma vez, duas, e parou. Bebeu mais água. O bigode colado desgrudou de um dos lados, e ele não percebeu. Mais alguns instantes de silêncio se passaram. Sua mão apertava seguidamente a minha, com força. Ocorreu-me a ideia de que, se ele morresse, não haveria mais ninguém para me contar sobre Zohara e meu pai.

"Eu, nos meus bons tempos", soou sua voz, fraca e entrecortada, "tudo que eu queria, eu tinha. Um carro Mercedes? Eu tinha! Um pequeno barco, um iate? Eu tinha! A mulher mais linda do mundo, também tinha! E minha sala recebia a visita da *crème de la crème* de Tel Aviv. Gente de teatro, cantoras e misses, e jornalistas, e gente rica, e empresários importantes, todo mundo sabia; as melhores festas eram na casa de Felix Glick!"

A cor começou a voltar ao seu rosto. Que continuasse falando. Que mergulhasse nas suas lembranças e esquecesse o que tinha acabado de acontecer. Tomou um gole do cálice de vinho. Voltou a lançar para mim seu olhar azul, como se quisesse me mostrar que ainda conseguia, e concentrou com esforço as pregas junto aos olhos, e eu sorri para ele, um pouco por educação, e senti que ele já não conseguia me enfeitiçar como antes, não enquanto seus lábios tremessem daquele jeito...

"E que banquetes havia na minha casa nas sextas-feiras!" Felix continuou narrando com a voz entrecortada. "Verdadeira celebração! Antes de tudo, a casa toda eu enchia de flores. E em todo lugar uma vela acesa. Nada de luz elétrica! Deus me livre, luz elétrica! Só velas vermelhas — estilo! — e sobre a mesa uma toalha branca. E no meio da mesa havia uma *halah* gigantesca, mais ou menos um metro de comprimento, feita especialmente para mim por Abdallah de Jaffa. E pratos com faixas douradas em volta, e no centro de cada prato escritas em dourado as iniciais: 'F. G.', Felix Glick..."

Minhas bochechas já estavam doendo, mas eu sentia que se parasse de sorrir ele era capaz de desmoronar. Cair no choro ou algo assim. Não sei, foi isso que senti, que nesse momento ele dependia completamente do meu comportamento em relação a ele. E para estimular a mim mesmo pensei: e daí que ele é um cara meio complicado? Eu também não sou um garoto meio complicado? E a minha vida também não é complicada? Se eu tivesse um avô, por exemplo, ele poderia facilmente ser como Felix, e poderíamos nos sentar exatamente assim, eu a seus pés, e ele me contaria suas lembranças tumultuadas dos tempos do Palmach, digamos, exagerando um pouco, enfeitando um pouco...

"E na parede atrás de onde meus convidados se sentavam havia um bufê especial, com as mais belas frutas, os melhores frios, que Deus perdoe, mas não eram *kasher*, e camarões, que vinham pela manhã de avião da Grécia, lembre que isso foi quando aqui em Israel havia carestia, não havia dinheiro, e quem tinha dinheiro para ir a um restaurante conseguia no máximo um franguinho mirrado, e na minha casa, uau!"

"Espera um pouco", eu interrompi, "e as pessoas? Elas sabiam que você... era... ahm..."

"Criminoso?", Felix sorriu, "pode dizer a palavra. Isso não incomoda. Claro que sabiam. Talvez exatamente por causa disso vinham. Pois pessoas ricas e inteligentes adoram estar um pouquinho perto de perigo e crime... Não perto demais... só assim, tateando crime, vestindo smoking, um perigo com maneiras europeias, que sabe beijar a mão das damas, um perigo como Felix... bem, não é que sabiam exatamente tudo sobre mim, quem era o quê. Não precisa contar tudo para as pessoas. Não é de bom-tom. Imagine só, de repente, enquanto estão tomando sopa de ostras, eu conto como certa vez assaltei um banco em Barcelona, e como fui obrigado a atirar nos dois policiais que me atrapalharam? Não é bonito, certo? Estraga o apetite."

"Você atirou mesmo nos policiais?" O meu novo plano, de transformar Felix no meu avô, levou um duro golpe. Por que ele não podia ser simplesmente um velhinho simpático?

"O que eu podia fazer?", Felix deu de ombros: "Trabalho deles é capturar Felix, trabalho de Felix é fugir. Se não há Felix, não há trabalho. Não é mesmo?"

"E eles morreram?"

"Quem?"

"Os policiais!", tive que me controlar para não gritar.

"Se morreram? Deus me livre! Na época Felix era vivo. Era capaz de acertar um cigarro do dedo de uma mosca. Felix nunca matou. Deus me livre! Só pegava dinheiro. Deixava espiga dourada, e sumia! Onde está Felix?!"

Engoli em seco. Pronto, é este o momento de lhe pedir.

"É possível... eu posso... ver uma delas?"

"Uma espiga?", e me lançou um olhar longo e profundo, enfiou a mão no colete, e tirou dali uma corrente fina. Na corrente havia uma medalhinha de ouro em forma de coração. Uma medalhinha daquelas em que se guarda um pequeno retrato. Mas eu só me interessei pelas duas espigas douradas que pendiam da corrente. Finas e douradas. Reluzindo com um brilho sutil. Toquei nelas com a ponta dos dedos. Não tive coragem de tocar com mais força. Milhares de policiais no mundo inteiro tentaram chegar a este momento: pegar Felix junto com sua espiga de ouro.

"Certa vez, cinquenta anos atrás, quando tinha acabado de entrar na profissão, fui a joalheiro em Paris e encomendei exatamente cem espigas. Assim! Mesmo antes de me tornar realmente Felix, já comecei a ter estilo que Felix teria toda vida." Segurou as espigas na palma da mão, depois as trouxe para perto da boca, soprou nelas e as lustrou com a manga.

"Foram cem. Depois encomendei mais cem. E mais uma vez... Foram trezentas espigas... Agora todas espigas de Felix ficaram em todos lugares do mundo: dentro de bancos, e cofres, e castelos, e navios, e carteiras... em todo lugar onde trabalhei, em todo lugar onde fiz algo especial, um serviço, ou uma grande *courage*, ou um grande amor, deixei uma espiga. Lembrança de Felix."

E então me ocorreu: "Hoje também, certo? Quando descemos do trem!". O brilho dourado que cintilou no ar diante dos meus olhos. O som metálico fino como um anel caindo... Eu o tinha visto em ação!

"Hoje também. Com certeza. É coisa bonita, fazer trem inteiro parar. Isto é que é estilo! Nunca tinha feito coisa como essa! Então deixei espiga. Como Picasso deixa assinatura embaixo do quadro, não é? Então veja, agora o que resta? Só estas duas. Olhe bem para elas, senhor garoto: este é o sinal mais forte para Felix de que a carreira dele está terminando."

Quis tocá-las de novo, mas não tive coragem. Agora eu olhava para elas da mesma forma que ele: os últimos grãos de areia na sua ampulheta.

"Ai", gemeu Felix, "acabou, velho. Acabado."

"Mas os seus amigos", tentei novamente animá-lo, "aqueles que iam nas suas festas..."

"Amigos Felix não tem!", ele guardou a corrente de volta no colete e me apontou um dedo de advertência: "Só tem gente que gostava de se divertir na casa dele e dançar nas festas dele. E tudo bem! Eu também lhes mandava presentes, em todo aniversário belo presente! Mas amigos? Amigos do peito? Talvez só uma mulher no mundo inteiro, e tudo bem também, e ninguém sabia. Pronto."

"Você foi casado com ela?"

"Casado, Deus me livre! Não era bom para mim, não era bom para ela. Mas ela era mulher que amou Felix de verdade... talvez pensava que Felix era espécie de cavaleiro, como Robin Hood, rouba dos ricos para dar aos pobres... e também amava que eu fosse assim, romântico, charmoso, corajoso... e também que eu não fosse como aqueles amigos inteligentes dela. Pois Felix era capaz não só de dizer palavras bonitas, e recitar frases de Shakespeare, mas também batia de verdade, e lutava boxe, e manejava revólver. E sabia guardar segredo. E ela sabia, minha dama, que todos homens que ela tinha em volta dela eram sempre como moscas, só em Felix ela podia sempre-sempre confiar."

Fiquei atento. Gabi nunca me contou que ele tinha uma mulher amada, uma amada de verdade.

"... e todo resto de pessoas que ficavam junto com Felix, eram só para se divertir e dançar e dar boas risadas. E tudo bem. E escute o que eu digo, escute um velho como eu que já viu todo tipo de coisas e sabe toda a verdade: não vale a pena conhecer pessoas sendo bom demais. Sim. Se você entra muito fundo na alma das pessoas, já não dá para se divertir junto, nem dá para dançar junto nem rir junto nem esquecer os problemas, porque dentro da alma das pessoas tudo é sempre uma grande ferida, um grande escuro, então de que adianta?"

Deu mais um gole no cálice de vinho. E derramou algumas gotas em cima da calça.

"Mas saiba que Felix também não precisa de amigos. Felix é uma pessoa sozinha. E é melhor sozinho", continuou falando em voz alta e forte, "e assim Felix também não teve frustração quando finalmente a polícia o pegou, e fizeram um grande julgamento, e saiu no jornal, e todo mundo disse Felix Glick é um vigarista internacional, o arquicriminoso, muitas coisas bonitas desse tipo...", ele se forçou a sorrir, como se estivesse contando algo divertido e agradável, mas as pontas dos lábios tremiam, "e veja coisa interessante e aprenda, que todas pessoas que frequentavam festas da minha casa, comiam *halah* de Abdallah comigo e ganhavam belos presentes de aniversário, todas essas pessoas de repente esqueceram quem era Felix. Bonito, não? E ainda escreveram no jornal que não conheciam Felix, absolutamente! Que só uma vez por acaso tinham ido numa festa na sua casa! E escreveram que no íntimo sempre acharam graça no tal de Felix, que era bobo querendo impressionar, que não tem cultura nenhuma, e queria comprar amigos com seu dinheiro... Mas tudo bem! *Yes sir!*" O sorriso largo agora parecia uma máscara prestes a se rasgar.

"E a mulher?", perguntei. "A mulher que você disse? Que era realmente sua amiga?"

"A mulher...", ele tomou fôlego enchendo os pulmões de ar, e deu outro suspiro: "Só ela permaneceu amiga... olha, difícil para mim dizer isso, mesmo depois que já se passaram tantos anos desde época em que tudo acabou... e ela também, a minha dama, para ela foi difícil comigo... não queria se encontrar comigo... ela disse — é muito dolorido, uma ferida enorme..." Ele cerrou os lábios e encostou o cálice frio na testa.

"Esse é preço alto que Felix está pagando agora. Agora está velho e sozinho. Às vezes ele pensa, talvez exatamente as pessoas que conseguem viver a vida toda numa atmosfera velha e apertada, talvez sejam elas as pessoas mais fortes! Elas têm a força de aguentar, e força de fazer durante cinquenta anos, todo dia, todo dia, o mesmo trabalho, e ficar casado cinquenta anos com mesma mulher. Talvez seja esta a maior força dos seres humanos? Quem sabe? Quem sabe Felix não é justamente ser humano mais fraco? Mimado? E tudo tem que ser só como ele quer: viagens, emoções fortes, dinheiro, histórias, o que me diz disso, garoto?"

Eu não soube o que dizer, mas por acaso saiu uma resposta boa: "Então por que os livros sempre contam histórias de pessoas que partiram para aventuras?".

Felix sorriu para mim, agradecido. "Sim.... você é bom...", murmurou para si mesmo. Sua peruca do esquecido vovô Noah saiu do lugar, prendendo parte do cabelo. Seu bigode tinha se soltado quase totalmente e estava torto em cima da boca. Ele parecia abatido, mas também engraçado, alheio a tudo — era de partir o coração.

"E veja só, você também fez tourada, porque queria uma coisa dessas, como um sonho, certo? Foi por isso que fez tourada! Eu sei! Eu também construí um mundo desses para mim! Para que as pessoas lembrem que um dia houve alguém assim — Felix... para que nos lugares onde Felix passou ainda sobre um pouco de luz, e as pessoas ainda fiquem um pouquinho como bêbadas... sonhando que nosso mundo ainda pode ser belo..."

Olhei o relógio. Quase meia-noite. Pensei que era hora de tirá-lo dali, aproveitando que estava mergulhado em si mesmo. Com delicadeza, falei: "Agora é bom a gente ir. Basta. Ela não vem". Tomara que não.

Ele nem sequer me ouviu, de tão emocionado que estava: "E se você olha uma vez as pessoas na hora em que elas levantam de manhã e vão de ônibus para trabalho, certo? Olha bem caras das pessoas! Tristes, cara comprida, sem alegria, sem esperança. Elas vivem como mortas. Mas Felix, Felix diz: nós só temos uma vida! Só sessenta, setenta anos — e aí nossa vida acaba! E nós precisamos de alegria! Temos direito de ter alegria!". Sua voz ficou mais alta dando lugar a um grito horroroso. Ele estava agitado, como se estivesse discutindo comigo sobre todo o seu caminho de vida, e nesse momento comecei a sentir que estava sendo testemunha de uma espécie de estranho julgamento. Isso mesmo, Felix julgando a si mesmo sobre o que tinha feito em toda sua vida, seu caráter, seus delitos, e não entendi por que ele estava fazendo aquilo comigo, com um garoto que ele quase não conhecia, e ele aproximou seu rosto do meu, e falou do fundo do coração: "Pois antes da hora em que nascemos, todos ficamos deitados milhões de anos no escuro, e depois que morremos é a mesma coisa! Escuridão antes e escuridão depois! E a nossa vida é só um pequeno intervalo — minúsculo! — entre uma escuridão e outra!". Ele agarrou meu ombro e o torceu, "e é por causa disso que Felix diz: se é verdade que somos apenas atores que passam pelo palco só por um segundo, então Felix deseja apresentar peça mais bonita que existe! Uma peça na qual ele escreve todos os papéis! Uma peça com muitas e muitas luzes, e cores, e orquestra, e aplausos. Uma grande apresentação: um circo! E com uma grande estrela no meio, que sou eu. O que há, não está certo? Não está bom?".

Fez-se um silêncio. Ele se apoia no meu ombro, respirando ofegante, tentando se acalmar. Seus olhos fixos nos meus lábios, como que esperando impaciente por aquilo que eu tinha a dizer. Então me ocorreu mais um pensamento surpreendente, que Felix queria que nesse seu julgamento eu fosse o juiz.

E eu já não consegui mais me concentrar no que ele dizia. Por que raios eu deveria ser seu juiz, afinal quem sou eu. E quis que tudo aquilo acabasse e eu pudesse voltar para casa, e também queria ficar, ouvir mais, nunca ninguém falou comigo daquele jeito, nunca senti ninguém me deixando chegar tão perto do lugar sombrio e assustador da vida adulta, e até mesmo as histórias de Gabi sobre si mesma de repente pareciam inocentes em comparação com o que tinha se passado na vida de Felix, com os percalços de sua alma... Ele continuava falando, e eu tentando me concentrar e me lembrar de tudo que tinha acontecido naquele dia, de tudo que ele me disse, me mostrou... Sim, como um carrossel que vai parando aos poucos e a visão embaralhada do que acontece em volta vai se assentando, ficando clara e precisa, eu soube que desde o instante em que nos conhecemos Felix vinha tentando incansavelmente me influenciar, fazer com que eu o conhecesse. E o perdoasse.

Mas por que eu? Por que foi escolher justo a mim para ser seu juiz?

Senti uma onda de frio subindo e tomando conta de mim desde as plantas dos pés até a cabeça: Afinal o que havia para perdoar? O que ele realmente fez? Será que fez alguma coisa relacionada comigo?

Ele viu tudo no meu rosto. Eu não conseguia esconder nada dele. O medo e a súplica para que ele parasse de me enlouquecer com seus mistérios. Com todas as metamorfoses que passavam por ele como uma corrente elétrica, que parasse por um instante e dissesse logo a verdade.

"Agora escute outra coisa", disse sem olhar para mim: "É uma coisa séria de *business*, negócios: primeiro, na hora em que eu tive aquele ataque, aquela dor de barriga, você não fugiu."

"Para onde?"

"Não sei. Pensei, talvez, o garoto vê um velho assim, talvez se assusta. Talvez seja assustador para ele. Talvez ele vai fugir daqui. Pode ser! Então eu digo o seguinte: o senhor Feierberg resolveu que durante dez anos não vai comer carne para repor pelo menos uma vaca no lugar da vaca da tourada, até aqui está tudo certo?"

Respondi que sim. Não entendi aonde ele queria chegar.

"E senhor Feierberg gosta muito de carne, percebi no restaurante como olhava os bifes, mas precisa ainda se conter mais ou menos uns oito anos, certo?"

"Oito anos e meio."

"Então quero propor um pequeno negócio ao senhor Feierberg: Felix assume cinco anos desse total. O que acha? Fazemos negócio? E então?" E estendeu a mão para um aperto.

"Não entendo", murmurei, mas tinha entendido sim.

"Ouça bem: cinco anos — se Felix consegue viver mais cinco anos — Felix não come carne, não toca em carne! E então, assim eu ajudo e completamos juntos oito anos e meio que faltam."

"Isto... isto é uma bela ideia, mas não... é impossível." E não tenho mais força. Pois de novo, em poucas palavras, ele conseguiu me virar totalmente do avesso, me confundir e fazer eu me arrepender de ter momentaneamente desconfiado dele, e me fazer sentir de novo como — contra a minha vontade — meu coração se abre para ele com calor e admiração.

"Por que é impossível?", gritou Felix, "o que não está bem? Felix economiza muito mais que uma vaca nesses cinco anos! Ele economiza toda uma manada!"

Eu não sabia o que dizer. Fiquei sentado, curvado, enrolado, pensando que nunca ninguém tinha me dado uma coisa tão generosa.

"Pensa nisso. Estou só retribuindo um favor. Felix não gosta de ficar em dívida."

Mas nós dois sabíamos que era um pouco mais que isso.

E nesse momento ouvi passos subindo as escadas. Subindo e se aproximando do apartamento. Felix se endireitou na poltrona, ajeitou os cabelos e tentou arrumar um pouco as roupas amarrotadas. "Olha, ela chega", disse, a voz um pouquinho insegura.

Uma chave girou na fechadura, hesitou, parou. Talvez a pessoa tenha percebido os sinais de arrombamento na fechadura. A porta de entrada se abriu. Ali estava a figura alta e esguia de Lola Ciperola. A luz do hall de entrada brilhava por trás de sua comprida silhueta. A echarpe lilás estava sobre seus ombros. Quando Lola se moveu, a echarpe esvoaçou um pouco, como se houvesse uma brisa soprando.

17. A infinita distância entre o corpo dela e o corpo dele

"Quem está aí?", perguntou alto uma voz grave, rouca, quase masculina.

"Ahm... amigos", disse Felix do fundo de sua poltrona. Estava sentado de costas para ela e não se deu ao trabalho de se virar.

Ela não se moveu. Hesitou, não sabendo se entrava ou fugia. Mas até eu sabia que uma mulher como ela não está disposta a fugir do perigo.

"Não me recordo de ter convidado alguém esta noite", acrescentou com voz tensa, a mão enluvada ainda segurando a maçaneta da porta.

"É só um velho e um menino", disse Felix com a boca no seu cálice de vinho.

"Um menino?"

Suspirei baixinho.

"Não conheço nenhum menino. Não quero um menino aqui. Mande-o embora."

Preparei as pernas, o certo era dar o fora já.

"Não é um menino qualquer", insistiu Felix, e fez um gesto para eu me sentar. "Este menino você vai querer."

Estranho: havia entre eles um ar de representação, de encenação. Falavam como atores numa peça, ao mesmo tempo em que Lola Ciperola não saía do lugar e Felix continuava sentado de costas para ela.

"E por que este menino está vestido de menina?", Lola Ciperola exigiu saber.

Ui, ui, ui. Tinha esquecido completamente que estava de saia!

"Porque ele, assim como você, está representando um papel", explicou Felix.

Agora ela hesitou mais uma vez. Senti que escolhia com cuidado as próximas palavras.

"E... ele sabe, o menino, qual é o papel que está representando?"

Silêncio.

"Todo ator sabe apenas o que ele próprio interpreta", respondeu Felix depois de refletir, "mas não sabe o que as outras pessoas veem nele." Não consegui acompanhar todas as nuances do que eles diziam.

"Essa saia...", disse de repente Lola Ciperola, aproximando-se de mim e parando ao meu lado. Pude ver a perplexidade e o espanto nos seus olhos. Não sabia o que a tinha assustado tanto na saia que eu vestia. Quis descê-la até embaixo, esconder as minhas pernas magras. Lola Ciperola virou-se para Felix num movimento brusco: "Você... você... você é capaz de tudo, hein? Não há limites!".

"E nenhuma regra", concordou Felix com um meneio. "E acontece que o menino é, por acaso, um dos seus maiores admiradores...", e ao dizer isso Felix se levantou e postou-se, com toda sua altura, na frente de Lola Ciperola. Estavam muito próximos, olhando um nos olhos do outro. Vi como a cabeça dela se inclinou um pouco para trás, como que cedendo a ele, mas ela logo se endireitou, fixou o olhar, começou a dizer alguma coisa, mas Felix segurou sua mão, ele pegou na mão dela sem medo nenhum e a conduziu até a poltrona, "favor sentar-se!", ele disse num tom autoritário. E Lola Ciperola obedeceu e sentou-se como foi ordenado.

"Me arranje alguma coisa para beber", disse com voz fraca, cruzando as pernas e tirando os sapatos. Felix foi até a mesa redonda no canto. Examinou os rótulos das garrafas e serviu um vinho púrpura encorpado. Lola Ciperola fez que sim com a cabeça.

"Uma noite chegam na minha casa um velho e um menino...", ela murmurou para si mesma. Com os dedos trêmulos remexeu sua bolsinha, e tirou um maço de cigarros. Felix lhe estendeu um isqueiro dourado. Uma chama suave brilhou entre os dois. Lola Ciperola soltou a fumaça, os olhos fixos em Felix. Ele já a hipnotizou, pensei. Como fez com o maquinista da locomotiva, com o policial. Comigo. Fiquei decepcionado por ela ceder com tanta facilidade.

"Represente para ela, garoto", disse Felix baixinho, os olhos fixos em Lola.

Representar para ela? Recitar alguma coisa? Eu? Na frente de Lola Ciperola?!

"Eu... eu não..."

"Amnon."

Talvez por ter me chamado finalmente pelo meu nome. Talvez porque mais nada estivesse importando.

"Sim, represente para mim, Amnon", disse também Lola Ciperola, pronunciando meu nome lentamente, mastigando cada letra.

"Eu não, ahm... eu..."

No canto da sala, entre as plantas, vi de súbito uma grande sombra se movendo, curvando-se pesadamente e começando a gesticular para mim com as mãos.

"Yuhúúú!", gritou Gabi para mim, "represente para ela! Recite alguma coisa!"

"Eu não consigo!", contestei.

A sombra larga deu alguns pulos ágeis sacudindo os cabelos encaracolados. Fiz "não" com a cabeça, muito, muito aflito. A sombra parou um instante. Depois se curvou, ergueu uma mão, pôs a outra diante dos olhos naquele gesto típico de Gabi quando a imita, quando imita Lola.

"Eu tenho medo dela!", me queixei para Gabi.

"Ponha-se de pé, Nono-coração-de-leão! Eu ajudo você!"

"Grande coisa! É fácil bancar a heroína quando você nem está aqui! Mas eu vi como você tremia quando ficou na frente dela!"

"Fique quieto e preste atenção: vamos começar!"

Com os joelhos bambos me curvei e me levantei, sem olhar para Lola Ciperola. Tentei esquecer onde estava, que ela tinha tirado seus régios sapatos e agora estava sentada descalça, pernas comuns de mulher dobradas sob o corpo, e que eu estava de saia, blusa e sandálias de menina. Que tudo estava confuso e sem lógica. Dei uma olhada rápida para o canto das plantas. Com toda a força da minha imaginação vesti naquela sombra escura o vestido-sempre-preto de Gabi, pois preto emagrece, e ela está eternamente de luto pela mulher magra enterrada dentro dela sob a camada de gordura, e sobre o vestido botei a cara de Gabi, seu rosto vivaz, com o nariz bulboso e sempre vermelho, as veias, a boca larga, sempre dando suas risadinhas, e como ela de repente interrompe o que está fazendo, lavando verduras ou descascando cebola, e fica em silêncio, como se escutasse uma voz longínqua a chamá-la, e eu já sei o que está prestes a acontecer, dou um enorme sorriso, Gabi levanta a mão no ar, acena lentamente, e começa a falar em voz baixa, grave e imperial: "Oh, terra de meu jardim destruída... oh, pássaros cegos..." e aí faz uma reverência de princesa, segurando timidamente a barra do vestido, e ergue os olhos lacrimejantes de cebola picada: "O príncipe já não está entre nós, Vossa Majestade, partiu para longe, muito longe, numa carruagem negra, como poderei ser eu chamada de 'fiel' se parei, se não o acompanhei para além da última fronteira?".

Não me lembro em que momento me fundi com Gabi. No começo, eu sentia que ia sufocar depois de cada palavra, mas aos poucos minha voz foi ficando firme, e superei, me soltei, acho que até ousei mexer um pouco as mãos como Gabi, como Lola Ciperola...

Como foi que tive coragem? De onde tirei a audácia de representar na frente dela? Em algum momento durante a apresentação, ouvi um rangido de poltrona, uma garrafa tilintando num copo. Não vi, não abri os olhos. Falei, falei e falei. Talvez por causa do cansaço esqueci a vergonha. Talvez tenha ajudado o fato de Gabi falar pela minha garganta, de estar comigo na sala, tomar conta de mim, foi como se eu sentisse sua imagem se fundir com a de Lola Ciperola, ali sentada, amaciando-a um pouco, como se lhe pedisse, numa aliança feminina, para cuidar de mim aqui, no lugar dela. Sim, me pareceu que depois de um dia inteiro sozinho com Felix, o imprevisível, confuso, estarrecedor, perigoso Felix, eu me sentia tranquilizado por estar junto com a calma e sossegada Lola Ciperola.

Continuei falando até o ponto em que chegou a vez do outro ator, Aharon Meskin, responder a Lola Ciperola no papel do velho rei. Terminei ali. Ou concluí. Cansado e admirado comigo mesmo desabei na poltrona. Hora de dormir.

Ouvi três lentos aplausos.

Lola Ciperola batendo palmas para mim.

Sentada na sua poltrona, aquela com o pequeno banquinho para as pernas, um cálice longo pousado ao seu lado, ela tinha lágrimas nos olhos. Não uma lágrima só, como na foto da parede, mas muitas lágrimas, que escorriam manchando a maquiagem das faces, e de repente percebi que ela já não era assim tão jovem.

"Você é talentoso, garoto", disse com sua voz forte, rouca e profunda como voz de homem, "você tem o talento natural de um ator nato." Olhou para Felix: "Você perguntou ao garoto de onde veio esse talento?".

E Felix: "Perguntei. Ele não sabe. Há uma moça, o nome dela é Gabi, namorada do senhor seu pai, ela lhe ensina a representar. Talvez venha dela, quem sabe?". E fez cara de ingênuo.

Eu quis explicar um pouco quem era Gabi, mas receei desperdiçar o tempo de Lola Ciperola com detalhes insignificantes.

Ela se levantou da poltrona, tomou na mão o abajur chinês, puxando o fio elétrico atrás de si. Descalça, andou em volta de mim, examinando-me de todos os lados com grande curiosidade. Não ousei me mover. Lembro que fiquei também um pouco desapontado de perceber que ela já não era tão jovem. Por alguma razão, eu sempre achei que ela tinha mais ou menos a idade de Gabi... "Não admire ninguém, garoto", ela disse. Metade de sua face surgiu ao meu lado dentro de um círculo de luz amarela: "Não existe pessoa no mundo digna de admiração, Amnon". E enxugou o nariz com as costas da mão, como fazem as crianças pequenas, só que ela fez isso com uma luva roxa.

Pensei: não é possível que uma mulher como ela seja deprimida. Ela, com toda sua grandeza, e com o amor que todos lhe dão, e com o seu profissionalismo.

"Maldita a minha profissão!", suspirou, e deu uma longa risada de amargura. Quando passou ao meu lado senti-a roçar de leve na minha face e fiquei eletrificado: sua echarpe tinha me tocado.

"As profissões que lidam com as emoções das pessoas são

as profissões mais perigosas...", disse ela, despejando um pouco do vinho de seu copo no copo de Felix e lançando para ele um sorriso de palco: "Talvez seja mais fácil ser... acrobata? Ou engolidor de fogo? Ou escalador de montanhas? O corpo... o corpo fala sempre uma só linguagem. O corpo é honesto. Não mente... mas a pessoa que passa a vida inteira sempre usando das suas emoções para fazer com que os outros sintam, se emocionem, corre o risco de perder seus próprios sentimentos..."

Juntou suas mãos sobre a boca e se sentou. Eu não sabia se ela própria tinha vivido o que acabava de contar, ou se simplesmente interpretava um papel. Não sabia se o seu sorriso era um sinal para eu aplaudir. Eu me contive.

"Nem sequer perguntei quem são vocês dois", disse na sua mesma voz arrastada e reflexiva: "Quer dizer; na qualidade de quem vocês se apresentam diante de mim?".

"O menino, como menino. E eu, não sei, como sempre: ator mambembe. Um mágico. Assaltante. Ladrão de dinheiro e de corações."

"Oh, o senhor é ladrão?", perguntou Lola Ciperola em tom de cansaço, jogando a cabeça para trás. "Aqui já não há o que roubar. Apenas lembranças." E com um gesto largo indicou as paredes repletas de fotografias espremidas.

"Lembranças não é possível roubar", disse Felix, "só falsificar. E eu, para mim basta falsificar minhas lembranças."

"Explique!", exigiu Lola Ciperola movendo seu copo para a direita e para a esquerda e balançando um pouco sua longa perna, de aparência ainda jovem.

"O que há para explicar?", brincou Felix, "quem gosta de lembranças ruins? Então eu tento pegar os momentos ruins da minha vida e pintá-los mais bonitos. Eu pego todas as mulheres que amei na vida, para lembrar delas ainda mais bonitas. E exagero quanto dinheiro havia nos bancos que roubei..."

Eles conversavam quase sem se olhar. Falavam para seus copos, e mesmo assim havia entre os dois uma grande proximidade, uma proximidade de cúmplices, como se já se conhecessem havia longos anos. E eu, mesmo sem entender o que se passava, pude sentir o tempo todo o grande esforço deles: como ambos conseguiam se controlar e não falar como pessoas comuns que se encontram depois de muito tempo.

"E o garoto — como você conseguiu trazer o garoto, Felix?"

Não me lembro de ele ter dito para ela seu nome. Talvez não tivesse prestado atenção. De repente, Lola Ciperola se endireitou na poltrona e lançou para ele um olhar penetrante e assustado: "Está tudo em ordem, Felix? O garoto? Você tem autorização para levá-lo assim de um lado a outro? Ou está começando de novo a fazer best...?".

"O garoto? O garoto chegou até mim sozinho, por conta própria... certo, garoto?"

Fiz que sim com a cabeça. Não tinha força de começar a contar a ela toda a história, como meu pai e Felix se encontraram e se apertaram as mãos com virilidade, e tudo o mais.

"Felix", disse Lola Ciperola, e de repente sua voz estava fria e cortante: "Olhe bem nos meus olhos, Felix: você está cuidando dele? Não vai fazer nada de errado com ele? Ele não é só mais uma das suas brincadeirinhas malucas, Felix?! Responda!".

Depois desse estranho grito fez-se silêncio. Felix curvou a cabeça. Eu sorri para ela, para acalmá-la, mas por algum motivo senti como o grito havia penetrado dentro de mim, revirando as minhas entranhas como uma faca. Pensei que se houvesse tempo, um segundo apenas sem falatórios e acontecimentos, talvez eu conseguisse entender alguma coisa perturbadora e não muito clara que andava me incomodando nas últimas horas, talvez conseguisse escutar alguma pergunta que estava o tempo todo zunindo na minha cabeça, uma pergunta em relação a Felix, essa viagem de aventura, como foi que meu pai o procurou, e onde exatamente eles se encontraram para apertar as mãos...

"Não se preocupe, Lola", disse Felix por fim, fazendo um meneio: "Eu e Amnon estamos nos divertindo juntos por um ou dois dias, e pronto. Fazendo farra. Meio que um carnaval. Enlouquecendo a nossa polícia, é só de brincadeira, Lola, eu estou tomando cuidado com ele."

Não entendi o que a preocupava tanto. Ela me observou com um olhar penetrante, inquieto. Uma ruga profunda se desenhou sobre seus olhos.

"Estou cuidando dele, Lola", repetiu Felix delicadamente, "é só uma brincadeira... não é como já foi um dia... agora não vai acontecer nada... quando ele quiser, nós logo voltamos para a casa dele... é minha última aparição, Lola, antes da aposentadoria. Esperei muito tempo por esta aparição. Ele vai fazer bar mitzvah daqui a alguns dias, e eu pensei — agora é a hora de nos conhecermos. Eu e Amnon."

"Sim...", murmurou Lola Ciperola distraidamente, "esta semana você faz bar mitzvah... agosto... 12 de agosto... sim." De onde ela sabe? Quando foi que ele contou para ela? Afinal, fiquei na sala com eles o tempo todo! Será que cochilei alguns instantes? Lola se virou para Felix: "Mas o que foi que você disse? A aposentadoria? Você está se aposentando da profissão?".

"Da profissão, sim." E fechou a boca.

A atriz o encarou, e de repente seus lábios se soltaram:

"Aconteceu alguma coisa, Felix? Você está com alguma doença?", ela perguntou de supetão, numa voz totalmente diferente, uma voz calorosa e afetiva que se insinuou através das rachaduras da voz pesada com que tinha falado até agora, uma voz de teatro, de rainha do palco. Primeiro estendeu a mão, e percorreu finalmente a enorme distância, a infinita distância, entre o corpo dela e o corpo dele, e tocou sua mão, e tocou ligeiramente seu rosto, afagando-o, e ambos se olharam nos olhos, e eu já sabia, sem dúvida nenhuma sabia que eles se conheciam havia muito tempo. Que estavam se contendo com todas as forças para não se aproximarem e se tocarem e se abraçarem.

"Está tudo em ordem, Loli", disse Felix em tom cansado: "É só velhice. E um pouco o coração. O coração velho. Partido. Dez anos na prisão não são exatamente uma clínica de repouso. Mas vai ficar tudo bem."

"Sim...", ela soltou um risinho longo e amargo, "vai ficar tudo bem. Como sempre, não é? Nada está bem, Felix, o que nós perdemos não vamos mais recuperar... como a vida se estragou..."

"Agora vamos consertar", disse Felix, "estou aqui para consertar tudo, tudo que estragou."

"Não dá para consertar nada", disse Lola Ciperola em voz baixa.

"Não, não", retrucou Felix acariciando a mão dela, "eu sempre conserto... nos lugares onde Felix passa a luz se faz... pessoas ainda estão meio bêbadas... sonham que mundo pode ser mais bonito..."

Lola riu baixinho, e me pareceu que também estava chorando: "Você não tem conserto, Felix", ela disse, "mas eu quero acreditar em você. Em quem vou acreditar se não em você?".

"Só se pode acreditar em trapaceiros. Está certo."

"Jure para mim."

"Você sabe que para você eu só prometo, Loli. Eu não juro."

Ela riu de novo. Metade da sua face estava agora imersa no escuro, e uma luz suave caía sobre seu cabelo grisalho. Ela apagou o cigarro no cinzeiro. Depois, bem devagar, como fazia na peça *Anna Kariênina*, entrou no círculo de luz, ergueu os olhos e observou Felix. Olhou para ele como uma mulher jovem olha para um homem jovem. Seus olhos cansados se encheram de sorriso e amor.

"Onde você esteve durante toda a minha vida?", perguntou.

"Estive onde você não foi o bastante", ele suspirou, "vinha para uma visita e logo fugia. E depois, nos dez últimos anos tive alguns assuntos urgentes, você sabe…"

"E como sei…", ela mexeu no nariz e se recostou na poltrona: "Dez anos. Dia após dia. Eu xingava você, e sentia saudades. E fiquei contente por lhe darem essa punição. Uma punição tão dura. Você mereceu". Ela falava em voz baixa, sem olhar para ele. "E depois os anos se passaram, cinco seis sete, e o ódio sumiu. Até onde a gente pode odiar? O ódio perde força como o amor, e dane-se, é tudo um jogo. Como é que você costumava me dizer? É só um pequeno intervalo de luz entre uma escuridão e outra. Saúde!"

Ele levantou um pouco seu copo: "À sua saúde, Loli, à saúde da sua beleza e do seu talento".

"Estranho", ela disse com um sorriso forçado, "justo quando eu encontro uma pessoa que me parece autêntica, ela se apresenta como especialista em falsificações."

Com um gesto suave e decidido ela tirou um grampo, e mais um, do cabelo. Uma mecha de cabelos grisalhos e cacheados se soltou e caiu sobre seus ombros. "Me conte mais um pouco sobre você", ela disse, "me conte mais uma vez toda a história…" Felix estendeu a mão, pegou um pouco do cabelo entre os dedos e o alisou. Pensei que não havia pessoa no mundo exceto Felix que se atrevesse a fazer isso com Lola Ciperola. Ela não o impediu. Inclinou a cabeça. Abriu os lábios. Ele acariciou os fios de cabelo e começou a cantarolar algo. Uma melodia suave e delicada. Baixinho, baixinho, só um zumbido. E passado um momento, ela o acompanhou, juntou-se a ele. Pareciam duas crianças velhas se acalentando antes de dormir, e tudo na sala era suave, como num sonho.

Os meus olhos também se fecharam. Pensei que seria bom

telefonar para casa. Afinal, eu precisava falar com papai e Gabi. Contar-lhes onde estava naquele momento, agradecer a maravilhosa ideia deles, e também queria testar Gabi, como é que ela não sabia que tinha havido uma relação entre Lola Ciperola e Felix Glick, entre a echarpe lilás e a espiga dourada. Talvez ela soubesse e não tinha me contado. Como era possível que uma mulher famosa e pública como Lola Ciperola soubesse a data do meu aniversário? Quem lhe contou? O que está acontecendo aqui? E por que me sinto como um boneco, com alguém puxando os fios, conduzindo-me passo a passo rumo a algum lugar? E quem me espera lá?

Acordei assustado com um estrondo nas persianas. Por um momento pensei que já tivesse amanhecido, mas lá fora estava totalmente escuro. Eu ainda estava sentado na poltrona onde tinha adormecido. No relógio da parede vi que eram duas da madrugada. Felix e Lola Ciperola estavam parados junto à janela aberta olhando para fora. A mão dela estava pousada sobre a dele, e ele abraçava sua cintura. Eu não sabia onde me enterrar de tanta vergonha.

Com a mão livre Lola Ciperola apontou alguma coisa lá fora. Felix assentiu. Ouvi-a dizendo algo sobre o mar que lhe tinha sido roubado. O braço dele se ergueu e enlaçou o ombro dela com delicadeza. Ela pousou a cabeça no ombro dele e disse: "Só nas lendas há pessoas como você, Felix".

"Sendo o nosso mundo do jeito que é", ouviu-se mais alto a voz aguda de Felix, "só nas lendas é que se pode viver um pouco de verdade. Não é?"

Bocejei, para que soubessem que eu estava acordado. Lola Ciperola virou a cabeça para mim e sorriu. De repente seu sorriso era o máximo. Não o sorriso de uma atriz; o sorriso de uma mulher que sorri para um garoto de quem ela gosta.

Felix perguntou: "Se eu e Amnon conseguirmos isso, você dá a ele echarpe de presente?".

Lola Ciperola continuou sorrindo para mim, a mão alisando a echarpe:

"Se vocês conseguirem, ganham a echarpe."

"Se conseguirmos o quê?", perguntei, atordoado.

Com delicadeza, como se eu fosse feito de material quebrável, estendeu a mão e alisou o ar diante do meu rosto. Não me mexi. Me firmei no lugar. Eu tinha muita vontade, mas nem sabia de quê. Aí os dedos dela acariciaram meu rosto. Passou toda a comprida e morna palma da mão pelo meu rosto, do queixo até a testa. Sua mão tinha uma pele macia e gostosa, completamente diferente da sua voz quando representava um papel, do seu rosto de rainha. Seus dedos pousaram com delicadeza sobre meus olhos, só tocaram neles, e um dedo pousou entre os olhos, exatamente naquele ponto, e não ouvi zumbido nenhum, não senti o motor começar a funcionar como uma buzina, só senti os dois olhos, como cresciam e se alargavam sob seus dedos macios, e finalmente ficavam límpidos, puros.

"Se vocês conseguirem me trazer de volta o mar que me roubaram", disse Lola baixinho.

Não consegui falar. Não entendia. Me abandonei dentro da sua mão macia. Eu faria tudo por ela.

"Diga, senhora Ciperola", começou Felix depois de pensar um pouco. "Será que senhora por acaso tem uma britadeira?"

18. Como um animal noturno

Lola Ciperola não escondeu seu espanto. "Uma britadeira? Uma escavadeira? Eu até tinha uma…" Correu até a geladeira, abriu e gritou da cozinha: "Ah! Acabei de jogar fora a última… que besteira!".

"Quem sabe em alguma gaveta…", murmurou Felix, abrindo imediatamente a sua maleta; fuçou e revirou dentro dela, tirou de lá uma peruca especialmente horrorosa, botou na cabeça, e um bigode combinando, aparentemente ele tinha uma coleção de bigodes em um dos compartimentos, e grudou duas fileiras de pelos no queixo. Lola lhe lançou um olhar, correu para o quarto ao lado, voltou com uma camisa rasgada e um par de calças surradas, recordação de uma de suas peças, e em um minuto ele se transformou num mendigo miserável, esfarrapado, ligeiramente curvado, arrastando a perna esquerda doente. "Qual é o nosso estado, senhor Feierberg, Amnon? Estamos cansados ou prontos para sair para um pequeno serviço noturno?"

Eu estava exausto, mas não quis desistir. Perguntei aonde íamos.

"No caminho eu explico tudo. Depois voltamos para pegar a echarpe. E também para pegar Lola."

"Não esqueça", avisou Lola, e com um gesto sedutor agitou a echarpe diante de seu rosto: "Eu só dou a echarpe em troca do mar. Em troca de todo o mar, nada menos que isso!". Nos últimos minutos ela tinha ficado leve e alegre, como uma jovem. Seu corpo dançava sozinho. Eu nunca a tinha visto daquele jeito em cima do palco.

"Olé!", exclamou Felix, piscando para mim. Com dois dedos na cabeça, arremeteu contra a echarpe; Lola Ciperola soltou outra exclamação e se esquivou, fazendo com que ele passasse reto; então ela se pôs sobre um joelho diante da poltrona e agitou a echarpe com um largo gesto acima da cabeça. Felix ficou parado dando patadas com os pés, rindo, até ver a minha cara.

"Peço perdão!", gritou para mim, a expressão ficando de súbito sombria: "Foi só uma piada! Esqueci totalmente!". E bateu com força na própria testa.

Tudo bem.

"Aconteceu alguma coisa?", indagou Lola, já de pé, enrolando novamente a echarpe em volta dos ombros.

"Eu sou um bobo...", lamentou-se Felix, "tudo o que eu quero é ver Amnon dando risada, mas toda vez faço alguma bobagem e ele fica triste..." Lola não entendeu. Como é que podia entender? Ficou parada olhando de um para o outro, depois disse: "Vocês dois já têm segredos". E sorriu: "Muito bonito!". De repente seus braços estavam em volta de mim e de Felix, e ela me deu um beijo na testa.

Não havia fotógrafo. Nenhum flash espocou. Lola Ciperola simplesmente me deu um beijo. Gabi vai desmaiar. Gabi vai embalsamar a minha testa como recordação. Depois Lola beijou Felix. Na testa e na boca. Beijou de olhos fechados.

"Felix não tem amigos", lembrei, "só uma mulher." Fazia

dez anos que não se viam. Pelo visto foram os dez anos que Felix passou na cadeia. Lola Ciperola talvez fosse a tal mulher, sua namorada. De repente as coisas começaram a se encaixar, como num quebra-cabeças, mas era um encaixe muito mais misterioso e assustador que num jogo.

"Muito bonito!" Felix ergueu a voz: "Amnon e Felix saem para trazer de volta o mar! A que horas pela manhã a minha dama desperta?".

"Para os jornais eu digo que não abro os olhos antes das dez da manhã", explicou Lola, "isto é para deixar algumas das minhas amigas verdes de inveja. Mas a verdade é que eu acordo já às cinco. Pessoas velhas como eu não conseguem dormir muito."

Nem pessoas jovens como eu, pensei no íntimo. Me escondi atrás de uma das grandes poltronas, tirei a saia e a blusa e vesti de novo minhas roupas, minhas roupas naturais.

Felix me lançou um olhar ingênuo: "E se virem você assim?".

"É mais fácil correr com minhas calças e minhas sandálias."

Ele refletiu um instante. Deu de ombros. Tudo bem. Depois se virou para ela: "Às seis da manhã Amnon e Felix lhe trarão de volta o mar. Agora apague todas as luzes da casa, e vá para a cama dormir".

"Você não me diga o que fazer", retrucou ela com sua voz de rainha, "eu tenho todo um programa para esta noite, enquanto vocês estiverem no agito lá fora."

Ela nos acompanhou até a porta e mandou alguns beijos pelo ar.

Descemos para a rua, lá fora estava muito escuro e muito frio. As árvores farfalhavam um pouco acima da minha cabeça. Havia uma grande lua, branco-amarelada, quase cheia. Pensei que todas as pessoas que eu conhecia estavam dormindo a esta hora. Todas as pessoas comuns, não profissionais, estão sonhando tranquilas, enquanto eu e Felix Glick, o lendário criminoso, caminhamos pelas ruas escuras.

"Agora fazemos o seguinte", Felix me segurou: "Eu vou na frente. Você vem cinquenta metros atrás de mim. Se surgir algum problema, guardas ou algo assim, psssst! Esconda-se imediatamente! Depois volte para a casa de Lola. Não me espere na rua!".

"Mas aonde estamos indo?"

"Para o mar. Há um problema ali. Nós vamos até a praia, procuramos uma escavadeira. Serviço fácil. Chegamos, fazemos, terminamos, muito obrigado, até logo e bênção."

"Espere aí, não estou entendendo: qual é o problema?"

"Depois explicamos! Agora precisamos ir!"

E sumiu. Mesmo antes de dizer seu "avante", eu não vi para onde ele foi: sumiu na escuridão, desapareceu.

E surgiu de novo à distância de algumas dezenas de metros. Não sei como ele fez isso. Correu? Voou? Num piscar de olhos apareceu no fim da rua, caminhando lentamente, curvado, arrastando a perna doente.

Fui atrás dele, cuidando para guardar uma distância constante. Lancei olhares cautelosos à minha volta, para ver se não havia ninguém atrás de mim, nem dos lados. Estranha situação: eu seguindo um homem que queria ser seguido, e ao mesmo tempo cuidando para que ninguém me seguisse.

Caminhei em silêncio. Sem fazer nenhum ruído com meus passos. Sentia-me vulnerável. Estava meio tenso. Talvez eles já estejam aqui, aqueles que estão me seguindo. Tentei me pôr no lugar deles, pensar como eles: a polícia está à procura de um velho e de um menino que desceram do trem. Será que eles já sabem que o sequestrador do trem é Felix Glick? Pelo que eu conheço deles, vão levar algumas horas para montar um retrato falado, e conferi-lo com o catálogo de criminosos, e achar a espiga de ouro que Felix jogou na locomotiva.

Mas o guarda cheio de espinhas adolescentes viu a carteira de motorista com o nome verdadeiro.

E Felix também roubou o relógio dele.

Só para me divertir?

Não. Não só para isso. Para Felix não existe nada que seja "só para isso". Sempre há mais algum motivo, oculto.

Mas qual motivo? Por que revelou ao guarda seu nome verdadeiro?

Para que o guarda começasse a suspeitar. E tentasse se lembrar do nome do velho motorista.

Eu podia imaginá-lo espantado, coçando a testa coberta de espinhas. O nome Felix Glick lhe dizia alguma coisa, mas alguma coisa indefinida. Quando Felix foi para a prisão esse guarda ainda brincava de mocinho e bandido. Então o policial espera mais meia hora. Termina seu turno, vai para casa e conversa com a mulher que está para dar à luz. Conta o que aquele velho disse sobre as crianças, e como elas mudam a nossa vida. Pergunta-lhe se por acaso ela não viu seu relógio. Tem praticamente certeza de que o relógio estava no seu pulso antes do encontro com o velho e sua neta de trança. E mais uma vez tenta se lembrar, o que será que aquele nome lhe diz, Felix Glick? Tinha a impressão de já tê-lo visto escrito, ou impresso? Vai ficando nervoso e impaciente. Diz à mulher que volta logo, pega o carro e vai até a delegacia onde serve. Talvez tenha esquecido o relógio dentro do seu armário. O relógio não está lá. O guarda entra na sala de um dos oficiais de serviço na delegacia. Um policial veterano, que se lembra de coisas de vinte anos atrás. Alguém da turma do meu pai, por exemplo. "Diga", pergunta nosso guarda hesitante, "você já ouviu o nome Felix Glick?"

E de repente todo o negócio explode em estilhaços enormes, e uma imensa máquina começa a funcionar.

Felix queria que a polícia soubesse que era ele. Ele tem mais prazer em fugir quando estão atrás dele. Ele precisa da sensação de perigo. Vai se esgueirando à minha frente, todo curvado, com um ar desamparado. Que grande ator! Meu pai sabe o que faz. Há coisas que só um grande criminoso como Felix pode me ensinar. E há coisas que só podem ser testadas se envolverem perigo real. Talvez não se possa ser o melhor detetive do mundo sem aprender essas coisas. Essa sensação de estar sozinho à noite, rumo a um ato criminoso, sendo perseguido pela polícia, podendo confiar apenas nos seus sentidos, na sua astúcia e na sua coragem.

Senti que meu pai podia ter confiança em mim. Afinal, ele tinha me preparado a vida toda para uma noite como esta, e de repente entendi como viver com ele era, de modo geral, uma questão de confiança. Cada coisa era motivo para uma aula de investigação e de batalha pela sobrevivência. Por exemplo, íamos juntos para as compras no mercado, conversando sobre todo tipo de coisas, e de repente: "Olhe esta rua", ele me dizia, e eu já reconhecia aquele seu tom de voz especial, "para oito entre dez pessoas este é um lugar de fazer compras, encontrar amigos, pegar ônibus, mas duas pessoas em dez o enxergam de forma totalmente diversa. Uma delas é um criminoso, e a outra... é você, o detetive". (Eu endireitava o corpo.) "O criminoso vê esconderijos, carteiras para furtar, bolsas abertas, cadeados arrebentados, e, principalmente, ele vê você, Nono, o detetive disfarçado de cidadão ingênuo. E você, o detetive, dá uma olhada rápida pela rua toda, e ignora todas as pessoas inocentes, que não interessam nem à sua avó!" (A imagem da minha avó Tsitka passou rapidamente diante dos meus olhos, montada numa vassoura, e desapareceu entre os inocentes desinteressantes.) "Você tem obrigação de ver apenas o principal: um rapaz de olhar meio astucioso, ou os dois que se espremem do lado de uma velhinha na fila do ônibus, ou o homem que anda apressado com uma mala esquisita na mão. São só eles que existem! É contra eles que você trava a sua batalha!"

Eu adorava andar com ele na rua. Eu era tomado por uma sensação de responsabilidade. Se encontrasse algum dos meus colegas de classe, fazia um meneio com a cabeça e seguia adiante, para que ele não desviasse a minha atenção das minhas obrigações. Às vezes, meu coração ficava cheio de compaixão pelas pessoas comuns, aquelas oito que andavam ingenuamente pela rua sem ter nenhuma ideia do perigo que corriam, e do duelo de perspicácias que se desenvolvia o tempo todo sobre suas cabeças. Talvez fossem mais adultas que eu, mas quando eu passava pela rua em serviço, com meu pai, eu era como que o pai dessas pessoas.

Corri depressa demais. Cheguei perto demais de Felix. Isso não é bom. Dá pra perceber em mim o quanto estou tenso. E ninguém pode perceber isso. É proibido que vejam que estou em serviço. Sou um garoto que chega tarde demais em casa. Das suas atividades de escoteiro. Ainda bem que estava com a minha roupa. Uma menina andando sozinha numa hora dessas chama muito mais a atenção. E fora isso... é bom voltar a ser um garoto de verdade.

Não que tivesse sido tão ruim ser aquela menina. Eu já tinha meio que me acostumado.

Cadê o Felix? Despareceu por um momento. Ah, ali está ele.

Um cachorro late para ele, para o Felix. Um cachorro pequeno, descoordenado. Late para ele de dentro de um quintal. Isso não é bom. Chama a atenção. Felix se afasta dali com uma corrida rápida. Mas outros cães começam a latir. De dentro das casas. Nos quintais. No andar de cima uma cortina se mexe. Talvez alguém tenha ido até a janela ver o que está acontecendo. Felix disse que os cães são sempre atraídos por ele. A mim já atacaram pelo menos umas dez vezes. Até mesmo cachorros tranquilos e treinados enlouquecem quando eu passo por perto. Certa vez até o cão de um cego me atacou!

Em frente, avante. Não pensar. A cidade inteira late para nós. Minhas pernas correm sozinhas. O tempo todo parece que alguém está me chamando. Me convidando: venha para mim... Talvez porque neste momento estou tão sozinho. Longe do Felix, longe do meu pai, e por cima de mim, dentro da lua grande e branca, um rosto se desenha, sua expressão muda constantemente, e eu sou arrastado para a frente. Para onde? Para quem?

Zohara cresce dentro de mim. Ela era muito bonita. E durona. Que idade teria se estivesse viva? Trinta e oito anos. Como as mães dos meus colegas de classe. Como seria a minha vida se ela estivesse viva? Gabi não estaria conosco. Mas eu teria mãe. Não que atualmente me falte alguma coisa. Me virei muito bem sem ela todos esses anos. Eu só quero conhecer alguns detalhes. Só isso. Só completar a pequena investigação que comecei hoje.

Os cachorros se aquietaram. Baixou um silêncio absoluto. Silêncio de uma cidade antiga. Eu era como uma pantera. Feroz e silencioso. Como um animal noturno. Nas casas ao meu redor crianças dormiam, sem fazer ideia do que um garoto de sua idade era capaz de fazer.

Um garoto fora da lei. Um garoto com uma lei diferente.

Só de pensar em mim mesmo já sinto um arrepio.

No próximo fim de semana vai ser meu bar mitzvah. Toda a polícia vai estar presente. E papai também prometeu que vai me promover para um escalão mais alto. Nós fizemos um trato. Ao longo dos anos já cheguei ao grau de segundo sargento, e no próximo *Shabat* vou ser promovido a primeiro sargento! Vamos fazer nosso ritual de sempre com um copo de cerveja clara que sou obrigado a tomar até o fim, como homem, e ele me dará as insígnias. Realmente, já chegou a hora. Faz um ano e meio que não tenho uma promoção, por causa da história da vaca.

Parei assustado. Havia uma viatura de polícia estacionada na calçada à esquerda. Com a rapidez de um raio me agachei e me escondi atrás da entrada de um jardim. Depois de uns instantes, dei uma espiada. Havia dois policiais dentro do carro, recostados em seus bancos, batendo papo. A luz azulada girava irritantemente no teto do veículo. O rádio estava sintonizado e tocava música. Dois corpulentos policiais de ronda, aproveitando os momentos de sossego. Sentados no carro papeando. Corrompidos. Não vou conseguir passar ao lado deles sem que me percebam. Olhei para a direita e para a esquerda. A rua estava vazia. Olhar direcionado para o alto. Talvez haja algum ponto de observação em um dos telhados. A área está livre. Saí do jardinzinho e avancei numa corrida firme ao longo da cerca. Passei despercebido com facilidade. Longe da lei. É tão fácil. Passei perto deles como uma sombra negra. E eles indolentes, pesadões.

Tolos, gritei para mim mesmo. Ursos enormes e lerdos.

Na rua seguinte eu me contive e passei a andar normalmente, mãos nos bolsos. Felix também reapareceu de dentro da escuridão. Ambos nos desviamos da polícia exatamente para a mesma rua. Assobiei para mim mesmo. Comecei a ter uma sensação maravilhosa. Elevação de espírito, este é o nome que a nossa senhora Gabi dá a isso.

É como se só Felix e eu vivêssemos de verdade nesse momento, nessas horas, e todos os outros só fossem figurantes no nosso espetáculo. Nós lhes demos ordem para dormir, e todos obedeceram. Quem não dormia também não estava realmente acordado, talvez estivesse em devaneios, fantasiando. Ou sonhando estar acordado. Só nós dois, eu e Felix, estamos acordados, alertas e atentos. Passando como sombras pelas ruas às escuras. Somos estranhos a eles. Somos de outra espécie. Uma linha tênue nos separa deles. Se agora um menino despertar do seu sono, um menino de pijama, e espiar pela janela, ele vai me ver e vai pensar que está sonhando, que viu um morcego humano. Ou um homem-rã. Eu caminhava com facilidade. Dei um chute no para-choques de um carro estacionado. Simples assim, dei um chute. O que é que tem. Neste momento tudo isto aqui é meu. A rua, a cidade. As ruas. Vocês dormem, e eu me esgueiro no meio de vocês, astuto, perigoso, inesperado, sem pertencer a ninguém. Se me der na telha, posso arrasar metade da cidade de vocês. Até mesmo incendiar. Quem sabe? Pobres coitados. Ingênuos, mimados. Boa noite pra vocês. Não tenham medo. Não vou lhes fazer nada. Eu sou bondoso e complacente.

Posso, por exemplo, pegar um prego e riscar meu nome numa fila inteira de carros. Nono passou por aqui esta noite, e vocês se encherão de espanto e terror.

Talvez já esteja na hora de eu criar um estilo próprio para mim. Como as espigas de ouro do Felix.

Durmam, durmam tranquilos. Pequenas famílias. Em cada casa, pai, mãe e dois filhos. O que vocês sabem sobre a vida real, e sobre como é fácil destruir tudo de vocês? O que entendem vocês da luta pela sobrevivência? E da grande e eterna luta entre a lei e o crime? Durmam, cubram-se bem. Cubram as orelhas.

Eu me movia pela área como um espião em território inimigo. Quando ouvia passos por perto, mergulhava num dos jardins ou nos vãos das casas, esperando pacientemente. Pessoas voltando tarde para casa passavam ao meu lado, quase me tocando, sem saber. Uma das vezes, numa escadaria escura, havia uma mulher parada a centímetros de mim, procurando as chaves na bolsa; ela olhou para mim, seus olhos pousaram em alguns pares de bicicletas, e ela não me viu.

Mais devagar, eu corro o tempo todo.

Mais ou menos um ano atrás participei da captura de um garoto como eu. Papai e eu voltávamos tarde da noite de um jantar festivo na casa de Gabi, não me lembro o que estávamos comemorando, talvez ela tivesse sido bem-sucedida em alguma dieta. Quando estávamos indo para casa, papai ouviu no rádio do carro que dois rapazes tentavam arrombar um automóvel na frente do cine Ron. Papai virou o carro na hora, e voamos para lá. Era proibido ele me levar junto, mas ele teve receio de que, se me levasse primeiro para casa, a ação ficaria comprometida, e Deus me livre ele comprometer uma ação.

Nós realmente voamos. A velocidade do meu pai me deixou grudado no banco. Um congestionamento nos bloqueou, papai soltando fumaça de raiva e batendo os punhos no volante, ele não tinha sirene nem faróis de alarme, e ficamos presos ali no engarrafamento, e eu fiquei bem quietinho, pois vi como as veias saltavam no seu pescoço e na sua testa, e de repente meu pai explodiu e levantou voo da fila de carros.

Os pneus cantaram, o carro todo sacudiu e balançou, meu pai fez meia-volta e partiu no sentido contrário ao do tráfego! Cortou pelo meio das pistas, subiu na ilha, quase bateu de frente num carro... e eu sentado, paralisado e cego. Porque tinha certeza que dali a pouco morreríamos os dois, mas principalmente por causa da cara dele naquela hora, a cara de esforço para conseguir de repente quebrar todas as leis, as suas sagradas leis. E mesmo conhecendo o seu lema, que um guarda-costas não pede desculpas quando derruba o presidente no chão se lhe apontam uma arma, apesar de tudo, tive medo quando percebi como ele era capaz de se transformar daquele jeito, enfurecer-se assim de repente, como uma enorme mola de aço que passou toda a vida comprimida, e num piscar de olhos é liberada e começa a se distender.

E em meio àquela corrida maluca ele me explicou resumidamente, em tom de comando, o que eu estava proibido de fazer: Abrir a boca. Sair do carro. Chamar a atenção. Como se eu não soubesse. Com o rabo dos olhos dei uma espiada nele e achei que nesse momento ele era um homem que eu não conhecia. Que de súbito tinha saído de dentro dele uma outra pessoa. Seu rosto estava tensionado para a frente, a língua apertada contra os lábios. Seus olhos tinham um brilho estranho, perigoso, quase de contentamento: como se estivesse curtindo um jogo doido, uma espécie de sensação de morte, como se estivesse continuando suas investidas malucas dos tempos de juventude, mas agora com cobertura da lei. Pelo aparelho de rádio recebíamos constantemente detalhes do episódio que se passava na frente do cinema. Relataram que um dos rapazes, o menor, era o toma-conta: ficava parado na rua, como quem não quer nada, cuidando para que ninguém notasse seu colega, que se preparava para arrombar um carro. Ele não fazia ideia de que um dos nossos investigadores estava postado no telhado do cinema, bem em cima da sua cabeça, relatando pelo rádio toda a situação.

Dá a impressão de que tive uma infância bastante agitada, certo?

Não exatamente. Mas não adianta interromper agora a ação para contar como foi de fato a minha infância, além dessas operações, além dos revólveres.

Algum dia, se houver tempo.

Estacionamos na esquina, no meio de uma porção de outros carros. O homem que tinha saído de dentro do meu pai desapareceu na hora, aquele homem com o brilho violento e perigoso nos olhos. No pequeno carro pude sentir como a enorme mola foi empurrada de volta à força e comprimida dentro dele. Rapidamente vestiu um suéter civil sobre a camisa da farda, tirou um pequeno binóculo e observou através dele o que se passava. Essa sua expressão eu já conhecia. De repente virou-se para mim, como se só agora tivesse se lembrado de que eu estava junto, e que eu não sou policial e sim seu filho, deu um sorrisinho meio triste, um sorriso sincero, e apertou a minha bochecha:

"Estou contente de você estar comigo", disse, e eu fiquei atônito, pois não vi o sentido de ele me dizer uma coisa dessas no meio de uma operação policial. Afinal, o que foi que aconteceu para ele falar assim comigo? A minha bochecha ficou ardendo por causa da mão dele, ficou querendo mais.

O investigador no telhado do cinema informou que o jovem arrombador já estava passando pela terceira vez ao lado do Fiat amarelo. Ao passar, dava uma espiada para dentro. Toda vez que uma pessoa inocente descia a rua, o arrombador se escondia atrás do carro e o seu companheiro vigia observava com grande concentração a entrada do cinema.

"Setenta-e-dois para setenta-e-quatro, câmbio", cochichou meu pai pelo rádio. Voltou a ser absolutamente profissional.

"Prossiga, setenta-e-dois", respondeu a voz no rádio.

"Não quero nenhum movimento desnecessário da nossa parte, até que ele esteja realmente dentro do carro. Para ele não conseguir fugir e para haver suficientes IDs dentro do carro, entendido?"

"Positivo", respondeu a voz. ID são as iniciais de "impressões digitais".

Mais alguns momentos de tensão silenciosa. Um casal passou pela rua e parou para se beijar bem ao lado do carro. Com certeza queriam ficar a sós e não tinham a menor ideia de quantos pares de olhos os acompanhavam. Todo um mundo fervilhava ao redor deles, binóculos e aparelhos de rádio, e eles, os inocentes, não sabiam.

"Os dois pararam de se esfregar", informou o investigador no telhado do cinema.

"Andou vendo um filme fora do cinema, hein?", brincou pelo rádio outro policial, escondido nos arbustos.

"Shhhhhhh!", reclamou meu pai pelo aparelho: "Sem piadinhas na rede na hora do trabalho!"

Mais um minuto se passou. Os dedos do meu pai apertavam o volante. Seus olhos estavam arregalados. Ele estava prestes a atacar.

"O rapaz pegou uma chave de fenda", informou o guarda no telhado. "Está abrindo a fechadura." E após alguns segundos: "Está dentro".

"Contem até dez, e vão até ele", sussurrou meu pai pelo rádio: "Eu pego o toma-conta. Setenta-e-cinco pega o arrombador. Setenta-e-três fecha o caminho de fuga do arrombador. Ação!"

Tão bonito o jeito como ele disse "ação!". Como nos filmes.

Então ele saiu do carro correndo. Esqueceu completamente de mim. Estava entregue à operação. Eu o observei. Aprendi seus movimentos. Ele caminhou pela rua como se não quisesse nada, com as mãos nos bolsos. O garoto que vigiava o viu de imediato, examinando-o por um momento com o canto dos olhos, e concluiu que ele era inofensivo. Meu pai parecia um homem qualquer passando por acaso. Um homem voltando para casa depois de um longo dia de trabalho. Ombros caídos, andar cansado. Eu sabia que essa era exatamente sua aparência quando voltava do serviço para casa. Sim, penso agora: talvez ele não estivesse realmente feliz ao voltar para casa noite após noite. Mesmo eu estando lá, talvez a casa fosse vazia demais para ele. Talvez, quem ele de fato esperava encontrar — ela não estava lá.

Mais trinta passos, mais vinte, minha boca foi ficando seca. Quinze metros entre eles, e o rapaz sem desconfiar de nada.

E de súbito meu pai investe. Como um touro, com um berro terrível do fundo do estômago: "Seus filhos da mãe!" ele berra, gesticulando ferozmente com os dois braços. Até eu sabia que ele estava cometendo um erro terrível! Que ele devia ter chegado mais perto do rapaz, e somente ali, ao lado dele, dar-se a conhecer!

Mas meu pai não conseguiu se conter. Tinha tanto ódio dos

criminosos que era capaz de estrangular cada um deles com as próprias mãos.

"Você encara a sua guerra particular contra eles como se fosse uma questão pessoal", disse-lhe Gabi na nossa cozinha, "a ponto de estragar investigações e capturas."

Por que uma questão pessoal? Que questão pessoal ele teria com os criminosos?

"Você fica tão ansioso para se vingar deles, que chega a ignorar todo o seu treinamento."

Se vingar do quê? Do que ela estava falando?

O toma-conta soltou um grito de susto, parecia o urro de um bicho, as pernas cederam de repente, mas num piscar de olhos ele se recompôs, se aprumou e deu no pé. Saiu correndo na maior velocidade, os pés mal tocavam o chão. Ele se livrou facilmente do meu pai. Driblou-o como um ágil jogador de futebol. Vi meu pai se virando, pesado, nervoso, rígido, afrontado, estendendo a mão nervosa atrás do jovem. Seu companheiro, que tinha arrombado o carro, viu o que estava acontecendo e imediatamente se mandou para o lado oposto. Vi o policial escondido nos arbustos saindo e sacudindo os braços, frustrado e irritado. O rapaz que vigiava se livrou do meu pai, e agora vinha na minha direção. Cem metros nos separavam, e eu sabia exatamente o que fazer. Saí lentamente do carro e andei na direção dele como quem não quer nada. Não fiquei nem mesmo ansioso. Meu corpo funcionou como uma máquina bem lubrificada, pensando por mim. Não olhei para o rapaz, nem ele olhou para mim: um menino como eu não era motivo de preocupação. Ele tinha medo dos policiais adultos. Em um instante ele veio voando desde a esquina até chegar a mim, e de repente estava passando ao meu lado, e vi seus olhos quase saltando das órbitas, e com um movimento súbito, exatamente como tem que ser, exatamente como meu pai me ensinou dezenas de vezes no pavilhão de treinamento, estiquei uma perna e o derrubei.

Tudo aconteceu numa fração de segundo. Ele estava correndo muito rápido e, ao cair, voou e rolou alguns metros, até se chocar contra um carro estacionado. E ali ficou, estirado no chão, desmaiado. Um momento depois já estava cercado por dois policiais, que lhe colocaram algemas nos pulsos.

"Esse aí não é o filho do Feierberg?", disse Alfassi, um dos dois, ao me reconhecer. "Não é o mascote?"

"O que você está fazendo aqui, Nono?", perguntou o outro, o de barba.

Todos os policiais da área me conheciam.

"Vi ele fugindo, e estiquei a perna."

"Ei, você é um grande cara! Salvou a operação!"

Meu pai chegou correndo, ofegante e suado.

"Sinto muito. Não avaliei direito a distância", ele resmungou, "pulei em cima dele cedo demais."

"Não faz mal, comandante."

"Não faz mal, comandante."

Os dois foram cuidar das algemas do rapaz, para que meu pai não visse o que estava escrito na cara deles com letras enormes.

"O outro escapou, comandante, mas seu filho pegou este aqui, e ele vai nos ajudar a escrever um belo convite para o colega dele, certo, meu caro?"

O policial apelidado de "Barbudo" chutou o jovem aos seus pés. Todos sabíamos quem ele realmente queria ter chutado.

Ficamos ali mais alguns minutos. Meu pai esperou até a chegada do carro de identificação e tirou as impressões digitais em volta da fechadura do veículo. Uma pequena multidão tinha se juntado ao redor de nós, e os policiais mandaram todo mundo dispersar. As pessoas apontavam para mim e algumas cochichavam. Fiquei indiferente a isso. Com as mãos nos bolsos, verifiquei as impressões digitais, procurei pistas que pudessem ajudar na investigação, fiz apenas o que é preciso fazer numa situação dessas.

O cara que eu tinha pegado estava deitado na calçada, as mãos presas atrás das costas, algemadas. A luz do poste brilhava sobre sua cara e ele parecia um animalzinho caçado. Não ousei encarar seus olhos. Toda sua vida podia mudar nesse momento, e eu era sua sina.

Porém seu olhar procurava justamente por mim. Ele rolou na calçada para me encarar nos olhos. Não me mexi. Que olhe. Tive a impressão de ver nos seus olhos um ar de zombaria em relação a mim, o filhinho mimado da lei. Ele me deu um sorriso maldoso. Um sorriso de ódio, mas também uma amarga saudação. Ele me saudava por ter conseguido pegá-lo.

Pois é assim que são as coisas para nós: os profissionais sabem reconhecer a competência do inimigo. Faz parte do espírito da profissão. Como no caso de Felix e do meu pai. Como o aperto de mão dos dois, no trato que fizeram por mim. E de repente é tão difícil acreditar que tenham feito tal trato. Tenho certeza absoluta que sim, mas e se não fizeram?

Papai se afastou dos outros policiais, pegamos o carro e voltamos para casa em silêncio. Era tão aflitivo, ele quase ferrou com tudo, e eu salvei a situação no último minuto. Quis dizer a ele que tinha sido só por mero acaso. Que eu não tinha tido a menor intenção de ter um êxito tão grande. Que na minha idade os instintos são muito rápidos. Afinal, está claro que ele é mais sábio e mais experiente do que eu em termos de trabalho policial. Mas acabei ficando quieto. O pior era pensar que agora ele poderia voltar atrás naquilo que disse no carro, antes da operação.

Durante um ano inteiro não pensei nesse fato. Não contei nada nem para o Micha. Só queria esquecer aqueles momentos terríveis de silêncio dentro do carro. Desde então, nunca mais falamos naquilo. Até mesmo Gabi, que ficou sabendo do acontecido pelo relatório que datilografou, não disse nada. E só agora, nesta noite, a coisa voltou. O sorriso maldoso daquele garoto. Talvez ele tenha sorrido de raiva dos meninos mimados. Talvez tenha sentido alguma coisa ruim em relação a mim.

Mas a que Gabi se referiu quando disse: "A sua guerra pessoal contra o crime"? O que eles lhe fizeram para que ele os combata com tanta intensidade? Do que estava se vingando?

Para dizer a verdade, eu já tinha começado a entender. Adivinhei a resposta, mas me obriguei a ter cuidado. Não tirar conclusões precipitadas. E, seguindo uma ordem correta, como numa investigação organizada, fiz as perguntas que sempre zuniram ao meu redor, durante toda a minha vida, e que eu nunca tinha feito: Por que motivo ele move uma guerra pessoal contra os criminosos? Alguma vez eles o prejudicaram? E se prejudicaram, como foi? Por exemplo, quem foi que eles mataram para atingi-lo assim? E se foi porque a mataram, isto é motivo para ele combater assim, do jeito que combate? Eu já tinha esquecido que estava fugindo e que é preciso ter cuidado. Murmurei as perguntas internamente, só movendo os lábios, e não me importava se alguém me visse e prestasse atenção em mim. Por que, afinal, eles a mataram? O que foi que ela lhes fez? Talvez a tenham matado para castigar meu pai. E quem a matou? E depois que ela morreu, teriam parado de castigá-lo? Ou tentariam atingi-lo por meio de mais alguém, alguém muito próximo?

Talvez seja por causa disso que, desde pequeno, ele me avisa tanto para ter cuidado? Para abrir os olhos? Suspeitar de qualquer coisa? De qualquer pessoa? Mas talvez eu não seja de fato profissional nas minhas suspeitas? Por exemplo, qual é a situação de Felix, correndo ali na minha frente? Qual é a relação dele com todo esse assunto? Será que realmente meu pai apertou sua mão e fez com ele esse trato a meu respeito? Por que eu me sinto tão atraído para perto dele, atraído e com medo, apesar de tudo? Talvez seja este o momento de fugir dele. De me salvar...

Já estava caminhando devagar, meio temeroso, meio desanimado, andando para a frente, e ao mesmo tempo sendo puxado para trás. Como se num piscar de olhos tivesse conseguido vislumbrar o lugar que é proibido vislumbrar na minha idade. E ali estava meu pai no escuro, com seus músculos, e as veias salientes no pescoço, parado, lutando de dentes cerrados contra o crime. Ele defendia todo mundo do grande inimigo de mil faces, e defendia especialmente a mim. Ele me preparou para o eterno grande combate. Solitário e desesperado, ele permaneceu ali travando sua luta contra todo o mundo do crime, sem nunca pedir ajuda de ninguém, e sem desistir.

Olha aí, eu correndo de novo.

19. A dupla de cavaleiros das areias

De repente senti o mar. Ele me atingiu com seu cheiro, com sua maresia e com o quebrar das ondas. O mar! Só algumas horas longe dele, e já sentia saudades. Eu gostava muito do mar (já contei isso); mesmo tendo vivido em Jerusalém, sabia nadar como alguém de Tel Aviv. Sempre que podia, convencia Gabi a viajar pro mar, e ela achava graça de como eu ia ficando agitado de ansiedade já na praça Dizengoff, como um peixe que fugiu do aquário em Jerusalém e dali a instantes voltaria ao lar original.

A coitada da Gabi ficava sentada numa espreguiçadeira não tão confortável com seu vestido preto, com uma tira de plástico branco cobrindo o nariz, e inteirinha — inclusive a bolsa — coberta de protetor solar. Ela parecia um fantasma na praia movimentada. Detestava o mar, tinha medo do sol e, principalmente, sofria com as gatinhas que passavam diante dela com biquínis minúsculos. Sua cabeça se movia de um lado a outro, como que se debatendo incessantemente entre duas colunas, uma de tristeza e outra de inveja. "Eu sou a única pessoa que tem enjoo de mar na praia", dizia com um sorriso amarelo, quando alguma beldade desfilava à sua frente. "Deus me colocou nesse mundo para aumentar o limite do sofrimento humano."

Meu pai também não gostava do mar. Tenho a impressão de que nunca o vi na água (só quando eu tinha dez anos ele me revelou, por acaso, que nem sabia nadar). Gabi sofria na praia, mas, por saber o quanto eu ficava feliz entre as ondas, dispunha-se a viajar comigo até Tel Aviv pelo menos uma vez por mês. Era o nosso dia fixo de prazer, quer dizer, meu dia fixo de prazer: tenho a impressão de que Gabi não apreciava a maioria das coisas que fazíamos lá. E, apesar de tudo, durante cinco anos, desde que eu tinha oito anos de idade, ela não falhou num único "programa em Tel Aviv": primeiro ficava estirada na praia; depois, diante da casa de Lola Ciperola, ficava de pé uma ou duas horas inteiras, as pernas doendo, sem se queixar. No restaurante estudava o cardápio com ar de desalento, anotando no guardanapo a quantidade de calorias consumidas na forma de bifes e batatas fritas, como se isso bastasse para emagrecer... De vez em quando, depois de porções especialmente abastadas, recostava-se na cadeira, apalpando com ar desconfiado os nacos de banha da sua barriga: "Nada bom, Gabrielita", dizia num cochicho, "nada bom para as suas dobras".

Do restaurante subíamos num ônibus da empresa Dan e íamos para a nossa diversão secreta e agitada: a fábrica de chocolate na saída de Ramat Gan. Esta era outra das coisas que juramos solenemente manter em segredo, nosso doce e particular segredo, e Deus nos livre que meu pai soubesse que ela me corrompia dessa forma.

Uma vez por mês, sempre numa quinta-feira às quatro da tarde, a fábrica organizava uma excursão guiada para visitantes; naqueles cinco anos, nós dois, Gabi e eu, fomos praticamente os visitantes de honra — às vezes os únicos — que participavam do passeio. Durante uma hora inteira éramos rebocados pela monitora de sempre, sonolenta, magra como um palito de fósforo, e engolíamos pacientemente suas palavras sobre o processo de produção do chocolate: a trituração das sementes de cacau, a adição de manteiga, a formação da mistura líquida, mole, cremosa, espessa...

A monitora em si já era uma pessoa especial. Toda sua figura passava um ódio pelos prazeres da vida em geral e pelo chocolate em particular. Mesmo assim, continuava a exercer aquela função com a competência de uma máquina. Ela nunca mudou o tom de suas explicações, nem as duas piadinhas fixas que fazia, sempre na mesma hora. Nunca nos perguntou o que nos levava a acompanhá-la já por cinco anos. Só uma vez aconteceu de ela se desviar um pouco da sequência habitual da excursão. Também naquela vez éramos os únicos visitantes, e diante do setor onde estavam envolvendo os tabletes de chocolate em embalagens coloridas, virou-se para nós e disse: "Desculpem meu atrevimento, mas vocês já estiveram aqui, então talvez a gente possa pular esta parte, tenho um compromisso urgente às quinze para as cinco".

Gabi e eu trocamos um olhar rápido, desnorteado: afinal, o setor de embalagem era um dos pontos altos da excursão! Como a visita aos camarins dos atores antes de eles saírem para se apresentar perante o público!

Gabi estreitou os olhos e perguntou agressivamente: "Compromisso com um rapaz?".

"Não", disse a mulher, "com um médico."

"Se é com um médico, tudo bem", Gabi a tranquilizou, "mas só desta vez."

E aqui preciso fazer uma pequena pausa para esclarecer um assunto importante: existem pessoas, pessoas de espírito rude e sem alma, que não têm sensibilidade artística, para as quais uma excursão dessas não passa de uma enorme chatice. E mesmo que por acaso gostem de chocolate, estão interessadas apenas no produto acabado. No resultado final, pronto.

Mas para mim e para Gabi o processo de produção do chocolate nos atraía como num passe de mágica: os tubos, os tanques, as máquinas que transportavam os sacos com grãos de cacau, os gigantescos barris onde eram despejados os grãos antes do preparo, o enorme recipiente onde era preparado o líquido bruto, a beleza indescritível e impressionante de uma barra de chocolate inteira, antes de marcarem os quadradinhos, e a precisão com que o tablete era coberto por papel prateado brilhante, e depois outro papel colorido — como é belo o ciclo vital na natureza!

Peço desculpas por dar tanta importância a essa descrição. Estou efetivamente atento para a possibilidade de que entre os leitores deste livro possa haver um ou dois indiferentes ao poder de encantamento do chocolate. No nosso mundo existem de fato insensíveis desse tipo, e cabe a nós aceitá-los com espírito aberto, como parte das criaturas que não têm explicação científica. Eu até conheço pessoalmente um garoto, não vou citar seu nome, que ainda precocemente, já na infância, optou por salgados. Sim senhor: ele devora com apetite apenas conservas, chips e outros produtos salgados, recobertos de grãozinhos de sal. Estranha escolha, se me permitem observar. E sob este ponto de vista, ele e eu pertencemos, para minha tristeza, a dois ramos totalmente distintos da espécie humana: os humanos adeptos de salgados são, como se sabe, pessoas práticas, lógicas ao extremo, resolutas, desconfiadas de falatórios e ligadas apenas a fatos. Mais de uma vez me foi insinuado, devido ao comportamento suspeito deles em algum lugar nas encostas dos montes de Sodoma, que os salgadistas têm o hábito de realizar rituais que consistem em mergulhar barras inteiras de chocolate no Mar Morto! Um absurdo! Mas é sabido que a capacidade de discernimento fica prejudicada após anos seguidos de uso exagerado de sal.

Quanto a mim, às vezes estou convencido de que nas minhas veias corre calda de chocolate (com gosto de cereja). Até hoje, quando encontro pessoas como eu, principalmente adultos, em importantes almoços de negócios, eu sei, no fundo do meu coração, que todo o almoço, todas as conversas e análises, são apenas o pedágio que devo pagar para chegar ao prazer máximo no final.

E quando ele chega, ui, que delícia!

Com cara de indiferença, falando sobre coisas basicamente casuais, eu engulo a cremosa mousse de chocolate, o prazer maternal da torta "Doces Sonhos", ou a montanha de creme chantilly, ou as cremosas tortas de "Sonhos Nevados"... E a pessoa, homem ou mulher, sentada à minha frente nesse almoço de negócios não faz ideia de que no meu interior, dentro de seu polido e contido interlocutor, estão sorrindo duas lembranças: um menininho de cabelo amarelo e uma mulher grande de vestido preto que faz emagrecer, ambos engolindo os doces, despudoradamente e sem grandes mistérios, lambendo os dedos e se lambuzando inteiros num paraíso de sabores...

Peço para fazer mais uma breve digressão no fluxo da história, para aproveitar este momento, um momento de absoluta sinceridade, de uma doce proximidade entre autor e leitor, para aqui deixar meu último pedido sobre a terra, minha vontade espiritual:

Quero que me enterrem num caixão feito de chocolate.

E que a terra seja doce.

Primeiro vi a escavadeira, depois Felix. Eu o vi antes que ele me visse. Chegou de uma ruazinha transversal, exatamente no mesmo instante em que cheguei à praia. Caminhava capengando como um mendigo, lançando olhares em volta com ar casual, mas, da mesma forma que um pescador puxa a vara de pescar com um movimento largo, ele puxava para dentro dos olhos tudo que havia ao seu redor... Ele sabia como observar: quando uma pessoa comum, inocente, quer olhar para trás, em geral olha por cima do ombro esquerdo. É isso. Tentem vocês mesmos e verão. Portanto, quando um bom detetive marcha em direção a um suspeito, procura sempre chegar por trás e pelo lado direito, para não ser descoberto. Felix sabia disso, é óbvio, e vez ou outra lançava também um olhar pela direita, e assim captou a minha imagem esgueirando-se em meio às sombras.

Pelo jeito não tinha certeza de que era eu andando atrás dele. Num dado instante, sumiu. Não pude ver para onde tinha ido. Como se tivesse se enterrado na areia, ou se dissolvido na escuridão. Afinal, era isso que contavam dele — que era liso como água: centenas de policiais e detetives acreditando que ele já estava preso nas palmas de suas mãos, e ao abri-las para espiar, viam que Felix tinha dado um jeito de sumir.

Exceto um que fechou a mão com tanta força que ao abrir — lá estava Felix.

Esperei. Cadê ele? Hesitei por um momento. Depois, comecei a assobiar baixinho "Brilham teus olhos". Vi alguma coisa se movendo na areia, como uma cobra deslizando entre as dunas sob o luar, e depois de um instante ouvi como resposta um assobio agudo. Assim estabelecemos um sinal, sem combinar antes.

Aproximamo-nos no escuro. "Pronto", eu disse, apontando a escavadeira que ali estava.

"Um dinossauro", exclamou Felix. Fiquei sem saber se ele queria dizer que a escavadeira era velha, ou se parecia um animal pré-histórico.

Pequena. Compacta. Amarela. Tinha uma pá do mesmo tamanho que o corpo, erguida.

Estávamos dentro de uma enorme vala, toda escavada na beira do mar. Dentro dela, aparentemente, havia fundações para a construção de um prédio. Eu ainda não entendia o que tínhamos vindo fazer aqui. Caminhamos em silêncio. Examinamos o terreno. Em torno da vala havia uma cerca de tábuas de madeira. Uma pilha de ferros compridos e estreitos repousava ao lado de uma máquina de cortar ferro. Havia também uma cabaninha de madeira. A cabana do vigia. Não se via nenhuma luz entre as frestas.

Chegamos perto da cabana. Tive a impressão de que Felix farejava mais do que olhava.

"Há alguém lá dentro", ele apontou com o dedo: "Dormindo."

"Como você sabe?", sussurrei.

"Havia uma fogueira", ele sussurrou apontando para um pequeno círculo de brasas. "Só uma caneca de café."

"Beleza, Holmes", disse para ele a Gabi dentro da minha cabeça. "E como você sabe que ele está dormindo?"

"Não sei", retrucou Felix num sussurro, "só espero que esteja. Quem sou eu, o profeta Elias?" Examinamos a cabana. Não tinha janelas. Esse fato deixou Felix bastante animado. Fez um sinal de positivo com os dedos, mostrando sua satisfação. Agora começou a fazer uma busca em volta. Achou uma viga de madeira e a mediu com o olhar, comparando-a com a porta da cabana. Ágil, com movimentos de gato cercando um rato, chegou perto da porta. Um instante de silêncio, e então, com um movimento forte e súbito, prendeu a viga entre a maçaneta e a porta, transformando a cabana numa cela.

"Rápido", ele disse e ouvi aquela força na sua voz, a força que desperta nele em horas de perigo, como se um motor fosse ligado, começando a funcionar.

Saltou sobre a escavadeira como se montasse no lombo de um cavalo. Fuçou aqui e ali, achou dois pregos grandes e um alicate. Não entendi o que ele estava fazendo. Tive a impressão de que na cabana alguém acordou e se mexeu, ainda bambo. Felix entortou os dois pregos com auxílio do alicate. Produziu um pequeno garfo de metal e o enfiou num buraco duplo atrás do banco do motorista. Em volta, ainda silêncio. Eu não sabia o que aconteceria em seguida.

Aconteceu que o silêncio foi repentinamente quebrado. Felix girou sua chave improvisada e de uma só vez a escavadeira começou a rugir. Naquela escuridão, o rugido era terrível. Pensei que em Tel Aviv ninguém continuaria dormindo depois daquilo. Felix saltou sobre o banco e me fez um sinal para que eu subisse também, e eu, num salto...

Ele puxou e liberou o freio de mão, e a escavadeira saiu do lugar com um movimento brusco. Oscilamos para a frente e para trás, como em cima de um camelo que se levanta do chão. Felix experimentou as duas grandes alavancas à sua frente, pressionou as pernas contra os largos apoios, examinou, viu que funcionava e começou a guiar. A escavadeira o obedeceu imediatamente, como que sentindo sua força. Quando passamos ao lado da cabana me pareceu que havia uma luz fraca brilhando entre as frestas. Vi a maçaneta da porta se mover para cima e para baixo. O vigia tentava sair. Era impedido pela viga. Ele começou a dar socos na porta.

Quem erra paga, meu caro. Esta é a luta pela sobrevivência. Quanto a você, volte a dormir.

Chegamos muito rápido ao banco de areia. Era uma plataforma enorme, com alguns metros de altura e dezenas de metros de comprimento. Uma muralha de areia marinha ali acumulada e transformada numa parede sólida — pelo jeito toda a areia tirada das escavações da vala onde estávamos antes.

"Este é o monte que está tapando a vista da janela de Lola!", explicou Felix aos gritos. "Que está escondendo dela o mar!"

"Mas quando construírem um prédio aqui, vai tapar ainda mais!", gritei.

"Já faz três anos que não constroem!", replicou Felix a todo volume: "Largaram tudo e deixaram assim. A areia, a escavadeira e o vigia! O dinheiro acabou! Roubaram o mar e foram embora! Agora se segure bem! Êia, sus!".

Com aquele grito terrível enfiou a escavadeira no monte de areia, e com toda a força do motor puxou a pá de volta. Eu me desequilibrei. Segurei com uma mão a barra superior da escavadeira e fechei os olhos.

A pá de metal atingiu o monte de areia bem no centro e o dividiu. Durante três anos o muro de areia tinha ficado ali, até se tornar uma mistura úmida de areia e sal. Mas a escavadeira o partiu com um só golpe. Nuvens de poeira arenosa voaram para todos os lados. Os olhos, o nariz, a boca, tudo se encheu de areia. Felix agarrou a barra de câmbio e puxou a escavadeira para trás. Com um movimento firme girou a frente da máquina e voltou a investir contra a muralha.

A escavadeira rangeu, a pá cedeu um pouco, cravou novamente, tudo numa viagem rápida, e mais uma vez enterrou seu aço na base do monte. Blocos enormes, rochas de areia, começaram a se partir e ruir ao nosso redor, erguendo poeira aos céus. Felix ria, jogava a cabeça para trás e rugia como um leão, uivava como uma hiena e gemia de tanta felicidade. Bati no seu ombro, para que lembrasse que tinha um sócio! Ele se mexeu um pouco no banco do motorista e me deixou apertar a alavanca. A escavadeira rugia e tremia, eu a arranquei do meio dos montes de areia tombados à nossa volta e sobre as nossas cabeças, e mais uma vez a movemos ao longo da plataforma buscando um ponto para enfiar a pá. Era maravilhoso, muito doido, investíamos contra o monte de areia como invasores derrubando uma muralha de pedra, e eu, na listinha que tinha feito na minha cabeça, sob o item "experiência ao volante", acrescentei "escavadeira" logo depois de "locomotiva". Felix gritava alguma coisa com toda a força, tive a impressão de que ele cantava "Quem vai roubar, roubar o trem pra Tel Aviv?" e respondia para si mesmo rugindo: "Nós, nós os pioneiros, vamos roubar o trem pra Tel Aviv!". E depois cantou: "Azul da água, azul do céu, lá se vai o porto, para o beleléu!". E então achei que tinha chegado a hora de termos um hino particular, da equipe, e nós dois, aos gritos, no meio das nuvens de poeira à beira-mar, compusemos uma pequena canção:

Brilham teus olhos, brilhantes sem igual!
No cais do porto teu aceno é um sinal!
Roubaram o teu mar!
Lá vamos nós recuperar!
E tua echarpe lilás será nossa no final!

Não sei qual de nós dois compôs o hino. Eu comecei, Felix continuou, e dentro de um minuto já estávamos cantando em coro. Felix estendia os braços em todas as direções, lágrimas de alegria escorrendo dos olhos. Com suas roupas de mendigo e com seus pequenos pulos em cima da escavadeira ele parecia um servo dos antigos deuses fazendo uma oferenda para a lua; pensei que ele estava feliz porque em toda a sua vida de criminoso nunca tivera a oportunidade de cometer um crime como este, um crime com um bom objetivo, e assim dançamos os dois em cima da escavadeira, agitando os braços e gritando, e também a própria escavadeira dançou, amarela, contagiada pela nossa fúria e entusiasmo. Nunca vi uma escavadeira tão feliz. Talvez ela estivesse manifestando sua gratidão por nós a termos libertado de seu prolongado sono. Ela exibia flexibilidade e pontaria de um ponto a outro; aproximava-se do monte de areia com suprema precisão, e só no último instante explodia e enfiava sem compaixão sua pá imensa. Era simpática e gentil como um bebê de mamute, e depois de cada escavada erguia a pá para o céu e parecia cair numa risada muda. Às vezes precisávamos segurá-la com força, acalmá-la...

(Agora todos juntos:

Êi, êi, Lola
Êi, Lola Ciperola!
Êi, êi, Lola —
Lola Ciperola!)

A escuridão foi escorrendo do céu, sendo levada para o mar. Faixas claras de azul foram se revelando através dos buracos que abrimos na muralha. Aspirei o cheiro do mar até sentir a ardência do sal nos pulmões. Aspirei, aspirei, não lembro o que fiz, eu mesmo o agarrei! Agora ele é meu! Nenhum garoto na minha frente! No mundo!

Às cinco da manhã a escavadeira parou de repente. Talvez tenha quebrado, talvez o combustível simplesmente tenha acabado. O céu foi ficando mais claro nas bordas, e gaivotas brancas começaram a surgir e se espalhar. A muralha jazia arrasada, desmanchada em toda sua extensão, e ágeis ondas matinais se apressavam em dissolvê-la, arrastando suas sobras mar adentro. Felix e eu estávamos cobertos de areia, da planta dos pés ao alto da cabeça. Até nos cílios eu sentia a areia pinicando. Uma máscara de areia molhada e salgada cobria nossas caras. Seus olhos azuis brilhavam por baixo da areia como os olhos de uma criança muito feliz.

Felix enfiou a mão enlameada dentro da sua camisa rasgada de mendigo e tirou de lá uma fina corrente. Uma medalha em forma de coração e duas espigas douradas cintilaram milagrosamente dentro da mão coberta de areia molhada.

"Você é como a sua mãe", ele brincou por baixo da areia, "ela era exatamente assim com o mar. Maluca como você. No mar ela se sentia em casa. Ela era como um peixe na água."

Ele pegou uma espiga, e a alisou com os dedos.

"Agora você joga", ele disse de repente, e enfiou a espiga na minha mão.

"Eu?"

(Eu?!)

"Você me deixa fazer o seu símbolo?"

(Ele me deixa fazer o símbolo dele?)

"Sim. Por favor. É mais adequado. Por favor."

Leve e dourada. Uma pequena espiga na minha mão. Fiquei curvado sobre a escavadeira. Vi que ele me observava com o canto do olho, um olhar especial, igual a quando me viu no trem pela primeira vez. Com toda a minha força, eu a joguei em direção ao céu, em direção ao mar.

Ela voou pelo ar, virou lentamente, caiu e sumiu no meio das ondas. Uma gaivota branca veio atrás dela. Talvez a tenha encontrado, talvez não.

Descemos da escavadeira aos saltos e começamos a correr. Precisávamos sumir dali antes que a cidade acordasse. Por um instante olhei para trás e senti uma nesga de tristeza no coração: a nossa pequena escavadeira estava parada na linha da praia, a pá erguida. Só por uma noite a resgatamos de seu sono, agora tinha voltado a dormir.

Da cabana do vigia ouviam-se batidas, gritos e xingamentos. Felix hesitou, mas foi até lá e soltou um pouquinho a viga que prendia a maçaneta. As batidas no interior cessaram. Talvez o homem tenha se assustado. Nós nos apressamos para sumir dali, mas antes de deixar a praia Felix me segurou e apontou em direção à cidade:

"Olhe lá, Amnon."

A maioria das venezianas dos prédios estava fechada. Tel Aviv ainda dormia o sono dos inocentes, sonhando seu último sonho. De uma das janelas mais altas um brilho fino e aéreo reluzia, uma nuvem lilás e transparente, respirando o ar da manhã, rendendo-se ao vento que a enchia de vida. A echarpe de Lola Ciperola, que agora era minha.

20. Será que existe reencarnação? E também: eu saí no jornal; na primeira página

Antes de tudo tomei um banho. Foi o primeiro banho que tomei em Tel Aviv na minha vida, e de fato foi como nos contavam em Jerusalém: um jato de água forte, cheio, espumante, caindo como uma cachoeira sobre a cabeça. Não era aquele filetezinho minúsculo dos nossos chuveiros em Jerusalém, que pingava umas três ou quatro gotas e fugia correndo de volta para dentro do cano, como se estivesse brincando com a gente. Tirei de cima de mim as inúmeras camadas de areia grudadas no meu corpo e fiquei mais de meia hora debaixo do chuveiro, até a água me deixar completamente calmo. Durante o banho lembrei que ainda não tinha telefonado para meu pai e Gabi, mas, quando saí, Felix disse que a refeição estava pronta e que seria bom sentar e comer. Lola preparou para nós um régio café da manhã no estilo "repouso-do-guerreiro-e-redenção-do-exausto": ovos e chocolate quente, salada cortada em folhas finas, purê de maçã; na minha opinião, segundo os critérios da EIPRADE, aquela foi a vice-campeã na lista de refeições (perdendo apenas para o jantar no restaurante). Eu disse a ela que seu estilo de salada era parecido com o de Gabi, Lola perguntou quem era Gabi e eu contei, de boca cheia (como convinha a Gabi). Fiquei o tempo todo lamentando que Gabi não estivesse ali comigo, pois sentia que ela e Lola podiam se tornar boas amigas, por causa das opiniões parecidas sobre a vida e sobre os homens. E lamentei também que Gabi não pudesse me ver ali e se orgulhar de como eu sabia conversar com gente famosa e importante. Pois há um bom tempo eu já a vinha chamando de Lola, e ela me chamava de Nono.

Mas Lola não se sentia importante nem famosa quando estava em casa. Era simplesmente uma mulher adulta e prática, sem camadas de maquiagem, sem aquela voz que subia e descia tão rápido a ponto de soar artificial, melodramática, além daqueles gestos exagerados. Uma mulher de carne e osso, com um sotaque um pouquinho estranho, observações engraçadas, uma face bonita e bronzeada e um corpo flexível, manchinhas marrons da idade nas mãos, um pescoço levemente enrugado, aliás, talvez por causa disso ela sempre usava a echarpe lilás.

Ela estava sendo delicada, se preocupando comigo. Todo lugar que eu ia, Lola vinha atrás, sentava e simplesmente ficava me observando. Era muito esquisito, pois em geral, até ontem, era eu que me esforçava para vê-la, nem que fosse por um minuto apenas, nem que fosse só uma espiadela, na maioria das vezes até pagava um ingresso para poder observá-la, e agora, aqui, ela simplesmente me engolia com os olhos.

"Diga quando você se cansar de mim, Nono", ela disse, "eu tenho tanto prazer em olhar para você."

"E o que é que eu tenho de tão interessante para ser visto?", respondi rindo, envergonhado.

"Você é bonito. Bem... você não é lindo, não fique convencido, mas você tem um rosto interessante. Um monte de contradições internas de personalidade, uma personalidade que eu quero conhecer mais e mais! E essas orelhas: orelhas de gato. Você é doce quando sorri, e tudo que você faz me toca o coração. Ufa!" Ela pressionou as mãos contra as bochechas e moveu a cabeça dando risada: "O que é que eu estou fazendo? É comportamento de velha. Você precisa entender: os meninos que eu conheço no teatro são só mulheres que se fantasiam de meninos, e faz muito tempo que não vejo um menino de verdade. Me conte mais".

"Sobre o quê?"

"Sobre tudo. Sobre os seus amigos. Como é o seu quarto. Quem compra as suas roupas, e o que você faz depois da escola. Você gosta de ler?"

Primeiro Felix, e agora ela. Faz muito tempo que ninguém se interessa tanto por mim. O que é que eles têm, esses dois?

"Então venha me ajudar com os retratos, preciso de um homem jovem e forte que vá me passando as fotos."

Ela subiu numa escada e fui passando para ela, uma depois da outra, todas as pequenas fotos que até ontem estavam penduradas na parede. Era o que ela tinha feito durante toda a noite: tirado os retratos da parede, arrancado os preguinhos, enchido os furos de pasta de dentes branca, e ao amanhecer tinha caiado toda a parede.

"Tudo graças a vocês, que me ajudaram a decidir!", foi como ela nos recebeu quando voltamos da praia de manhã. Ela estava de calça e camisa de homem, coberta de respingos de cal.

"Já faz dez anos que eu queria fazer isso e não me atrevia!", exclamou, sacudindo a brocha de cal, e um respingo branco sujou Felix de cima a baixo. "Dez anos sem conseguir respirar aqui dentro por causa de todas essas caras pomposas, todos esses meus retratos, e meus espetáculos e minhas poses. E agora vai tudo para o armário! Quero começar a respirar!"

Fiquei aos seus pés, passando para ela, um após o outro, Elizabeth Taylor, Ben Gurion e até mesmo Moshe Dayan, e acima da minha cabeça eu ouvia suas gargalhadas, enfiando todos eles pela abertura escura do sótão.

"Isto é o que se pode chamar de dieta de sucesso!", disse ao descer da escada. "Esta noite perdi pelo menos uma tonelada de máscaras e fingimento!"

"Mas o teatro é a sua vida!", eu disse, perplexo e um tanto desapontado. E ela: "Engano seu, senhor Feierberg! A minha vida começa agora. Hoje! Talvez até mesmo... graças a você!". E me agarrou e dançou comigo uma dança selvagem, até quase cairmos juntos.

Estou ficando louco, pensei. Não estou entendendo nada. Mas curti demais.

Enquanto tomávamos café da manhã ouvimos as venezianas se abrindo nos apartamentos vizinhos, depois gritos de surpresa e brados de alegria. Por toda parte iam se abrindo mais e mais janelas e venezianas, as pessoas olhavam para fora e chamavam umas às outras, emocionadas, sem entender o que tinha acontecido durante a noite. Diziam que devia ser milagre. Do andar de baixo ouvi uma voz idosa explicando de forma didática que era possível que a força gravitacional da lua tivesse sido tão intensa nessa noite a ponto de gerar ondas muito mais potentes, e que essas ondas avançaram sobre a plataforma de areia e a erodiram, até que ela acabou ruindo. Outro vizinho levantou a hipótese de que a prefeitura estivesse com intenção de criar um imposto sobre a paisagem, de modo que rapidamente se apressou em devolver ao bairro a vista para o mar...

"Você está ouvindo direito, garoto", disse Lola. "Para entrar em Tel Aviv as pessoas não precisam fazer exame de admissão." Ela veio e se colocou entre Felix e mim, pousando os braços sobre nossos ombros: "Vocês deram a eles um belo presente, mesmo que eles não saibam".

Eu quis telefonar para casa, mas Felix começou a descrever mais uma vez como destruímos a muralha, a bagunça que fizemos e quanta areia voou, e como prendemos o vigia na sua cabana, e como… Ele estava igualzinho ao meu pai depois de uma operação bem-sucedida. Falava com segurança, com clareza, com desdém em relação a quem tinha tentado atrapalhar. Nesses momentos, no meu pai, a tristeza desaparecia; e no caso de Felix, a nobreza ficava um pouco encoberta. Olhei para ele e pensei que ambos gostavam muito de vencer, e que Felix obviamente sofreu demais quando papai venceu o combate entre eles.

Depois do café, Lola nos fez deitar para dormir. Felix ficou no sofá da sala de estar. Ela me levou para um quarto que até então eu não tinha visto. Um quarto pequeno, com vista para o mar.

"Aqui é o melhor lugar para ver o mar", disse enquanto preparava a cama. "Anos atrás eu costumava ficar aqui sentada durante horas, olhando a vista. Sozinha, ou com mais alguém. Até de longe o mar consegue me acalmar. Agora, graças a vocês, o meu mar voltou."

Ela parou um instante e se apoiou no quadro da janela. "Daqui o mar fica mais aberto, mais azul", disse baixinho, como que citando alguém que ela ouvira dizer isso.

Com um único movimento, baixou as persianas, para que o sol da manhã não me incomodasse. Mas foi um movimento brusco, como se ela quisesse afastar alguma lembrança dolorosa que tinha lhe ocorrido. Disse "boa noite, Nono" num cochicho, e saiu.

Escuridão. Fiquei deitado, estático. Tentei dormir. Ouvi Lola falando com Felix em sussurros, mas não consegui entender o que diziam. Fiquei irritado por ter esquecido, mais uma vez, de ligar para casa. Paciência. Quando eu acordar.

Era uma cama estreita, uma cama para uma criança pequena, mas eu me sentia confortável nela, como a menininha na cama do bebê-urso na casa dos três ursinhos. Estava um pouco resfriado por causa do trabalho noturno, e foi difícil adormecer.

O ar no quarto também não era muito fresco. Dava para sentir que ele não tinha sido usado em muito tempo, talvez ninguém tivesse sequer entrado nele. Havia um grande armário na minha frente, e nas paredes quadros de paisagens. Levantei em silêncio e olhei: cartões-postais emoldurados. Montanhas na Suíça, a Torre Eiffel. O Empire State Building em Nova York. E um bando de zebras numa planície na África. Eu andava sem fazer barulho. Não queria que descobrissem que tinha me levantado. E não sabia direito por que estava ocultando meus movimentos, o motivo da minha cautela.

Numa prateleira no canto do quarto havia uma porção de bonequinhos velhos, soldados de países distantes. Pareciam formar uma coleção. Alguém os tinha colecionado e arrumado daquela maneira, talvez muitos anos antes. Peguei um deles e ele começou a se desmanchar na minha mão. Seu uniforme vermelho quase se desfez quando encostei nele. Não gostei de quase ter destruído o boneco, e comecei a ter aquela sensação preocupante de que se eu tocasse demais nas coisas... elas também poderiam se desmanchar, virar pó.

Voltei rápido para a cama. O quarto estava bastante escuro, mas me senti perfeitamente seguro ao andar. Era como se conhecesse os passos, o toque do piso nas plantas dos pés. Era como se eu já tivesse estado neste quarto uma vez. Mas foi só ontem que entrei na casa de Lola! O zumbido entre os olhos começou a voltar. Senti que vinha chegando, como o ruído de uma moto vindo de longe. Talvez eu tenha comido demais no café da manhã. Deitei. Sentei depressa. Quem está aí? Só uma sombra.

Me cobri rapidamente até a cabeça. Cobri inclusive as duas orelhas, contrariando as orientações de meu pai. Deixei só uma frestinha para espiar. Tentei abstrair as sombras. O grande armário, os objetos, os bonecos-soldados na prateleira, os postais com paisagens do mundo inteiro... me senti sufocado. O quarto realmente se fechava em torno de mim. Virei e me deitei de costas. Não melhorou. Virei de bruços. Aspirei o cheiro do travesseiro. Era um cheiro conhecido. Como se eu já tivesse sentido alguma vez esse cheiro. O que está acontecendo comigo? Cada coisa neste quarto fala comigo. O café da manhã na minha barriga tinha virado um bolo gelado. Sem fazer o menor esforço, estendi o braço e toquei a parede, e meu dedo encontrou uma rachadura, em formato de raio, uma rachadura profunda, bem mais profunda do que a minha no meu quarto, parece que quem dormiu aqui um dia teve de se conter muito para não chorar. Escorreguei a mão por toda a extensão da rachadura, e senti como meu dedo ia empalidecendo. Rapidamente enfiei a mão entre a armação de ferro da cama e o colchão. Encontrei o que estava procurando, aquilo que eu estava com medo de encontrar, pedaços endurecidos de chicletes. Não pode ser, pensei, é tudo exatamente igual ao meu quarto. Passei a mão sobre a superfície do colchão. Achei o rasgo no tecido. Exatamente no lugar que eu sabia que estaria. Quem dormiu aqui antes de mim gostava de cutucar o colchão exatamente no mesmo lugar que eu gosto. Só espero que não haja também balas de framboesa, pensei abestalhado.

 Levantei num sobressalto. Sentei. Não pode ser, pensei, isto não é natural. Meu nariz deixou de escorrer na hora. Pensei que era exatamente como na história que certa vez Haim Stauber me contou, sobre uma menina indiana que se lembrava de quem ela tinha sido na encarnação anterior. Essa menina levou seus pais a uma aldeia que nunca havia visitado, e ali soube mostrar direitinho onde tinha escondido seu brinquedo predileto cem anos antes de ela nascer. Mas essas coisas acontecem na Índia. Não aqui. Não comigo. O que está acontecendo comigo? Quem sou eu? Paralisado de medo, tirei a bala do celofane e meti na boca. A bala estava seca e dura. Como um cristal de pedra. Até o mofo tinha se petrificado. Lambi, chupei e suguei, até ela ficar molhada, até a bala se lembrar de quem ela era. Um tênue fio de sabor, que parecia de framboesa, se dissolveu sobre a minha língua, espalhando-se por todo o meu cérebro. Fiquei sentado na cama, lambendo a bala com todo o meu ser, eu era todo boca, língua e memória. Tudo à minha volta se diluiu e sumiu, só ficou o gosto de framboesa derretida que me preenchia. Talvez seja isso que um bebê sente quando mama no peito da mãe.

Acordei da doce fantasia, e já não estava mais cansado. O quarto me enviava vozes, gritos, sons melodiosos. Como se fossem formigamentos provocados por um braço adormecido. Um braço pedindo para acordar. Levantei em silêncio, fui até o armário na parede e abri a porta.

Era um armário com roupas de criança. Nada de especial, pensei para me tranquilizar: de cima a baixo só roupas de criança. Mas não fiquei tranquilo. Ao contrário. Toda a minha pele começou a se arrepiar. Afinal, eram roupas de criança. Não consegui descobrir se eram de menino ou menina. Talvez dos dois: vestidos e saias, roupas de baixo de meninas. Mas também calças de garotos. E camisas de garotos. E cintos largos de couro. E meias grossas de esporte. Menino ou menina? E a coleção de bonecos sobre a prateleira — de menino ou de menina? Pois eram bonecos homens, soldados. Será que por este quarto passaram muitos meninos e muitas meninas como eu? Trazidos para cá com toda espécie de explicações e justificativas e pretextos? E o que fizeram com essas crianças aqui? E onde estarão agora? Toquei os vestidos pendurados. Era um toque frio, como o da saia que Felix tinha me trazido hoje. E as cores da maioria das roupas também eram parecidas com as cores das roupas que ele me trouxe. Cores fortes. Vermelhos. Roxos. Verdes. Alguma coisa aqui não está em ordem, pensei, por que me deixaram justo neste quarto? Gabi nunca me contou que havia um menino morando com Lola. Ou uma menina. Então, de quem são estas roupas no armário? E qual é realmente a ligação entre Lola e Felix? E por que Felix me trouxe para cá? Quero telefonar para casa. Preciso falar com meu pai agora. Imediatamente.

Ouvi passos se aproximando, e me joguei na cama. Tive tempo de me cobrir. Lola Ciperola e Felix Glick entraram nas pontas dos pés. Fechei os olhos. Fiquei morto de medo, um medo que surge voando do meio das trevas como os morcegos nos contos de fadas e nos boatos assustadores que circulavam na polícia, sobre ladrões de crianças e o que fazem com elas. Com toda a força que ainda me restava lutei contra esse medo. Essas coisas não combinavam com Felix e Lola. Não? Por que não? Quem sabe os ladrões de crianças não têm justamente uma aparência simpática? Afinal, precisam seduzir as crianças, fazer com que venham com eles, certo? Será que esses dois aqui não trabalham sempre em cumplicidade, e Felix sempre traz para cá as suas vítimas? E o que foi exatamente que Lola lhe perguntou sobre suas brincadeiras malucas, e se ele tinha permissão de me trazer? E de onde eles tiraram todas essas roupas infantis?

Espiei por baixo das minhas pálpebras fechadas e vi os dois parados na minha frente. A cabeça dela estava recostada no ombro dele, o braço direito dele estava em volta dela. Assim estavam, em silêncio, me olhando, e Felix disse num sussurro: "O garoto". E Lola assentiu pesadamente. Depois ela empurrou Felix para fora, fechando a porta atrás dele. Sentou-se numa pequena cadeira ao lado da minha cama. Ficou sentada me olhando. Quase sem respirar.

Eu já estava muito confuso. Não tinha forças para entender o que de fato estava se passando ao meu redor. Talvez Felix um dia tenha sido criminoso, talvez ainda seja, mas afinal quem o trouxe até aqui fui eu. Fui eu que escolhi vir para cá! E Lola? Qual é a ligação dela com tudo isso? Pois se ela, apesar de tudo, está em algum complô criminoso contra mim, então já não me importa morrer, pois nada vale realmente nada. Apesar de toda a minha preocupação, suspirei.

Ela se levantou imediatamente, aproximou-se depressa de mim, pôs a mão na minha testa, enxugou o suor.

"Durma, eu tomo conta de você", cochichou. Com seus dedos delicados arrumou o cobertor em volta do meu corpo, ajeitou o travesseiro. Bem, eu sabia o tempo todo que ela não podia ser cúmplice de algo ruim.

Seu olhar me envolveu em alguma coisa, numa expectativa, ou em saudades. Me virei um pouco. Olhamos um para o outro no escuro.

"Não tenha medo, Nono", disse ela com sua voz macia, a voz que usava em casa: "Estou aqui sozinha. Quer que eu saia?"

"Tudo bem." Mas o que ela quer de mim?

"Felix me contou que você gostava de me esperar ao lado da minha casa, e que eu nem dava bola para você", ela disse. "Desculpe."

"Não faz mal. Eu também vi você nas suas peças."

"Sim, ele me contou. Como sou eu como atriz, na sua opinião, Nono?"

"Muito linda. Eu achava... acho, que você é uma ótima atriz. Mas..."

"Mas o quê?", ela de súbito se inclinou para a frente. Por que fui dar com a língua nos dentes?

"Não... é só que eu achei que... que na sua casa, você é assim... mais autêntica."

Ouvi ela rindo para si mesma no escuro.

"Felix também acha a mesma coisa. Ele diz que eu só sei representar papéis de rainhas e princesas, mas que no papel de uma mulher comum eu sou um completo fracasso. Todos estes anos ele vem me dizendo isso. Talvez ele tenha razão."

Eu quis protestar. Defendê-la. Como defendo Gabi quando ela começa a zombar de si mesma, da sua "beleza exterior". Mas já não tinha forças para isso.

"Me conte sobre você, Nono."

"Estou um pouco cansado."

"Como eu sou boba. Estou gostando tanto que você esteja aqui, que haja um menino nesta casa, e estou forçando você. Já vou indo. Durma."

"Não. Fique. Não vá embora." Talvez porque eu estivesse com medo de ficar sozinho neste quarto, nesse mistério. Mas também porque de repente estava muito gostoso ficar com ela. Tive uma sensação totalmente nova com ela ali. Como estar com uma avó.

E é claro que eu tinha uma avó: vovó Tsitka. Relação complicada. Era a mãe do meu pai e do meu tio Shmuel, e de outros três irmãos. Uma mulher alta e magra, com um pequeno coque no cabelo, parecendo um caroço na nuca, um olho coberto de catarata por causa da velhice, dedos longos e amarelados. Sinto muito se isso soa como a descrição de uma bruxa extraviada. Mas sua aparência era exatamente essa: rabugenta de cara ranzinza. Ela não tinha nenhuma simpatia especial por mim. Para cada coisa que eu faço, para cada gesto meu, ela tem sempre alguma crítica. Desde o instante em que me vê, crava em mim o seu olho bom, como a ponta de um compasso, e começa a me cercar com observações e críticas, até eu não aguentar mais, e cair no choro ou explodir de raiva. Sempre tive a impressão de que ela não me suportava desde o momento em que nasci, e eu aos três anos parei de chamá-la "vovó", teimando em dizer "Tsitka". Tenho um jeito especial de pronunciar o nome, dá para perceber muito bem aquilo que eu sinto por ela. Aos quatro anos — depois que Gabi leu para mim *Chapeuzinho Vermelho* — comecei a nutrir graves suspeitas em relação a ela, e informei ao meu pai que não queria mais ir à sua casa, pelo menos até o caçador chegar e esclarecer com ela alguns detalhes nebulosos de sua identidade.

Papai nem sequer se esforçou para resolver as coisas entre nós. Simplesmente concordava com tudo que ela dizia a meu respeito, e deu um jeito de não nos encontrarmos mais. Às vezes eu me admirava com a rapidez dele se alegrar para cortar qualquer ligação entre mim e ela. Mas meu pai não era especialmente do tipo família. Também não estimulava minhas relações com os outros netos da avó Tsitka, a turma dos meus sete primos. Eles eram todos, sem exceção, típicos garotos Shilhav, e não tiveram a menor dificuldade de suprimir qualquer sentimento de simpatia por um tipo como eu. Durante toda a minha infância eu me encontrava com eles só nas festas de casamento e outras comemorações de família. Nessas ocasiões festivas eles ficavam a noite toda sentados junto dos seus pais, comendo de garfo e faca, falando apenas quando alguém se dirigia a eles. E já que não conseguiam evitar de me olhar de uma certa maneira, e eu não queria estragar a péssima opinião deles a meu respeito, dava sempre um jeito de ficar a noite toda ao lado da mesa de bebidas, fingindo beber um copo atrás do outro, até o garçom pedir a um dos tios que viesse expulsar o garoto bêbado. Então, com o rabo dos olhos, eu me certificava de que vovó Tsitka estivesse me vendo muito bem, saía andando de cabeça erguida e ia arrumar briga com o baterista.

E justamente com Lola, uma estranha, estava sendo gostoso. Sua delicadeza, e o estranho afeto dela em relação a mim...

Gostoso, e daí?

"Me conte sobre você", eu disse quase dormindo, "não sobre o teatro. Sobre você."

"Aí está um que entende", ela sorriu. Ajeitou as pernas sob o corpo na cadeira, como gostava, e refletiu um pouco.

"Você tem razão, Nono. Eu e o teatro — como você diz — já não somos a mesma coisa. Parece que já faz anos que eu sinto esse distanciamento e, para dizer a verdade, já estou...", aproximou seu rosto de mim e sussurrou: "já não gosto tanto de ficar na frente do público representando."

Fiquei perplexo. Que fofoca incrível: "Lola Ciperola detesta o teatro!". Mas é óbvio que eu não revelaria isso a nenhum jornalista. Era um assunto privado entre mim e Lola.

"Veja só que coisa esquisita", ela sorriu, "eu nunca disse isso desta maneira. Com esta segurança. Mas quando estou aqui com você, não sei por quê, várias coisas ficam claras: o que é importante na vida, e o que não é. E o que eu quero fazer nos anos que me restam."

Deu um sorriso torto. Ela era realmente educada comigo.

"E de repente também tenho vontade de te contar sobre mim", disse com um risinho, "para você me conhecer um pouco. Não quero te cansar, mas não consigo me conter. Eu sou terrível, horrível, não é? Diga que você já está cansado, que já está cheio de mim."

"Conte de quando você era criança."

"Você quer mesmo saber? De verdade?" Ela ficou tão alegre que de repente vi o quanto ela era criança.

"Mas conte só...", hesitei. Como dizer de um jeito que ela não fique magoada, "só coisas que você nunca contou no jornal. Coisas de primeira vez".

Ela me observou longamente e moveu a cabeça devagar: "Por causa disso você merece um grande beijo, Nono, mas vou me conter. De repente não tenho ânimo de falar. Posso cantar uma canção para você?".

"'Brilham teus olhos'?"

"Não. Outra canção. Uma que a minha mãe cantava para mim, quando eu tinha mais ou menos a sua idade. Quando eu era menina, numa terra distante, e lá ainda me chamavam de Lola Katz, eu ainda não tinha um nome artístico tão esplêndido e ridículo. Mas na época eu tinha um cachorro chamado Victor. E duas amigas, Elka e Kátia…"

"Lola Katz? É esse o seu nome?"

"Imagine só. Está decepcionado?"

"Não… eu só… estranho… Lola Ciperola até que é bonito…"

Ela sorriu para si mesma, fechou os olhos e começou a cantar em voz baixa, numa língua estranha. Uma canção alegre e gostosa.

Mais tarde, algumas horas depois, ou alguns momentos depois, eu a ouvi murmurando: "Durma, querido. Nós temos tempo".

Quando acordei, já era noite outra vez. Toda a rotina diária tinha se invertido. Fiquei deitado na cama, e sonhei um pouco. Numa hora dessas, em casa, meu pai ainda não voltou do trabalho. Estou livre. Posso jogar futebol de botão, ou folhear algum catálogo de armas, ou viajar com o dedo pelo globo e experimentar rotas entre os países, ou simplesmente ficar à toa, sem fazer nada. Às vezes estou certo de que se passou uma hora e papai vai chegar logo, mas pelo relógio passou apenas um minuto. Então o que fazer agora? Não tenho vontade de ficar em casa, não gosto de fazer lição de casa sem Gabi, e vou visitar Micha só quando não há outro jeito. Fico na casa dele, falamos besteira, e as mentiras começam a brotar de mim, eu o tapeio, e ele olha para mim com aquela boca aberta, escancarada, com os grossos lóbulos das orelhas que descem feito halteres dos dois lados da cabeça… Ele deixa eu me enrolar sozinho com as minhas bobagens, aí eu fico irritado com ele, xingo, às vezes saímos na porrada os dois, por nada, de puro tédio, e no fim eu levanto e vou embora com uma sensação de perda de tempo. Já faz tempo que não é uma amizade verdadeira. Só tédio dos dois. Depois do bar mitzvah vou informá-lo de que não somos mais amigos. Basta.

Se eu gostasse de ler... mas não gostava, e ficava esperando Gabi ler para mim. Se eu tocasse alguma coisa, bateria, por exemplo — para tocar bateria não é preciso ouvido musical, basta senso de ritmo e força, e isso eu até que tenho. Mas meu pai não concordou em me comprar uma bateria.

O que eu realmente fazia nesses milhares de horas? Em todas as intermináveis tardes da minha infância? Como é que eu preenchia a minha vida? Eu me lembro, por exemplo, que fazia testes comigo mesmo, tentava identificar os carros dos vizinhos só pelo barulho do motor. Ou folheava durante longas horas a minha coleção de notícias sobre pessoas desaparecidas, e pensava onde estariam, e planejava montar com elas a minha segurança particular, pois, já que não pertenciam a ninguém, estavam perdidas, então por que não podiam ser meus, meus guardas... Ou então ia de skate até o Parque do Memorial, e ficava me testando, vendo se tinha decorado os quarenta nomes de todos que tinham tombado em batalha. Ou então, nada. Coisa nenhuma. Não fazia nada. Só existia, esperando que algo acontecesse, que alguma coisa começasse.

E nunca nada começava. E quando uma coisa começou, uma verdadeira amizade, eu a perdi.

Se hoje for quarta-feira, então, exatamente nesta hora, estou passando pelos arbustos e percorrendo todo o caminho do centro comercial na qualidade de guarda-costas da mãe de Haim. Às seis e meia da tarde ela volta do seu compromisso fixo no salão de cabeleireiro. Mesmo que eu tenha caído em desgraça para ela, não gosto de deixá-la indefesa. Ando atrás dela, verifico se não há focos de violência nas redondezas, preparo trajetos de fuga rápidos para o caso de haver algum problema ou ação agressiva contra ela. Às vezes ela para na rua para conversar com alguma vizinha. Rapidamente me prontifico para um ato suicida caso constate que a vizinha tem intenção de agredi-la.

Na minha cabeça, uma voz forte grita: "Apontar! Fogo! Apontar! Fogo!". Do meio dos arbustos eu busco os seus grandes cílios, como eles descem e sobem com movimentos suaves. Às vezes, quando consigo me esconder bem perto dela, tenho a impressão de ouvi-la falando.

O relógio na parede de Lola mostra quinze para as sete da tarde. Levantei e tomei outro banho, para tirar o suor do dia quente. Como é que as pessoas conseguem viver nesta Tel Aviv, eu não entendo. Lola já saiu para o teatro, deixando-nos sozinhos, e anotou um verdadeiro tratado para Felix com "instruções para utilização da casa, da cozinha e do Nono". Dá pra pensar que sou um menino de três anos, feito de vidro. Felix estava na sala lendo jornal sob a luz do abajur chinês. Vestia um roupão vermelho, preso com um cinto de pano. O cabelo estava limpo e penteado, grisalho e um pouco amarelado nas pontas. Quando me viu, imediatamente se levantou, dobrou o jornal e perguntou o que eu queria comer.

Havia um pouco de tensão na sua voz. Deu pra perceber. Pusemos a mesa na cozinha. Os dois calados. Sentei. Levantei. Queria ligar pra casa. Mas Felix disse que os ovos já iam ficar prontos e seria uma pena se esfriassem. Eu disse que só ia lhes contar que estava tudo bem comigo, que não levaria um minuto. Felix disse que a esta hora da noite as linhas para Jerusalém certamente estariam ocupadas. Ele falou depressa, com insistência. Sentei. Que história é essa de linhas ocupadas? Ele me passou os ovos, com duas tiras de bacon em volta como uma coroa, e um pouco de salsinha ao lado, como uma assinatura de artista. Pensei que ele estava com saudades dos dias em que mais de trinta pessoas almoçavam ou jantavam na sua casa.

"Está bom assim, Amnon?"

"Claro. Estilo, hein?"

Ele deu um sorriso abatido. Levei um susto. Toda vez que

ficava desanimado, eu sentia como se alguém viesse soprar uma vela que tínhamos acendido juntos. Lembrei-o de novo da noite passada, de como agitamos em cima da escavadeira. E de como a muralha de areia tinha desabado.

"E o que você quer que façamos esta noite?", perguntou enquanto eu falava, com ar distraído.

Devolvi a pergunta: "O que você quer que a gente faça?".

"Você pode voltar para sua casa, Amnon, se quiser."

"O quê, então é isso? Tudo acabado?" Só agora eu tinha realmente começado a curtir.

"Não é obrigado", ele assentiu, "é você que decide."

"Por mim eu ficaria aqui para sempre." Eu ri. "Só que eu tenho um bar mitzvah daqui a alguns dias. O que o meu pai disse para você? O que vocês dois decidiram?"

"Mais uma vez, eu digo para você, Amnon: é você quem decide."

Era uma resposta estranha. Era como se ele se desviasse da minha pergunta.

"Espera aí: e se eu resolver que vamos ficar juntos uma semana? Um mês? E que eu não vou voltar para a escola, e que vamos ficar circulando por aí durante a noite fazendo coisas?"

Em tom sério ele disse: "Para mim seria a maior das alegrias".

Tive a impressão de que ele precisava responder a outra pergunta. Afinal, não era possível que meu pai tivesse permitido que ele ficasse comigo para sempre. O sininho das advertências começou a tocar dentro de mim. Sempre dizem que ele toca no cérebro, mas comigo é na barriga, debaixo do coração e um pouco para a direita.

Felix ficou andando pela cozinha. Lavou os copos, amarrou uma porção de vezes o cinto do roupão, abriu a geladeira, fechou...

Parei de comer. Fui atrás dele. O que será que está acontecendo?

"Aliás, Amnon", disse de costas para mim, "há uma coisa sobre a qual precisamos conversar, você e eu, nós dois, antes mesmo de prosseguir."

"O que aconteceu? Aconteceu alguma coisa?", tomara que não, que este sonho milagroso não seja destruído. Só mais um pouco. Mais um dia, ou dois. De qualquer maneira, no *Shabat* preciso estar de volta. Felix buscou alguma coisa. Achou em cima da sua cadeira. O jornal. O jornal dobrado. Jogou o jornal sobre a mesa, praticamente dentro do meu prato. O que aconteceu com ele? Sinalizou para eu abrir e ler. Não sabia o que buscar ali. Mas não precisei me esforçar muito.

A manchete de primeira página gritava em vermelho: AMPLIADAS AS BUSCAS DO SEQUESTRADOR E DO MENINO.

E embaixo, em letras negras e grossas: A POLÍCIA IMPÕE SIGILO TOTAL SOBRE O EPISÓDIO. INFORMA APENAS QUE O MENINO É FILHO DE UM VETERANO OFICIAL DA POLÍCIA.

E abaixo a foto do maquinista da locomotiva, e o trem parado no meio dos campos. Mais uma linha atraiu os meus olhos: "O pai do menino centraliza as buscas do filho. A identidade do sequestrador é conhecida. É possível que o menino corra risco de vida".

21. O revólver sacado: uma questão de amor

Eu estava com muito frio. Disso eu me lembro. Frio no corpo todo, como se alguém tivesse vindo com uma tesoura afiada, cortado todo o meu contorno e me tirado de uma fotografia bonita e luminosa.

"O que é isso", perguntei. Na verdade, eu disse. Não tive força para erguer a minha voz no final num ponto de interrogação.

"Preciso te contar uma história", Felix respondeu em tom cansado. Estava de olhos fechados.

"O que é isso…", perguntei de novo, a minha voz trêmula como o jornal na minha mão. As palavras "risco de vida" me dominaram. Sobre a mesa, entre mim e Felix, havia uma grande faca de cortar pão. Eu não conseguia tirar os olhos dela.

"Você me sequestrou?", perguntei com cuidado. Eu não podia acreditar, sabendo que o tempo todo eu sabia, só não queria acreditar.

"Pode-se dizer que sim", ele retrucou. Ainda sem abrir os olhos. Estava com o rosto todo contraído.

"Me sequestrou de verdade?", minha voz vacilou no meio da frase.

"Você veio a mim por vontade própria", ele disse.

Ele tinha razão. Fui eu que me dirigi a ele no trem, quando perguntei quem era eu.

"É uma história... assim... muito complicada", disse Felix, apoiando a cabeça contra a parede, "mas se você não estiver com disposição para escutar, diga logo."

Eu não sentia nada. Nenhuma emoção, nenhuma sensação. Queria apenas não existir. Voltar para casa eu também já não podia. Como podia voltar para casa, para o meu pai, depois do que tinha feito? Como podia aceitar que tudo o que tinha feito com Felix, todas as aventuras, na verdade tinham sido crimes? Este é o nome das coisas que fizemos. Crime. Eu cometi crimes. Na minha cabeça o doloroso zumbido crescia, direto dentro do olho esquerdo. Eu merecia. Merecia sentir dor. Mas como foi que aconteceu? Foi tudo por nada? Meu pai não planejou absolutamente nada das coisas que fiz? Nem mesmo sabia delas? Ele não virá amanhã dar uma gorda gorjeta para o gordo garçom? Realmente fui cúmplice de Felix em todos esses crimes? Como fui acreditar nele? O que acontece comigo? Realmente: quem sou eu?

E como foi que curti tanto fazer essas coisas todas?

"Por que você me sequestrou?", perguntei, tomando muito cuidado com a palavra "sequestrou", que de repente soava terrível e impiedosa.

Ele ficou calado.

"Por que você me sequestrou?!", gritei. Ele se encolheu um pouco. Neste momento parecia velho e fraco.

"Só porque... porque... eu queria te contar uma coisa", disse por fim.

"Contar? O quê? Que mentira é essa?!", gritei tão alto que

eu mesmo tive um sobressalto. A faca estava muito perto da sua mão.

"É uma história sobre você, Amnon. E também um pouco sobre mim. Mas principalmente sobre você."

"E o que você vai fazer comigo agora? Pedir um resgate para o meu pai?" De repente entendi: ele está se vingando do meu pai! Sim. É um criminoso que voltou para se vingar do meu pai. O tempo todo ele deu dicas sobre isso, e eu, como um bobo, não entendi: ele está se vingando do meu pai, que o capturou e o meteu na cadeia! Mas que culpa tenho eu? Que foi que eu lhe fiz?!

E onde está o acordo entre eles de me apresentar ao crime para que eu seja um detetive melhor, e onde está o aperto de mão viril? Eu inventei tudo isso.

"Eu não vou pedir nada ao seu pai. Não preciso do dinheiro dele."

"Então o que é que você precisa dele?"

"Preciso do filho dele."

"Para quê?"

A pergunta explodiu de dentro de mim com raiva, e junto com ela meu coração se partiu. Porque eu já gostava dele, porque acreditei que ele gostava de mim, e não sabia que ele estava só me sequestrando. Tudo estragado, tudo arruinado. Como fui acreditar que meu pai planejou toda essa operação, e só agora ficou claro que ele e a Gabi só planejaram um mágico e uma mulher-borracha, um policial fantasiado e um preso de mentira e, comparado com tudo o que fiz com Felix, aquilo não era muita coisa.

"Você me sequestrou por vingança", eu disse. Cada sílaba saiu da minha boca marcada de ódio: "Para se vingar do meu pai, que capturou você. Foi por isso!".

Ele fez que não com a cabeça, de olhos fechados. Eu tinha o tempo todo a sensação de que ele estava com medo de abrir os olhos, pois também lamentava que tudo entre nós estivesse arruinado. "Não, Amnon. Eu sequestrei você só porque queria vê-lo. E estar com você. Não tem absolutamente nada a ver com seu pai. É uma coisa minha só com você."

"Só comigo? É mesmo? Por que eu? Eu não sou uma pessoa famosa. Não passo de um garoto! Você não tinha a menor possibilidade de conseguir alguma coisa de mim se eu não fosse filho dele!"

"Amnon, se quiser ir embora, você está livre", disse Felix. "Não vou segurar você. Mas fique sabendo: é só você que tem importância para mim. Não seu pai. Só você. Amnon."

"Se eu quiser posso levantar agora e ir embora, fugir?"

"Não precisa fugir. Só foge quem está sendo perseguido."

"E você... não vai me perseguir?"

Finalmente abriu os olhos. Estavam envoltos em névoa. De tristeza ou de resignação. Acreditei neles, e fiquei lembrando de todas as pessoas que ele seduziu com aqueles olhos.

"Do jeito que você me olhou agora...", ele disse, segurando o rosto com as mãos, sacudindo a cabeça com força: "Sabe, esse é maior castigo por setenta anos de mentiras, seus olhos, jeito que você me olhou...".

Levantei. Meus joelhos cederam, minhas mãos também estavam moles. Fiz um esforço para ele não perceber. Não podia permitir que ele visse que eu estava com medo. Me afastei com passos muito lentos, sem virar as costas para ele. Ele ficou sentado, suspirando alto. Vi como lhe doía o fato de que eu não acreditava nele. Mas como podia acreditar nele?

"Vou embora", eu disse.

"É você quem decide. Eu lhe disse isso tempo todo — você decide quando terminamos jogo."

Fui recuando até a porta.

"Tenho história para te contar", disse ele baixinho, "história importante. História sobre sua vida."

Pro inferno você com suas histórias, pensei. Você destruiu o belo sonho do que construímos juntos. Como de repente tudo parece horrível e assustador.

"Saiba só de uma coisa", disse Felix: "Se você me der só mais algumas horas, não muitas, só até amanhã de manhã, posso te contar essa história."

"E se eu não der? E se eu não conseguir acreditar em uma única coisa que saia da sua boca?"

Ele balançou a cabeça a cada palavra minha, como se eu estivesse batendo nele. "Se você for embora, ninguém em mundo vai te contar essa história."

"Aposto que você é capaz de jurar uma coisa dessas!", eu disse em tom de gozação.

Minhas costas tocaram a maçaneta da porta. Eu tinha certeza de que ela não ia se abrir. Que a chave estava na sua mão e ele a balançaria diante dos meus olhos, dando um sorriso feroz, e esse seria o meu fim, o mesmo fim de todas as crianças que ele trouxe para esta casa, e eu constaria da lista de desaparecidos, e a polícia pediria auxílio da população nas buscas por mim, e depois encontrariam meus restos na mata perto de Jerusalém.

"Amnon, a você eu não juro nada", disse Felix em voz baixa, "a você eu só prometo."

Mas a chave estava na porta. Girei a chave e a porta se abriu. Num movimento rápido, saí, bati a porta atrás de mim e corri para baixo.

Saltei quatro ou cinco degraus de uma só vez. Por um segundo imaginei que ele estava bem atrás de mim, e talvez eu tenha gritado. Meus cabelos se arrepiaram. Todo meu corpo se arrepiou, mas ele não veio. Saí da casa voando. Lá fora era noite. Carros passavam na rua, os faróis acesos. Fiquei parado junto à cerca, arfando feito um cachorro. Dizia para mim mesmo o tempo todo em voz alta: "Escapei! Escapei!", mas por algum motivo não senti alegria, só uma terrível dor e humilhação. Lembro que o ar estava repleto de cheiros do mato. Que tudo lá fora continuava como sempre. Ninguém ali podia imaginar o que se passou comigo naqueles minutos e do que eu tinha escapado. Um rapaz e uma moça passaram ao meu lado, abraçados. Depois passou um homem com um cachorro. Embaixo do braço segurava aquele jornal, com a manchete sobre mim na primeira página. O que ele faria se eu o parasse e informasse que aquele era eu, o garoto que todo o país estava procurando?

O homem se foi. O cão resistiu um pouco, cheirou meus sapatos, olhou para mim com uma leve desconfiança. Começou a rosnar como sempre acontece quando cães me farejam. Mas o homem deu um puxão forte na corrente, e o cachorro cedeu e foi junto, antes de conseguir me denunciar.

Caminhei depressa pela calçada. Pensei que agora precisaria de um ano inteiro de sossego para começar a entender a confusão em que me meti nos últimos dois dias. O que mais me deixava atordoado é que eu não sabia o que se passava ao meu redor. Que tanta gente estava se preocupando comigo, me procurando freneticamente, e eu totalmente mergulhado na historinha que inventei.

Como sempre.

Bobão, menino tolo. O que é que eu tinha pensado? Que meu pai me confiaria às mãos de um criminoso notório, só para o criminoso me ensinar um pouco dos mistérios do mundo do crime? Para me dar um curso intensivo de criminalidade? Meu pai, que a vida toda se esforçou para viver tão dentro da lei? Que luta com todas as suas forças contra eles, os criminosos como esse tal de Felix?

O que foi que aconteceu? Como fui errar desse jeito? Como se me tivessem passado para um plano paralelo durante o sono, e eu continuei nele, sorrindo meu sorriso bobo, acreditando que tudo que vejo é verdade.

Era tudo mentira. Mentira e crime. De tantas mentiras que eu conto, consegui tapear até a mim mesmo.

A banca de jornais na esquina ainda estava aberta. Passei cautelosamente e li de relance algumas das manchetes. Todos os jornais falavam de mim na primeira página. Nenhum deles tinha nada para contar além do fato de eu ter sido sequestrado. Nem mesmo meu nome aparecia, pois a polícia estava mantendo tudo em segredo.

Sequestro. Sequestrado. Fui sequestrado. Risco de vida. Murmurei essas palavras. Elas soavam como se fossem abstratas. Não havia nenhuma relação entre elas e a forma como Felix se relacionou comigo. E eu tampouco estava correndo risco de vida. Incrível como contam mentiras nos jornais, só para atrair leitores.

Atravessei para a calçada em frente. Andava depressa sem saber para onde. Só para me afastar de Felix. Fugir dele. Do perigo que ele era. O que estará fazendo agora, sozinho, na cozinha? Com certeza já deu no pé. Sumiu como uma sombra. Foi perturbar outro garoto.

Dei uma volta enorme e retornei para a rua que fica atrás da casa de Lola Ciperola. Só queria ver se ele estava tentando fugir pela janela. Não estava. É melhor eu me afastar daqui e avisar a polícia. Posso pedir para telefonar naquele quiosque. Não tenho dinheiro, mas explico para o dono do quiosque que eu sou o garoto do jornal. O sequestrado, sim, senhor.

Andei um pouco mais devagar. Essas coisas é preciso pesar cuidadosamente. Interessante, será que Micha já está sabendo, será que os meus colegas de classe imaginam que sou eu. Esses garotos, que nunca foram meus amigos. Que riam de mim e do meu pai e das brincadeiras de detetive que fazíamos, das nossas continências, das promoções e insígnias que ele me confere, ou não confere, e do fato de o mascote da polícia não ser aceito sequer para "equipes de polícia rodoviária", porque não se pode confiar nele pelos motivos A, B e C.

Vamos ver o que vão dizer agora, todos eles. A senhora Markus, por exemplo, que está sempre tão ansiosa para me expulsar do colégio, talvez agora enxugue uma lágrima e diga: "Ele não era tão doido. Só que tinha alma de artista. É assim: existem garotos quadrados, e existem garotos zigue-zague. Nós não fomos capazes de entender isso a tempo". E o resto dos professores, talvez eles estejam se consolando uns aos outros: "É isso. Coitado. Talvez nós, com nosso comportamento, é que o tenhamos levado a isso. É melhor começar a preparar um belo folheto em memória dele. Apesar de tudo, ele era um garoto especial. Mesmo sendo meio doido, às vezes".

Estou curioso para saber o que vai pensar Haim Stauber. Se vai fazer alguma diferença para ele. Se vai falar sobre o assunto em casa, com alguém.

Meti as mãos nos bolsos, queria parar um pouco. Não tenho por que correr. É preciso pensar antes de tomar qualquer atitude. Por engano me vi de novo na frente da casa de Lola Ciperola. Aqui todas as ruas parecem iguais. Fui até a esquina e passei outra vez diante das manchetes dos jornais. É possível que neste momento milhares de pessoas estejam lendo exatamente essas manchetes. Talvez até a primeira-ministra Golda Meir perca algum tempo com isso, pergunte aos seus assessores para assuntos criminais se a polícia está fazendo todos os esforços para salvar o menino, e peça que lhe informem secretamente o nome do menino, e o assessor lhe sussurre ao ouvido o meu nome, e a primeira-ministra diga com seu tom característico "ahá", e por um momento ela deixe de tratar das questões urgentes.

Mas o que estará fazendo agora Felix, que deixei ao lado da mesa da cozinha? Esse homem, esse meu sequestrador, com quem curti dois dias tão gostosos, como um sonho, talvez os dias mais felizes da minha vida, de repente vira parte da manchete do jornal e se torna um estranho, um inimigo. Quando o deixei ele parecia esvaziado de toda sua energia vital. Mas será que alguém pode me explicar por que era tão importante que eu acreditasse nele? Por que se esforçou tanto para me proporcionar prazer nesses dois dias?

Ele me propôs um acordo de parceria na questão do meu vegetarianismo.

E eu prometi a ele (intimamente) que seria leal a ele.

Eu o traí. Mas ele me traiu primeiro.

Sentei na beira da calçada. Não sabia o que fazer.

Na rua principal ouvi a sirene de um carro de polícia. Se eu for até lá, acabo com tudo de uma vez. E aí fico sem saber a história que Felix queria me contar. Não vou poder fazer mais algumas perguntas. Papai nunca vai me contar qual é a história. Ele não quer que eu saiba. Chegou a proibir a Gabi de falar no assunto.

E Felix disse que conheceu Zohara.

E ele sabia da vida dela com meu pai, e sobre a montanha onde foram morar.

E os tais cavalos que eles tinham? Como eles eram como casal?

Ele disse que me sequestrou para me contar a história.

A história. A história. A história zumbindo o tempo todo ao meu redor. Durante treze anos ela ficou calada, essa história, e agora não me dá descanso.

Espera aí: a foto. A foto que ele me mostrou no trem.

Meu Deus!

Segurei a cabeça com as mãos: na minha foto com Micha eu estava de casaco. Quer dizer que Felix começou a planejar essa operação ainda no inverno. Quanto esforço e raciocínio ele dedicou a isso! Só para me contar uma história? E tem a Bugatti que ele trouxe de navio. E o carro de troca, o fusca, que ele também preparou. E talvez haja ainda outras coisas às quais não chegamos. Ele disse a Lola: esta é a última ação de Felix. O espetáculo de despedida.

Ele sabe alguma coisa sobre mim. Alguma coisa importante para ele. Se não fosse importante para ele, não teria se empenhado tanto. Minha história é importante para ele. E se ele não me contar, ninguém mais no mundo vai me contar. Já faz treze anos que ninguém está disposto a me contar essa história.

Não tenho medo dele, eu me disse com medo. Posso voltar lá agora, escutar a história, no final prendê-lo e entregá-lo à polícia.

Vai ser ótimo, tentei me animar, o pai detetive capturou o criminoso dez anos atrás e agora ele foi capturado pelo filho detetive. Assim se fecha a corrente de gerações.

Paspalho que sou, xinguei a mim mesmo: como ele me fez acreditar que meu pai tinha concordado com toda essa operação!

Mas por dentro eu era obrigado a reconhecer: ele não me fez acreditar em nada. Eu fazia perguntas, e ele respondia, e nunca mentiu para mim. Isso é que era estranho: que ele não tenha me enganado nenhuma vez desde que nos conhecemos. Só quando quis me divertir, com o revólver. E também era importante para ele contar sobre si mesmo. E quando contava, só dizia a verdade (me parece). Como se quisesse que existisse uma pessoa no mundo, mesmo sendo só um menino, com quem pudesse ser totalmente honesto.

Mas justo eu? O filho do policial que o capturou?

Levantei e comecei a caminhar de volta. Felix não mentiu para mim. Nem uma única vez tentou me machucar. E nem tentou impedir que eu fugisse. Por que não escuto o que ele diz o tempo todo? "Você decide. Você resolve". Tudo depende de mim. Se eu tiver coragem, saberei de tudo. Se não tiver coragem, posso voltar para casa agora, e vão fazer de mim um grande herói por ter conseguido fugir das garras do sequestrador, e só eu saberei a verdade.

Subi as escadas devagar. Sim: vou voltar para ele por minha própria vontade. Vou escutar a história, armar uma cilada e prendê-lo. É isso que vou fazer. É assim que vou me redimir de tudo que fiz com ele, e meu pai vai ter que me perdoar.

Um instante antes de bater na porta, parei. Pense direito, use a lógica, disse a mim mesmo, ele tem um revólver. Ele está desesperado. Este é o último momento que você tem para se arrepender. Se entrar lá agora, talvez não saia com vida.

Bati na porta de Lola. Não ouvi som nenhum lá dentro.

Ele já fugiu, pensei. Típico dele. Mas o que eu esperava? Que ele ficasse pacientemente esperando eu voltar com os guardas? Ele fugiu, e eu não vou ouvir nunca mais a história. Senti um aperto no coração. Pela história que tinha perdido para sempre, mas também porque sabia que ia sentir saudades de Felix, aquele bandido sem-vergonha.

Peguei na maçaneta. A porta estava aberta. Entrei com cuidado, com o corpo encurvado, para ser mais difícil de me atingir. Todos os instintos do meu pai voltaram para mim.

Silêncio.

"Tem alguém aqui?", perguntei cauteloso.

A cortina se moveu, e Felix sorriu lá de trás. Estava com o revólver na mão. Eu sabia. Como fui cair na armadilha dele!

"Você voltou." Ele disse. A face estava pálida debaixo do bronzeado. A mão tremia: "Voltou sozinho. Sem polícia. Certo?".

Fiz que sim. Não ousei me mexer de tanto medo e raiva da minha ingenuidade.

Ele jogou o revólver no tapete e passou as mãos no rosto. Apertou os olhos com toda a força. Não me mexi. Não corri para pegar o revólver. Esperei ele se acalmar, até seus ombros pararem de sacudir. Quando abaixou as mãos, seus olhos estavam vermelhos e inchados.

"Você voltou", murmurou para si mesmo, "que maravilha, Amnon, você voltou."

Ele passou diante de mim com um andar pausado. Arrastava as pernas com um andar pesado, os cabelos revoltos e molhados de suor. Esperei até ele entrar na cozinha. Corri, peguei o revólver e o meti no bolso. Agora eu me sentia mais seguro. Mas meu coração começou a bater ainda mais rápido. Não sei por quê. Fiquei parado na porta da cozinha. Felix tomou um copo d'água e se sentou comodamente, apoiando a testa nas mãos. Seu rosto estava pálido como o de um morto. Como o rosto dos mortos nas fotos da polícia. Sobre a mesa havia uma folha de papel e uma caneta. Algumas linhas escritas no papel. Quando notou meu olhar, pegou o papel correndo e o amassou, formando uma bolinha.

"Você não sabe o que significa para mim você ter voltado", ele disse.

"Você já ia fugir?", perguntei. Minha voz ainda estava dura e agressiva com ele, mas o ódio sumiu de repente.

"Fique sabendo uma coisa: você salvou minha vida quando voltou", disse. "A vida de Felix Glick não vale tanto assim neste momento. Mas você voltou, você fez vida de Felix Glick valer alguma coisa... Você entende o que eu digo?"

Eu não entendia.

"Se você demora mais cinco minutos, não nos encontramos nunca mais", prosseguiu.

"A história", interrompi com impaciência. De novo me arrependi de ter voltado. Sabia que tinha desperdiçado a chance de me livrar da complicação, de voltar para casa e esquecer todo esse episódio estranho e desagradável. "Você me prometeu uma história, então conte logo!" Se eu tivesse ido até a viatura na rua, já estaria falando com meu pai por telefone.

"É história de uma mulher", disse Felix, e hesitou. Meu coração já estava a mil. Zohara, Zohara, meu sangue pulsou nas veias. Felix meteu a mão dentro da camisa. Sem eu sentir, meu dedo se dobrou sobre o gatilho do revólver no meu bolso. Meus instintos funcionaram antes de eu pensar, mas não havia necessidade. Ele não pretendia pegar nenhuma arma. Só tirou a fina corrente de ouro, a corrente na qual estava presa a última espiga e uma medalhinha de ouro em forma de coração.

Com uma leve pressão ele abriu a tampa da medalhinha, me puxou e disse com voz partida: "Uma mulher que eu e seu pai amamos".

Zohara sorriu da medalhinha para mim. Seu belo rosto, com os olhos um pouquinho separados um do outro.

22. O pássaro no inverno

Era uma vez, muitos anos atrás, uma menininha. Quando fez seis anos, lhe deram uma festa de aniversário. Eles a puseram sentada numa cadeirinha enfeitada de flores que foi erguida enquanto todos os convidados contavam juntos o número de anos que ela estava fazendo. Quando a levantaram mais alto para simbolizar o aniversário seguinte, ela de repente declarou, com um sorriso de felicidade, que já tinha determinado a data em que ia morrer, exatamente dali a vinte anos. Na sala da festa um silêncio se fez. A menina fitou com espanto todas aquelas faces silenciosas e sombrias que a observavam, e brincou: "Mas ainda tem muito tempo!".

Ela tinha um rosto longo e maçãs do rosto salientes, como se vivesse faminta. Os braços e pernas pareciam fios escuros, sempre cobertos de feios aranhões que ela provocava em si mesma enquanto dormia, ou quando estava imersa em devaneios. Ficava longas horas sentada junto à janela de seu quarto, os olhos negros fechados com força, e mesmo se a chamassem pelo nome, não ouvia. Quando cresceu um pouco, começou a devorar livros, talvez eu seja mais preciso se disser ser devorada por livros. Lia tudo que lhe chegava às mãos, livros infantis e livros de adultos, e tinha um precioso segredo: ela não era uma menina. Era um espião enviado ao mundo por algum livro favorito — ela era sempre uma personagem de um livro diferente — e sua missão era tentar viver uma vida comum entre os seres humanos comuns, sem ser descoberta. Se os seres humanos descobrissem que ela era apenas a fantasia de uma pessoa viva, que só se disfarçava com a figura de uma menina, ela seria punida. Zohara não revelou nem mesmo para seu diário qual seria a punição. E hoje que já sou adulto, mais velho do que era Zohara ao morrer, acho que sou capaz de adivinhar a punição: o espião seria obrigado a ficar entre os seres humanos até o fim de seus dias.

Ao crescer mais um pouco, Zohara (ou Alice; ou Rapunzel; ou Huckleberry Finn, ou David Copperfield, ou Dorothy, ou Lassie, ou Romeu e Julieta, juntos, ou o Pai Tomás) anotava no diário descrições meticulosas da terra que ela chamava de "Terra da Mortalidade", terra dos homens mortos, escrevendo sobre as famílias que lá continuam a viver juntas depois da morte, e desenhava os bebês que lá nascem, bebês brancos, sem olhos. Ela foi levada a médicos, e eles não sabiam como tratar de suas tristezas. Um deles sugeriu que lhe comprassem instrumentos musicais, para que ela descarregasse seus problemas na música. Numa lojinha de instrumentos, na rua Ben Yehuda em Tel Aviv, compraram-lhe uma flauta de madeira preta, e ela tocou com vontade; mas quase sempre, após alguns instantes, ela parava, recolhia-se para dentro de seu corpo, flauta na boca, os dedos passeando pelos furos, seguindo um ritmo oculto, e não se ouvia som nenhum.

Nos seus raros dias bons, Zohara cantava como um pequeno pardal saído dos confins do inverno: ela era toda luz, falava com alegria, andava vividamente, ansiando por abraçar vezes e vezes seguidas a quem amava, tocar com suas bochechas cada coração pulsante. Nesses dias, sua face se tornava clara, e as marcas de tristeza e irritação desapareciam da sua pele. De repente se via que no fundo ela era uma menina bonita. Nesses dias límpidos, a pequena vestia roupas especiais, que não combinavam com sua idade — echarpes, chapéus da moda — e passeava por Tel Aviv ao lado de sua mãe como um selo raro e colorido, absorvendo os olhares espantados, como se estivesse reunindo forças para voltar ao seu longo e tortuoso caminho.

Nos seus dias bons, Zohara presenteava todos que a cercavam com palavras. Ela tinha uma enorme necessidade de falar, e criava histórias imaginárias, repetindo-as diante de seus familiares, dos colegas de classe, de qualquer um que tivesse paciência para escutá-la. Numa linguagem rica e elaborada, como uma pequena poeta, contava dos mundos pelos quais um dia tinha viajado, talvez em outra encarnação, ou de criaturas estranhas assombrando o interior de suas pálpebras e realizando todos os seus desejos, ou de um jovem príncipe que vivia numa terra distante, uma terra cujo nome ela era proibida de pronunciar, pois era como um encantamento, e a vidente do reino já tinha determinado que o futuro daquele príncipe era se casar com uma menina da Terra de Israel, da pequena cidade de Tel Aviv... E contava essas coisas com absoluta seriedade, de olhos semicerrados, lábios apertados, como se estivesse ouvindo alguém contar as coisas por dentro, e ela estivesse simplesmente passando tudo adiante. As histórias eram tão bonitas e atraentes que as pessoas não as chamavam de mentiras, e sim de lendas. As lendas de Zohara, diziam; nem mesmo os colegas de classe a chamavam de mentirosa, mas a escutavam com admiração, com uma leve reverência, pois não conseguiam saber se ela acreditava no que estava contando; e se não acreditasse, devia ser respeitada pela coragem, força e ousadia de narrar com tanta seriedade; e, de qualquer maneira, como é possível entender uma menina dessas, que um dia é de um jeito e no outro dia é totalmente diferente. Que ela decidisse antes quem ela queria ser!

E havia mais uma coisinha, que até hoje parte o meu coração: nos seus dias bons, Zohara escolhia um dos meninos e se apaixonava por ele. Na época tinha apenas oito ou nove anos, mas no amor era séria e decidida — entregava-se com total devoção. E é óbvio que o menino escolhido ficava assustado; para ele, aquilo tudo não passava de um grande problema, aquela garota maluca grudada nos seus pés, todo mundo rindo dele por causa dela, de uma hora para outra tendo que ficar aguentando aquele amor pesado de adulto; Zohara não desistia nem cedia, escrevia longas cartas de amor para o garoto, esperava por horas e horas diante da casa dele, declarava sua paixão na frente de todo mundo, se humilhava, não percebia absolutamente que o menino tentava delicadamente se esquivar (na melhor das hipóteses, se fosse um garoto gentil e de bom coração), ou debochar da sua cara de apaixonada (o que ocorria na maioria das vezes): fazia promessas de amor eterno enquanto os amigos zombavam atrás da porta e caíam na gargalhada. Mas Zohara pouco se importava, ela tinha o seu escolhido, e era ele o escolhido. Ela ficava indiferente a todas as gozações, sabendo que nessa idade os meninos detestam as meninas, era uma lei da natureza. E era uma pena que até ele, o bom, o escolhido, se sujeitasse a esse tipo de conduta. Mas ela era forte, estava acima da natureza, pois tinha suas próprias leis, leis que eram só suas, e estava disposta a esperá-lo, sem queixas nem reclamações, até passar essa fase tola e temporária do menino. Afinal, estava segura de que algo de tudo aquilo que ela irradiava penetraria nele, uma palavra sua, ou um olhar, ficaria cintilando em seu coração fechado nas horas em que ele estivesse só, longe da ironia dos amigos, e um dia, dentro de um ano ou dois, quando ele finalmente ultrapassasse aquela fase, de repente uma grande luz se acenderia por ela em seu coração. Esta era uma excelente razão para já agora ficar feliz e passear pelas ruas com passos de dança, pois a vida é tão bela, e ela está viva, e não é espiã, e sim uma menina de carne e osso e alma!

Então, de súbito, como se sob o efeito de magia negra, seus olhos se apagam, os cantos de sua boca se inclinam para baixo, como se tivessem sido puxados por dois fios, sua face se contrai e ela toda parece uma miniatura de adulta, ou até mesmo de uma velha, carregada de experiências que estão além de suas forças, já cansada da vida.

Cada pequena coisa lhe provocava uma dor aparentemente insuportável: uma jarra quebrada, ou um aleijado passando na rua, ou uma promessa não cumprida. Mesmo na primavera, quando tudo brota e floresce, quando as crianças se sentem como flores e frutas, os corpos inundados de sumo, ela ficava sentada à janela de seu quarto, olhando a própria mão diante da luz do sol, observando o formato tão fino e frágil dos ossos e das articulações, e de repente caía no choro, recusando-se a ser consolada. Certa vez na classe, no meio da aula, de repente se pôs de pé, e com o olhar dilacerado, como se tivesse saltado de um pesadelo, gritou: "Não há cerca! Não há cerca!". E quando a professora tentou acalmá-la, abraçá-la, descobrir o que a tinha deixado tão assustada, Zohara se libertou de seus braços e começou a correr pela sala como um bicho assustado, gritando com voz estridente que não há cerca, em torno do mundo não há cerca, as pessoas podem cair.

E então, aos catorze anos mais ou menos, quando os médicos já tinham desistido, desapareceram quase por completo tais manifestações preocupantes. Como num passe de mágica. Os médicos não souberam explicar o motivo. Dizia-se que devia ser algo relacionado com a adolescência... quem sabe... efeito dos hormônios... o importante é que finalmente aconteceu... e

Zohara começou a se desenvolver. A menina amarga e melancólica desapareceu, todo mundo percebeu, e em seu lugar veio ao mundo uma garota nova, selvagem, ágil, que ria em voz alta, um riso que parecia o soar de sinos, ela desabrochava, abrindo-se para as cores e os prazeres do mundo, e ia ficando mais bonita dia após dia, mas não só bonita. Exuberante. Atraente. Olhos e cabelos negros, maçãs do rosto salientes, irradiando ao mesmo tempo felicidade e ferocidade. Uma moça mais ousada que todos os rapazes, com o mesmo linguajar grosseiro, desprezando-os ao falar, uma garota de calças e arranhões e camisas rasgadas. Seu armário não tinha espelho, "Não quero ver e não há o que ver!". E ela punha os rapazes em situações de perigo, incitando-os cruelmente contra as outras meninas, as meninas fracas e delicadas, apavoradas diante dela; era atrevida com os professores. Um dia no colégio, dois dias na praia. Bronzeada, olhos brilhantes, corpo com músculos de nadadora, ágil nos movimentos, como se quisesse recuperar de uma só vez todos os anos de tristeza e depressão. E sem encostar um dedo num livro: não, ela não vai cair de novo na armadilha daquela depressão, que fica escondida, à espreita entre as capas coloridas. Só a flauta a chamava ocasionalmente, tentando atraí-la de volta, especialmente nas horas noturnas, nos dias de mudança de estação, mas quando Zohara se sentava distraída sobre o batente da janela e sua boca beijava o bocal da flauta, de repente ela — Não! De jeito nenhum! A flauta Zohara também controla com mão de ferro, agora é ela quem decide quando tocar, o que tocar, e como tocar! E no momento em que a flauta tenta se rebelar, burlar esse esquema e trazer de dentro de si outros sons, sons esquecidos, ocultos, é imediatamente devolvida ao estojo, o estojo de veludo preto, e ali ficará no escuro, até aprender o que é permitido e o que é proibido!

Era uma época muito tempestuosa em Israel: os britânicos governam o país, os judeus querem se libertar deles e declarar sua independência, moças e rapazes da idade de Zohara se alistam nos mais diversos movimentos clandestinos, realizam atos de bravura, levam surras de soldados britânicos, são levados para prisões. No colégio ouvem-se cochichos secretos, boatos e palavras de ordem, todos falam com uma só voz, e Zohara está alheia a tudo isso, ela não se interessa por política. "Eu vou à praia nadar e me bronzear, e não ajudar imigrantes ilegais a desembarcar." Uma vez alguém a viu dançando num café frequentado por soldados britânicos, e quando quiseram avisá-la de que era melhor se afastar deles, dos invasores estrangeiros da nossa terra, ela respondeu com tamanha grosseria que um rapaz da sua classe, ativo numa das organizações subterrâneas, disse: "Larguem dela, esqueçam, ela não pertence a lugar nenhum. Finjam que ela caiu da lua".

E talvez tivesse razão. Daqui a pouco minha história vai chegar ao momento em que ela percorreu toda a extensão da lua, de lá pulou aqui na terra, e em que, por causa dessa lua, e por causa de uma montanha na lua, eu nasci.

"Eu não sei nada sobre ela", eu disse a Felix mais uma vez, na cozinha de Lola, "meu pai nunca fala dela. E Gabi também não diz nada."

"Eu penso", disse Felix, "a nossa senhora Gabi encontrou caminho muito bonito e inteligente de contar para você sobre Zohara."

"Mas ela não contou nada!"

"Aos poucos vai entender como ela contou muita coisa."

"Uma vez me contaram que ela gostava de geleia de morango."

"Quem disse, senhor seu pai ou senhora Gabi?"

"Nem meu pai nem Gabi. Tsitka. A mãe do meu pai."

Uma vez eu devorei um pote de geleia e Tsitka disse que eu era igualzinho a ela. Podem imaginar o tom de voz que ela usou: "Igualzinho à mãe dele". Os lábios pareciam uma cicatriz.

"Então eu posso contar, Amnon, que sua mãe também gostava de todas coisas doces. Mas especialmente de chocolate. Ela era louca por chocolate."

Como eu.

Houve uma coisa na tourada que eu fiz que fez papai se lembrar dela, e o deixou desvairadamente nervoso.

"E nunca conheceu a família da sua mãe? Tios, tias, ninguém?"

"Ela não tem família...", foi isso que me disseram. Ou eu pensei. Ou não pensei.

"É isso? Alguma vez viu uma pessoa que não tem família nenhuma? Nem um tio ou primo distante? E qual era o trabalho dela? Qual era sua profissão? Não perguntou? Como não perguntou?"

Fiquei calado.

"Você vê, Amnon, eu preciso contar história agora. Não é história fácil para mim. É dolorosa. De repente você vai entender muita coisa que não entendia. Mas sou obrigado a contar. Pois eu... como dizer... eu — foi para isso que eu quis que nós nos encontramos, nós dois."

"Bem, conte logo." Seja lá o que for.

"Espere. Talvez é melhor pensar pouco, antes. Talvez Amnon não quer saber de tudo. Porque coisas que não sabemos não doem."

Pensei que o que estava me doendo muito naquele momento era exatamente o que eu não sabia. Fiz com a cabeça um sinal para ele continuar.

"Bem." Ele se endireitou na cadeira. Tomou um gole d'água. "Eu disse que conheci Zohara quando ela ainda era bebê. Eu conhecia mãe dela. Depois conheci Zohara em época que tinha idade sua. Mas eu conheci Zohara melhor quando ela já estava com dezoito anos. Era moça mais linda e mais especial que conheci em vida. Acredite, Amnon, este velho aqui", e apontou o dedo para si mesmo, "conheceu muitas moças bonitas em vida."

"Você... a amava?", não precisei nem mesmo perguntar. Via-se isso na cara dele.

"Para mim, impossível não amar Zohara."

E para mim foi bastante esquisito ouvir que Felix foi um dia apaixonado pela minha mãe.

"Mas era amor muito especial", disse, "amor como nos filmes!"

Pior ainda.

Lentamente, com voz rouca, Felix me contou a história dele e de Zohara. Falou com absoluta simplicidade, sem encenações e quase sem piscar os olhos. Senti como ele se esforçava ao máximo para ser correto, contar apenas fatos, mesmo que fossem os fatos mais surpreendentes. Ele queria realmente que eu escutasse a história sem nenhum artifício por parte dele.

Não sei quanto tempo ele falou. Lá fora, escureceu, e dos apartamentos vizinhos ouviam-se os sons característicos do jantar. Ouvi o prefixo do noticiário noturno, uma vez e depois outra. Entreguei-me às mãos dele, e ele me levou para uma viagem pelo mundo, por países com nomes estranhos, em grandes transatlânticos e aviões e barcos fluviais. Narrou com cuidado, e mesmo que no início cada palavra dele me doesse, virando a minha vida do avesso, eu sabia que era uma história real, e em alguns momentos consegui ouvi-la como um conto de fadas, um conto de fadas belo e triste.

Era uma vez, muitos anos atrás, uma moça muito linda chamada Zohara. Ela vivia em Tel Aviv. Uma ninfa do mar, selvagem e despojada, com espinhos por fora e doce por dentro. Aos dezesseis anos ela resolveu largar a escola. Simplesmente decidiu, e ninguém podia dizer que ela sabia menos do que outras garotas da sua idade. Aos dezessete anos era a moça mais bonita de Tel Aviv. Não eram só os soldados britânicos que ficavam maravilhados com sua beleza: um milionário famoso, que tinha o dobro da sua idade, foi atrás dela; e o maestro de uma orquestra na Holanda, e o centroavante da seleção de futebol de Israel. Mas Zohara recusou a todos. Por quê? Por que não tinha encontrado quem fosse digno dela? Ou por que tinha medo de amar alguém como já havia amado uma vez? Aos dezoito anos viajou pela primeira vez para o exterior com Felix Glick, vigarista internacional, um homem de estilo pessoal e olhar azul hipnótico.

Ele a levou para uma viagem de dois anos, aventuras em terras distantes e misteriosas. Terras tão quentes que o atlas fica molhado de suor quando se põe o dedo na página. Durante dois anos viajaram, Felix Glick e minha mãe, para todos os lugares que ela escolhia apenas pelos nomes, que lhe soavam como palavras mágicas: Madagascar, Honolulu, Havaí, Paraguai, Terra do Fogo, Tanzânia, Zanzibar, Costa do Marfim...

E ali, em hotéis maravilhosos, os dois conheciam pessoas que pareciam ter saído diretamente das páginas de um livro antigo: príncipes exilados, monarcas depostos, militares e guerreiros, revolucionários fracassados, estrelas da época do cinema mudo cujas vozes eram ruins demais para filmes falados...

"E eu fingia que era colecionador de arte italiano", riu Felix maliciosamente, "ou diretor de museu em Florença que fugiu de imposto de renda, e Zohara — bem, dizíamos que era minha filha, única herdeira de todos quadros de Picasso e Modigliani que eu guardava em cofre no banco. Era isso que nós fazíamos."

"O que quer dizer?", eu disse com um sorriso amarelo, sem entender nada. "Zohara também, ahm, contava que... espera aí..."

"Escute e vai saber. Vamos aos poucos."

Eles ficavam por algum tempo na capital de um daqueles países, saíam em passeios e excursões a pé pelas margens dos rios, ou alugavam uma carruagem decorada com enfeites de ouro, e a dedicada filha se ajoelhava diante do pai e envolvia suas pernas num xale de lã angorá para mantê-las aquecidas. Assim, por acaso, esses dois encontravam em seus ingênuos passeios algum rei deposto, que reconhecia com seu olhar arguto o lencinho branco que por acaso caía das mãos da bela jovem, e saía correndo atrás deles, e o devolvia, beijando sua mão e tirando o chapéu em sinal de respeito. E, sempre de forma casual, desenvolvia-se uma conversa, e o rei invariavelmente convidava pai e filha, os dois muito simpáticos e tímidos, ela belíssima, para uma ceia em seus aposentos. No fim da ceia, já alegre de tanto vinho, já enredado pelos singulares encantos da jovem, e também pela magia azul dos olhos de Felix, ele os convidava, por exemplo, para velejar com ele rio acima em seu veleiro, um passeio de sete dias.

Eles hesitavam um pouco, não queriam incomodar, "mas não é incômodo nenhum! Vai ser um grande prazer!". Será que Sua Alteza não está sendo cortês demais conosco? "Absolutamente! De jeito nenhum! Venham sim! Partimos amanhã!" E eles concordavam e iam; subiam no maravilhoso veleiro com sete malas vazias, para que pensassem que eram ricos, usando chapéus tropicais, para se proteger do sol, e com uma pequena flauta doce que haviam comprado uma vez para Zohara numa loja de instrumentos musicais em Tel Aviv, para atrair as lendárias ninfas do rio.

"Era sempre mesma história", disse Felix sem olhar para mim, "cinco, dez vezes — tínhamos sempre mesma história. Mesmo método. Só trocávamos lugares, e toda vez eram pessoas diferentes. Sempre vítima nova. Nós enganávamos eles — e eles tinham certeza que estavam enganando nós. Mas ninguém era caçador melhor que sua mãe."

"O quê? O quê...? Eu não entendo!" Que baboseira é essa? Como tudo isto está relacionado com a minha mãe? Quero que ele conte logo sobre Zohara.

Felix calou-se por um instante. Deu de ombros.

"Não é fácil para você, Amnon. História difícil. Mas sou obrigado a contar. É promessa. Foi ela que pediu."

E eu, querendo adivinhar: "Quem pediu? O que ela pediu?".

"Sua mãe, Zohara. Antes de morrer. Disse para encontrar você e contar história toda, antes de seu bar mitzvah. Disse que era preciso você saber toda história dela. Tudo isto é por causa desse pedido."

"O que é por causa desse pedido?"

"Não sei, isto aqui. Eu ter pegado você deste jeito. Para te contar história. Seu bar mitzvah está chegando."

"Ahá", eu disse fazendo um leve meneio. "Ahá." Não estava entendendo nada.

"E eu também preciso te dar coisa dela", acrescentou cautelosamente, "o presente dela para você. Para bar mitzvah de Amnon."

"Que presente? Afinal, ela está morta." Eu mal consegui mover os lábios.

"Ela está morta, é claro. Mas antes de morrer preparou um presente para você. Mas só é possível pegar presente amanhã de manhã. Está no banco. Em cofre. Guardado para você todos estes anos. Foi por isso que pedi para você ficar só até amanhã. Você vem comigo até o cofre — e também ganha última espiga. Depois, pode ir embora, e esquecer Felix."

Dei uma risadinha tímida. Esquecer Felix. Até parece que consigo.

"Minha mãe...", comecei com voz rouca, e essas duas palavras quase me arrastaram junto com elas. Minha garganta se encheu de mel e de sal e de outros gostos esquisitos.

"Era mulher muito especial", disse Felix estendendo a mão para me acalmar, pois viu o que se passava comigo, "era bonita, e selvagem, era como tigresa. Era tão jovem, e com certeza a mais bonita de Tel Aviv, rainha. Fazia pequeno gesto com dedo, assim, e vinte homens estavam dispostos a se suicidar por ela. E não havia nada no mundo que ela queria e não fazia. E ninguém no mundo dizia o que ela podia ou não podia fazer."

Eu escutava maravilhado. Essa era a minha mãe? Era assim que ela era? Mesmo que quase nunca a tivesse imaginado, ela estava muito além de qualquer imaginação.

"E ela era forte, Amnon, tinha força que têm pessoas muito bonitas. E era até mesmo, como dizer, um pouco cruel. Talvez não compreendia poder que tinha sobre as pessoas. E também não compreendia que beleza e força também são coisas perigosas. E alguns tiveram toda vida destruída por causa dela. Por terem se apaixonado por ela. E ela brincou com eles, até se encher, e aí os jogou fora."

"Cruel?", não pode ser. Ele está falando de outra mulher. Está inventando! É uma mentira só, do começo ao fim! Mas seu rosto dizia que era verdade.

"Cruel. Como, digamos, um filhote de gato brincando com rato. Ele não sabe como suas garras são afiadas. Acha que é brincadeira, e coitado de rato já está morto."

"Mas como foi que ela casou com o meu pai? Como eles se conheceram? Por que você não me conta sobre isso?" De repente eu tinha muita urgência de mudar sua história, ou ao menos de trazer Zohara para perto do meu pai. Para a vida normal.

"Ela não conheceu pai de Amnon tão depressa", Felix suspirou, "ainda há muito caminho a percorrer até ela encontrar senhor seu pai."

"Espera aí!", gritei, "foi por isso que você me sequestrou? Para se vingar do meu pai que a tirou de você? Que ela amou mais do que amou você?"

Ele fez que não com a cabeça: "Peço perdão, Amnon! Mas é preciso você escutar história toda! Do começo ao fim. Em sequência. Como ela disse! Senão, não vai entender nada!".

Tudo bem. Que ele conte. Eu queria ouvir, e não queria. Já não sabia o que queria. A cada palavra dele a minha vida se transformava completamente. Minha vida ficou estranha para mim. Vejam, eu mesmo já estou me transformando. Quando ele terminar de contar, vou precisar começar a me conhecer de novo. Nono Feierberg, muito prazer. Ou talvez não seja tanto prazer assim.

"Ela era minha sócia. Sua mãe. Foi ela que quis!", acrescentou como justificativa, ao notar o meu olhar: "Dizia que era a vida que queria. É verdade!".

"Vida de... criminosa?"

Fez que sim com a cabeça e se calou.

"Minha mãe era crimin...? Você está mentindo! Está outra vez me enganando!", berrei. Levantei. Sentei. Olhei para o teto. Para o chão.

"Escuta um instante!", exclamou Felix: "Foi ela que quis! Não fui eu! Ela me dizia, Felix, todas outras pessoas são covardes! Vida delas é monótona! E eu dizia a ela, Zohara, vida de criminoso é muito curta! A cada instante ele pode morrer! E ela dizia, de um jeito ou de outro a vida é curta, então vamos viver o que temos para viver. Nem que seja um ano. Um mês. Mas vamos viver como queremos! Uma vida grandiosa! Uma vida como nos filmes!"

Eu tive uma mãe criminosa. Era isso que ela era. Foi por isso que a ocultaram de mim. Mãe criminosa. Existem casos assim. Existem prisões para mulheres, e estão cheias de criminosas. Mas, apesar de tudo, não era possível que tivesse acontecido justo comigo. Por que não? Precisa acontecer com alguém, então por que não comigo? E o que ela me importa, se nem cheguei a conhecê-la? Mas eu me importo sim, só isso é o que me importa agora. E talvez ele esteja simplesmente mentindo. Está dizendo a verdade. Tive uma mãe que cometeu crimes no mundo todo. Por causa disso meu pai nunca falou dela, exceto uma vez, depois do que aconteceu com Péssia, quando gritou que a maldição de Zohara tinha passado para mim.

Mas como... por que ele se casou com ela? Como meu pai pôde se casar com uma criminosa?

Sou filho de um policial e de uma criminosa.

Parece que vou estourar. Parece que vou me partir em dois.

"Fomos sócios por quase dois anos", disse Felix, "dois anos em exterior, tudo como sonho, depois ela cansou. Tudo apenas tédio. Mas não encontrei ainda outra pessoa que gostava tanto desse trabalho como sua mãe. Para ela, era tudo jogo. Ela ria tempo todo."

Olhei o xadrez da toalha. Quadrados e mais quadrados. O que há para dizer sobre o xadrez? Queria que Gabi e papai viessem agora, e me abraçassem dos dois lados, e que ninguém além deles dois me visse.

"Continuo a contar?", perguntou Felix com cuidado.

23. Igualzinho a um filme

... E à noite, nas águas negras do rio, ao som de gorjeios de pássaros e cantar de cigarras, sob estrelas portuguesas e malgaxes, ou uma lua de Zanzibar ou da Costa do Marfim, o rei deposto conta a seus hóspedes sobre sua terra amada, sobre suas belas montanhas e lagos, sobre a abundância e bênção que seu iluminado reinado trouxe aos cidadãos, e sobre a traição desses mesmos cidadãos, que um dia, de surpresa, se ergueram contra ele, sem que ele lhes tivesse causado nenhum mal, simplesmente se levantaram, insurgiram e saquearam seus setenta e sete palácios, roubaram suas sete carruagens de ouro, sem poupar nem mesmo os setecentos pares de sapatos que ele tinha, pois o monarca adorava sapatos.

Os falsos pai e filha escutam consternados, fazem meneios de compaixão pela dor do soberano e reagem estalando a língua em desaprovação aos traiçoeiros cidadãos, que não chegavam aos pés do monarca, e talvez por causa disso tenham se vingado com os pobres sapatos. E ambos demonstram alegria ao saber que, no momento de fugir da turba ingrata, o rei conseguira salvar-se, levando consigo alguns pares de sandálias douradas, pantufas de veludo e cetim ornadas de rubis, e também — e ele sorri timidamente, olhando desconfiado para a direita e para a esquerda — alguns dos tesouros mais valiosos de seu reino. Mas, ao dizer isso, cobre a boca com a mão.

E depois de muitos suspiros e silêncios respeitosos para com o sofrimento do monarca deposto, o velho pai, com suas mechas de tintura prateada nos cabelos, toma a iniciativa e conta ao rei sobre sua vida, dele e da filha, sobre suas andanças, e sua fuga dos irascíveis fiscais de impostos, e casualmente menciona sua coleção de quadros guardados nos grandes cofres de um banco suíço, quadros que valem sabe-se-lá-quanto. E a cor rosada volta então às pálidas faces do rei, e o pai sabe que a isca foi lançada e o peixe a farejou, começando a rodear a presa.

E, então, com absoluta indiferença, o pai passa a falar de outros assuntos, da filha, a modesta e calada herdeira de milhões, que pisca timidamente por trás do colorido leque, despejando fogo a cada piscadela.

E enquanto está falando, por um momento a voz do velho pai fraqueja, e ele tem um forte acesso de tosse, todo o corpo treme, e a dedicada filha joga sobre seus joelhos a manta de angorá, mas a tosse continua, uma tosse rascante e horrível, e o pai cobre a boca e tosse dentro de seu lenço. E o rei, que já demonstrou o quanto é observador em matéria de lenços, percebe a pequena mancha vermelha que se formou.

Então o pai enfermo pede licença para se recolher, deixa a bela filha e o rei deposto a sós no convés do barco, e se retira com passos pesados para sua cabine, sua tosse inflando as velas do barco e também o lascivo coração do soberano.

Os dois continuam a conversar, o rei retoma suas recordações, histórias de sua juventude e heroísmo, e a jovem fica fascinada, ouvindo suas palavras, os olhos fixos em seus lábios.

"Mas ela ficava realmente fascinada, ou só fazia uma encenação?", perguntei num sussurro a Felix, na cozinha, me debruçando sobre todos os quadrados brancos e vermelhos, pois eu também estava um pouquinho, como dizer, fascinado.

"Ficava e não ficava", foi a resposta.

Fascinada, pois era tudo como um sonho — o rio deslizando sob o barco, e as estrelas, e os gorjeios, e a champanhe no balde, e o rei tristonho. Fascinada não, pois agia como um predador, como uma pantera, para conduzir a conversa na direção desejada por ela e Felix.

E, ainda assim, fascinada, pois, por mais que estivesse interessada no dinheiro do rei, apreciava a carícia da brisa, como a echarpe mágica que a envolvia enquanto ela realizava sua encenação, e naquele momento acreditava de todo o coração que era filha única e herdeira das fortunas de um pai moribundo, e conseguia fazer com que seus olhos se enchessem de lágrimas ao ouvir os sofrimentos do rei, pois estava pensando: "É como num filme...".

O mais estranho é que as lágrimas — mesmo tendo sido criadas a partir de uma rica fantasia — são lágrimas de verdade, molhadas e salgadas, e o velho coração do monarca se parte uma vez, e mais outra.

No final da suntuosa refeição vespertina o rei pede à bela moça que toque flauta para ele, e inicialmente ela se recusa, mas por fim concorda, e tira do estojo de veludo a flauta de madeira preta, fica de pé e se apoia na grade do convés, e toca a canção "Como são belas as noites em Canaã", e "Até a fonte veio um cordeirinho, um cordeirinho branco", e às vezes fica tão concentrada na sua exibição que chega a esquecer de si mesma, e curva-se encolhida na grade do convés, flauta nos lábios, os dedos tocando os furos, mas não se ouve nenhum som, e apesar de tudo notas ocultas ao ouvido se erguem do convés e se espalham pelas negras águas, e as diáfanas ninfas escondidas despertam de seu sono e aos poucos emergem do negro rio, e o restante das criaturas do imenso rio se enrola em torno de seus corpos, e o rio todo se enche de cintilações, piscar de olhos brancos, amarelos, púrpura, e todos escutam com grande enlevo, e suspiram.

O rei, depois de estalar os dedos algumas vezes para despertar a flautista adormecida (é isto que ele pensa), por fim se levanta impaciente, segura o ombro dela e a sacode um pouco, e ela estremece toda, e momentaneamente fita o rei com seu par de olhos negros como o abismo, os olhos de que ele tanto gosta, tímidos e ardentes, e o rei olha de um lado a outro para ver se não há mais ninguém ali, curva-se diante da bela e cochicha um segredo em seus ouvidos.

Talvez ela não se recorde, diz o rei destronado, e sua voz treme de emoção, talvez seu coração absolutamente não se ocupe de assuntos materiais e terrenos como esse, mas ele, o rei, conseguiu trazer consigo, em sua fuga, alguns preciosos tesouros, os frutos mais valiosos já colhidos nas famosas minas de seu país, e algumas caixas de tiaras de diamantes, e caixotes de pepitas e lingotes de ouro, e todo tipo de provisões que reis têm o hábito de levar em viagem quando têm muita pressa, especialmente em horas de atribulação.

E tudo isso seria dela se concordasse em se casar com ele.

Casar com ele?

A donzela pisca os olhos, abana o leque envolta em sua fabulosa echarpe, e o coração do rei já está em chamas. Talvez ele esteja apaixonado por ela, talvez também saiba o valor dos quadros que ela herdará após a triste morte de seu pai. E tem pequenos planos como rei, planos de retornar ao seu reino, e ali comprar os corações de alguns generais, e voltar a sentar-se no trono real, por isso necessita de dinheiro em profusão, o coração de um general custa caro, e o rei sabe muito bem que às vezes um quadro de Picasso vale mais que dez brilhantes.

Mas eu preciso pedir a permissão de papai, a bela cerra suas pálpebras (ela adora olhar o mundo dessa maneira, pálpebras e olhar, piscadelas e cílios, e então tudo parece um filme antigo projetado na tela...), e o rei diz, espere só um instante!, ou seja lá como reis dizem isso, e corre para a cabine ao lado da cabine do capitão, e ali abre trêmulo o cofre oculto dentro da parede dupla, atrás do retrato de seu pai, e de seu avô, e de seu bisavô, e volta corado como um bêbado, trazendo na mão fechada uma delas, uma das pepitas vermelhas de rubi extraídas do ventre da terra negra, e sob a luz clara faíscas púrpura e vermelhas cintilam e se derramam sobre o negrume do rio lá embaixo, e a moça olha a pepita e sua boca se abre, ela jamais viu uma beleza como esta. E ele traz a pedra, presa por uma fina corrente de prata, para perto do longo pescoço da bela, a mão real está úmida de tanto suor e avidez, principalmente avidez, e a moça pensa na distante Tel Aviv, cidade cuja luz é forte e perene, e nunca fica escuro o bastante para momentos como este, para prazeres como este, prazeres que se formam e se concretizam ao longo do rio, não há sequer um rio em Tel Aviv, um rio em que se mirar quando um rei deposto coloca uma fortuna em seu pescoço. E no mais íntimo de seus íntimos, há uma menininha magra que a observa, uma menina de nove ou dez anos, com olhos negros e duros como pedaços de um rochedo, uma menina amargurada que não consegue iludir ninguém, nem aos outros nem, obviamente, a si mesma, e a Zohara grande lhe sugere que aceite a pedra, o fruto cintilante, como presente, ou suborno, ou remédio, destinado a eliminar todos os seus temores, e a menina faz um lento meneio com a cabeça e diz: não.

Passa-se um dia e mais outro. A viagem se prolonga. A donzela ainda hesita. O rei já visitou pelo menos quinze vezes a cabine do pai enfermo, sempre se interessando por sua saúde, percebendo pesaroso as manchas de sangue sobre o travesseiro. E nas horas noturnas Sua Majestade passeia com a donzela sobre o convés, e em seguida se dirige com ela para sua cabine, e prende seu coração com histórias curiosas, recordações singelas, e pequenas pedras preciosas como sementes silvestres, que ele faz deslizar para a mão dela lentamente, no lugar dos beijos que gostaria de lhe dar e que ela ainda recusa.

No dia seguinte o estado do pai continua ruim. Ele chama a filha para sua cabine, junto com o rei deposto, e pede à jovem que busque refúgio no prezado monarca, e o rei jura cuidar da moça como se fosse sua própria filha, e nos últimos momentos de lucidez o pai os vê jurar um ao outro amor e fidelidade para sempre, e ainda consegue murmurar no ouvido do rei o número secreto de seu cofre no banco suíço, e o rei, empolgado, corre para sua cabine e anota o querido número em sua caderneta, e na porta da cabine, e na palma da mão, e na testa do jovem camareiro que ali passa por acaso; e também traz da cabine um dos frutos mais preciosos, reservado especialmente para a ocasião solene, e o prende no pescoço esguio da mais bela das mulheres, como símbolo da aliança eterna, pois o que é dele é dela, e o que é dela é dele, para todo o sempre.

Passado um breve tempo, começa efetivamente a agonia do pai. A filha vagueia pelos corredores do barco, desconsolada, e o camareiro estabelece contato com a margem pelo rádio, com a cidade mais próxima, e um velho médico sobe da margem para o barco, acompanhado de uma freira de expressão severa, e eles passam algum tempo na cabine do moribundo, e saem com passo apressado e expressão sombria, pois é perigosamente contagiosa, aparentemente, a doença do moribundo.

Só após uma longa hora, quando se erguem da cabine sons de gritos sufocados, o capitão do barco força a porta e encontra o velho médico e a freira amarrados um ao outro, costas contra costas, trajando as roupas do moribundo e de sua filha, e aqueles dois já chisparam e desceram para a cidade, disfarçados de médico e freira, e de lá para o aeroporto mais próximo, e talvez neste momento estejam voando sobre o barco no rio dourado, acenando para o velho monarca, com quinze de suas pedras preciosas, pérolas, escaravelhos de ouro e outros frutos da terra absolutamente seguros dentro de bolsos costurados nas roupas da bela, que neste momento se curva sobre seu pai querido, que parece bastante saudável, lúcido e animado, rolando de tanto rir. E esta é apenas uma entre muitas histórias.

Felix terminou sua narrativa e voltou ao silêncio. Eu também. O que é que eu podia dizer. Ao nosso redor já era noite. Eu sabia que ainda havia muita coisa para ouvir, e estava morrendo de medo. Mas não era só medo. Meu coração, de repente, batia no ritmo de Zohara. A história dele provocou isso, o barco, o rio negro, o rei, as joias, as palavras... Eu sentia a força viva dela dentro de mim. A medalhinha de ouro estava aberta, e os olhos de Zohara lançavam para mim olhares de vida. "Olhe para mim", chamavam seus olhos, "não tenha medo de mim. Não tenha medo de si mesmo. Você é feito também de mim."

"Você precisava vê-la...", Felix deu seu sorriso de saudades, que eu já conhecia bem: "Era como princesa de conto de fadas... trajes como ninguém mais usava... seus vestidos... seus chapéus... era como uma menina brincando de carnaval a vida toda... e todo dinheiro que ganhava, distribuía logo em seguida... não havia dinheiro que grudasse na sua mão... dizia que era dinheiro sujo, dinheiro que roubamos de ladrões, e eu dizia a ela, Zohara, minha boneca, não existe dinheiro limpo nem dinheiro sujo, dinheiro é simplesmente dinheiro e principal é que fazemos com ele, mas ela — Deus me livre! Gostava apenas de nosso jogo, me doía ver o quanto ela jogava fora! Por nada! Na rua, ou sentada no cinema, de repente jogava no ar, no escuro, dez pequenos diamantes, ou de alto de balão onde voávamos, de repente desabava uma chuva de dinheiro..."

Permaneci sentado, enfeitiçado. Como eu conhecia bem essa vontade de estender a mão num gesto amplo, de despejar, jogar alguma coisa lá de cima...

Nós dois, Felix e eu, pulamos de susto quando um toque forte do telefone soou entre nós.

Eu estava tão concentrado na história que esqueci de tudo — meu sequestro, o mundo lá fora, as manchetes dos jornais. Felix ergueu o fone e escutou, fisionomia atenta. "Já estamos indo para aí", disse. E desligou.

"Venha, Amnon, precisamos ir."

"Para onde? Quem era?" Pois eu era obrigado a suspeitar dele o tempo todo.

"Era Lola. Telefonou do teatro. Deixei lá Rolls-Royce. Lola está à nossa espera."

"O Rolls-Royce?"

"É como eu chamo aquilo. Uma piada. Venha. Vista suas roupas de menina e vamos sair com cuidado. Lola diz que todos os jornais já estão escrevendo sobre nós, pode ser que polícia já está aqui perto. Precisamos fugir noite toda, até de manhã, até hora de ir em banco, para seu presente."

Não discuti. Vesti as roupas daquela menina. Mas, enquanto fazia isso, comecei por fim a entender de quem eram, e me arrepiei.

Sim, de súbito, finalmente eu entendi, detetive medíocre que eu sou. E não foi pelo raciocínio lógico, e sim pelo caminho através do qual toda aquela história foi se esclarecendo — pelo coração, e pelo fato de ter percorrido eu mesmo os trajetos que um dia percorreu Zohara, minha mãe, quando não era muito mais velha do que eu sou hoje.

Pois essa era a regra da história, a regra que Felix estabeleceu ao longo de todos os meses em que planejou sua operação. Só agora, por fim, comecei a entender a intenção e a ideia que se escondiam por trás de toda essa viagem, desde o instante em que encontrei Felix, desde o instante em que me desviei por engano do trajeto alegre e simpático que meu pai e Gabi tinham preparado para mim: cada passo que dei já estava determinado de antemão, mesmo quando eu próprio desejava, sugeria; tudo estava predeterminado por Felix, porém — por meios misteriosos — também por Gabi, que me contou sobre Felix e me dirigiu para cá sem que eu percebesse. E, principalmente, quem determinou a viagem foi Zohara, a Zohara no meu interior, que queria se revelar para mim.

Voltei para Felix vestindo aquelas roupas. A saia vermelha, a blusa verde, as cores estranhas que desbotaram um pouco com o correr dos anos. Agora não achava mais estranho o toque daquele tecido na minha pele. As roupas me acariciavam, se prendiam ao meu corpo, abraçando-me com toques suaves.

"São as roupas dela, não são?", perguntei.

Felix fez que sim.

"As roupas que eram dela quando criança."

"Sim. Claro que sim."

Lembrei de como ele me olhou no trem, quando me viu pela primeira vez. E como seus olhos se arregalaram quando vesti as roupas dela pela primeira vez, quando viajamos disfarçados.

"E eu fico um pouco parecido com ela?", perguntei cauteloso.

"Como duas gotas d'água."

24. O filho do detetive

Dividimo-nos em dois grupos. Um dos grupos era eu, e o segundo grupo era totalmente formado por Felix. Ele me explicou direitinho como chegar da casa de Lola ao Teatro Habimah, e me avisou que os policiais já estavam muito perto. Seus sentidos lhe diziam que a área estava repleta de guardas. Perguntei como sabia. "Se eu sinto costas formigando, é sinal de que há polícia por perto", respondeu. Então comecei também a sentir alguma coisa, uma leve coceirinha entre os ombros. Como se estivessem me lançando um olhar penetrante. Talvez eu também estivesse desenvolvendo sentidos antipolícia.

O Grupo Número Um foi à janela e verificou se a área estava limpa. O Grupo Número Dois aperfeiçoava seu disfarce de mendigo. O Grupo Um espiou pela fresta da porta e relatou que o setor de escadas também estava limpo. O Grupo Dois informou que sairia cinco minutos depois do Grupo Um.

O Grupo Dois veio e se postou diante do Grupo Um.

"*Shalom*, Amnon. Tome cuidado no caminho para não pegarem você. Seja esperto. Ainda precisa ouvir resto da história, e como ela conheceu senhor seu pai, e precisa também de presente!"

"Então se cuide você também."

"Aperte mão aqui, parceiro."

Parceiro! Não sentia um orgulho assim desde que meu pai me promoveu a segundo-sargento. Dei-lhe a mão. Apertamos as mãos, e de repente, sem que tivéssemos essa intenção, nos abraçamos, os dois grupos.

"Até a vista", sussurrei, pensando: o criminoso foi sócio da mãe, e alguns anos depois do filho dela. O círculo se fecha.

"E aí, saia logo", grunhiu Felix, e virou-se depressa, por alguma razão.

Pronto, está começando. A minha última noite com Felix. A última parte da minha história com ele.

Felix estava certo: havia policiais. Assim que saí da casa de Lola comecei a identificá-los. Alguém se preocupou em apagar as luzes da rua em toda a área, e viaturas iam e vinham de farol baixo. Em cada canto da rua estavam postados pequenos grupos de guardas uniformizados, mapas nas mãos, estudando sua área de atuação. Em todos os cantos às escuras eu ouvia ruídos de rádios de comunicação. Também tive a impressão de ver um policial em trajes civis postado junto à caixa d'água num dos telhados. Mas posso ter me enganado. É difícil discernir um vigia no telhado numa escuridão dessas. Eu ainda não conseguia entender como a polícia tinha adivinhado que eu e Felix estamos justo aqui, nesta área: se não encontraram a espiga que joguei ontem dentro do mar, não há nenhum motivo para fazerem a ligação entre a escavadeira e o sequestro do trem! E, apesar de tudo, o fato é que já começaram a suspeitar de algo e fechar o cerco lentamente. Pensei: talvez eles saibam de mais alguma coisa, que Felix ainda não me revelou.

Um homem jovem chegou e se sentou num banquinho.

Um homem jovem demais para se largar com tanto cansaço.

Uma rápida olhada nos seus sapatos. Os sapatos são a última coisa que alguém pensa em trocar num disfarce.

Um homem jovem com sapatos Palladium da divisão de investigações.

Uma menina passa agilmente por ele. A trança balançando nas costas. Crava nele um par de olhos penetrantes, olhos de Zohara, corajosos, irônicos, desdenhando os guardas.

"Saia daqui, menina, não atrapalhe", rosna o jovem rapaz.

Como sou esperta.

Virei à direita, segundo as instruções de Felix. Pude imaginar meu pai organizando neste momento as forças que estão à minha procura. Eu o vejo sentado na frente de um grande mapa das ruas de Tel Aviv, distribuindo as patrulhas pelos locais do cerco. Ele tinha uma aptidão especial para cercos. Era sempre capaz de adivinhar por onde os bandidos tentariam escapar, e onde se esconderiam na hora da perseguição. Uma vez escondeu um policial dentro de uma gigantesca caixa de estrume, a um quilômetro e meio do local do cerco, uma loja de decorações. O ladrão, depois de se safar dos policiais que o cercaram do lado de fora da loja, correu com a rapidez de um raio, seguido de mais três policiais que o aguardavam ao longo do trajeto — o trajeto que meu pai tinha previsto com precisão na hora em que a perseguição foi planejada —, até que por fim mergulhou na fedorenta caixa de estrume, com um sorriso de autossatisfação, para finalmente ouvir o ruído de algemas se fechando em torno de seus pulsos.

"Um bom policial pensa como criminoso."

Mas eu já não tenho mais absoluta certeza de que lado estou quando digo esta frase.

Estava bem escuro. E os sussurros, os movimentos espectrais. Fiquei o tempo todo lembrando a mim mesmo que, do ponto de vista profissional, papai realmente podia confiar em mim. Que eu não o decepcionaria. É verdade que tinha apenas treze anos, mas tinha nas costas quase dez anos de prática. Comecei aos três. Foi isso que meu pai quis. Tinha ouvido que o pai de Mozart o ensinou a tocar aos três anos. Por causa disso eu, aos três anos de idade, aprendi a descrever com palavras claras as roupas das pessoas, do chapéu aos sapatos. Meu pai fazia comigo jogos de memória: qual era a cor da camisa do motorista do ônibus? Quais eram as pessoas na loja que usavam óculos? O que vestiu hoje cada um dos meninos no jardim de infância? Qual era a cor do vestido da professora no dia do seu aniversário?

Sem dar um sorriso. Com seriedade absoluta. Com rubra irritação se eu falhasse. O que eu não sabia hoje, era obrigado a descobrir para amanhã. E havia punições. Mas a maior delas era ver a raiva dele quando eu falhava.

Aos cinco anos: qual era o número do carro que parou esta manhã na frente de casa? Quantos faróis de trânsito há no caminho de casa até a casa da vovó Tsitka? Com que mão o novo carteiro segurava o malote de cartas? Que sotaque tinha o homem que veio colher donativos? Como se liga um carro sem a chave? Por que você dormiu de novo com os dois ouvidos debaixo do cobertor, onde está seu sentido de alerta? Esta semana você perdeu os seus trocados. Não chore. Um dia você ainda vai me agradecer por isso.

Estou correndo rápido demais. Talvez assim dê muita bandeira.

Aos dez anos ganhei de aniversário um kit de retrato falado, já contei; e aos doze, ele me deixou fazer prática de tiro no pavilhão de treino da polícia. Não com balas de verdade, ainda, só balas de festim, mas com um revólver de verdade. Um Wembley calibre .38 e tal, e à noite, só ele e eu, uma vez por mês no pavilhão vazio, com a proteção de couro aquecendo os ouvidos, e as minhas mãos segurando o revólver frio, e o peso do revólver, e o coice da bala jogando e empurrando todo meu corpo para trás, e a respiração quente dele junto das minhas bochechas, quando está fazendo pontaria para a minha mão, e o alvo verde em forma de corpo humano: "Mire na cabeça! Mire no coração! Atire! Fogo! Fogo!".

Cem vezes. Mil vezes. Atire! Fogo! Você está andando na rua e alguém ameaça cravar uma faca nas suas costas — atire! Você está dormindo e alguém arromba a sua casa. Atire! Alguém raptou uma criança diante dos seus olhos e a meteu num carro. Atire! Ele tenta fugir? Fique parado ereto. Abra as pernas para ter equilíbrio. Firme a mão direita com auxílio da esquerda. Feche o olho que não está fazendo pontaria, mais depressa! Fogo! Até você se mexer já morreu duas vezes! Atire! Quem atirar primeiro fica para contar a história aos netos! Atire! Deixe os seus instintos agirem! Não perca tempo! Você não tem mais muitos anos para aprender até estar nisso de verdade! Você já tem treze anos! Atire! Atire! Fogo!

Quando Gabi disse que eu passo tempo demais na polícia brincando de "mocinho e bandido" e vendo coisas que um garoto da minha idade não precisa ver, meu pai disse que só assim vou aprender a superar a minha personalidade fraca, e começar a ser forte, e decidido, e viril. Pois nessas brincadeiras de "mocinho e bandido", como ela diz em tom jocoso, eu aprendo a coisa mais importante na vida, a eterna luta entre a ordem e o caos, entre a lei e o crime que tudo busca arruinar. Gabi escutou pacientemente e disse que estava certo, um garoto pode de fato ser um excelente detetive, pois para um garoto o mundo é às vezes um grande enigma que ele precisa decifrar, mas cada idade tem seus próprios enigmas, e na minha idade existem ainda algumas charadas que eu preciso resolver antes, e alguns enigmas sobre a minha vida pessoal, e papai já começou a reclamar que não era ela que haveria de ensiná-lo a criar filhos, talvez ele cometa erros comigo, mas na sua opinião esta é sua principal obrigação como pai: me treinar para a vida concreta, para a luta pela sobrevivência. E Gabi disse: "No fim ele vai ser exatamente o resultado desse seu treinamento, e aí você vai se arrepender".

Um grilo cantou em um dos arbustos. Um pé de vento me trouxe um cheiro de mar, e eu respirei fundo com alegria, sugando força daquele cheiro. Fiquei ereto, ergui a cabeça. Esta noite será meu grande teste. Agora preciso ser esperto como ele. Mais esperto que ele. Tentar pensar como ele, e então sobrepujá-lo. Conhecimento é poder, conhecimento é podeeeeer! Eu sei como ele pensa, e como ele planeja uma ação como essa. Mas ele já não sabe quem eu sou. Não tem informação exata a meu respeito. Conhece um outro Nono. Tinha certeza de que eu fugiria de Felix assim que pudesse. Havia me treinado para fugir de um sequestro. Ele já não me conhece mais. Senti uma estranha tristeza, pois sabia que tinha fugido para muito longe dele, e também pensava que talvez, pela primeira vez na vida, tinha uma possibilidade bastante grande de surpreendê-lo.

Caminhei mais depressa. A maresia ia me acompanhando, me acariciando. Pela coceirinha que ia crescendo nas minhas costas, senti que muito breve ele acabaria estendendo todas as suas redes. Tentei imaginar como ele estaria resumindo a situação para si e seus policiais:

Ponto um: Felix sequestrou Nono e o detém contra sua vontade. Ponto dois: Felix está escondido na área. Ponto quatro: É preciso capturar Felix, antes de ele machucar Nono.

Mas havia também o "ponto três", que meu pai não dizia em voz alta, um ponto importantíssimo para meu pai: é preciso capturar Felix antes que ele consiga contar a Nono a história de Zohara.

E eu justamente quero muito ouvir a história toda. Do começo ao fim. É a história da minha vida. Tenho o direito de sabê-la. Não vou deixar que ninguém no mundo a interrompa agora no meio, nem mesmo o meu pai. Especialmente ele. Acabemos com esse segredo! Acabemos com todos os segredos e fatos ocultos!

Me sentia como um cavaleiro. Andar firme, pronto para combater, pela primeira vez, por Zohara e sua história.

E se ele quiser me impedir — eu fujo.

E se ele brigar comigo — eu revido. Preciso finalmente saber quem sou eu.

Estranho: necessito do homem que me sequestrou, e fujo daquele que quer me salvar.

De tanto nervosismo quase esqueci do meu disfarce, e comecei a andar com os punhos fechados e erguidos, o que não condizia com o jeito de andar de uma menina educada. Mas Zohara não era educada. Absolutamente não. Eu conseguia imaginá-la na minha idade. Uma garota bonita, traços meio duros, olhos vivos. Uma menina odiada pelas outras garotas, que faziam troça dela, e de quem os meninos tinham um pouco de medo, e para cuja mãe os professores sugeriam que a matriculasse em outro tipo de escola, mais adequado a crianças esquisitas como ela.

A mãe dela?

Quem era a mãe dela? Afinal, ela tinha mãe. E pai. O que é que há? Por que estou tremendo?

Mais uma vez me obriguei a ir mais devagar. O que está acontecendo? Como meu pai sabia que Felix iria se esconder justo neste bairro? O que é que todo mundo sabe que eu não sei? O que é que todo mundo entende que eu não entendo? Com as forças que me restavam retomei o meu disfarce. Só o treinamento de todos aqueles anos me segurava agora. Na esquina passei diante de uma viatura estacionada na calçada. O policial sentado dentro dela nem prestou atenção em mim. Acompanhei com o olhar um pássaro escuro que levantou voo, digamos, de um pinheiro, até pousar nos fios elétricos. A pequena Zohara se interessa pelo mundo alado. Meu olhar voou um pouco para a direita, procurando penetrar na escuridão. Eu sabia! Aí estão eles, dois homens de camisas escuras de manga curta. Postados sobre o telhado mais alto da rua, tendo erguido um tripé na beira do telhado. Um tripé para a luneta com visão noturna.

Meu pai está fechando o cerco ao meu redor. Vai ser uma caçada humana. Como nos filmes. Uma caçada em busca de Felix, uma caçada em busca de mim. Ele vai realizar buscas de casa em casa para nos achar. Senti um arrepio nas costas. Como se uma pequena rede, rija e transparente, tivesse caído sobre mim, lançada no momento preciso para aproveitar a imprevisibilidade e me prender dentro dela. Toda a silhueta do meu corpo se retraiu, mas continuei andando. Só não posso deixar que vejam o susto na minha cara. Como meu pai sabia que devia procurar Felix e eu justo aqui, dentre todos os lugares do mundo? O que é que todo mundo sabe e eu não consigo entender? Por que não consigo penetrar no bloco de concreto do meu cérebro? Afinal, a resposta parece que está pairando diante dos meus olhos, esvoaçando, e eu não consigo... ande, vá em frente, não vá vacilar agora. Em mais alguns instantes haverá na área dezenas de policiais e detetives. Estarão espalhados por todos os pontos de observação possíveis. Ninguém poderá escapar desses olhares. Eles irão esperar pacientemente: eles sabem que mesmo um sequestrador experiente como Felix precisa sair alguma hora da casa em que está escondido, para comprar comida, ou transferir você, o menino sequestrado, para outro esconderijo.

E meu pai já está aqui, pensei. É óbvio que está aqui. Ele não é de ficar sentado numa sala enquanto seus homens varrem a área. Ele está aqui. Talvez sentado dentro de uma dessas viaturas, examinando à luz da lanterna o mapa dos arredores.

E já conseguia senti-lo ao meu redor. Seu olhar investigativo à minha procura. Seu corpo robusto, explodindo de tanta energia. Procura. Vasculha. Eu sentia no ar sua presença, seu cheiro. Ele está aqui. Talvez seus olhos já estejam piscando nas minhas costas neste exato momento. Seus olhos pequenos e perscrutadores. Será que está se perguntando o que de fato acontece entre mim e Felix, começando a desconfiar que já há dois dias estou evitando de propósito os gritos silenciosos que seu coração está emitindo para mim? Será que a fenda terrível entre seus olhos ficou mais profunda, como se alguém a tivesse riscado a faca?

Caminhei mais depressa. Meu coração batia forte e rápido. Um animal acuado, sou como um animal acuado. Uma sirene soou numa das ruas distantes, e eu pulei de susto. Ninguém me viu. Na calçada esquerda havia um guarda verificando os documentos de um senhor idoso que passava distraído pela rua. O homem reclamava da batida policial e agitava os braços, nervoso. O guarda lhe explicou alguma coisa, e o homem imediatamente se acalmou.

Fugir. Sumir daqui. Meu pai não pode me pegar. Eu não sou dele. Não sou só dele.

Utilizei toda a minha prática, todo o meu treinamento. Tudo que ele me ensinou desde o instante em que aprendi a andar. Vi tudo de uma só vez. As placas de identificação falsas dos carros de polícia. O brilho das lunetas de visão noturna sobre os telhados, os sapatos Palladium do jovem casal que passou abraçado à minha frente. E o que está me acontecendo neste momento com meu pai, contra ele, toda a minha vida e a dele se modificando agora.

Marchei no ritmo certo. Observei as coisas que poderiam interessar à pequena Zohara. Eu era a pequena Zohara. Consegui achar um pretexto para dar espiadas também sobre o meu ombro direito. De vez em quando verificava os telhados. O bairro tranquilo de Lola fervilhava de vida misteriosa. Por toda parte havia guardas em profusão, postados em suas posições, preparando sua caçada.

Eu conhecia policiais, conhecia tudo ligado a eles. Agora podia sentir no ar o cheiro do nervosismo. Espero que Felix consiga se mandar daqui antes que eles fechem o cerco em torno da rua de Lola. Vou enlouquecer se o pegarem agora, justo antes de ele me contar o resto da história. E antes de me dar o presente de Zohara.

Quem sabe o que ela me deu. O que ela vai me enviar de repente do seu mundo dos mortos.

Era uma noite estranha. Do meio da folhagem escura dos pinheiros soprava uma leve brisa. Tudo sussurrava e estalava. Eu me sentia como alguém flutuando no ar. Sem pertencer a lugar nenhum. Extraviado. Perdido. Eu me sentia esquisito. Como que pairando no vazio. Talvez por causa disso a polícia não consiga encontrar todos aqueles que busca, e acabe pedindo ajuda da população. Talvez nem sempre eles queiram ser encontrados. Pois, quando você está extraviado, você só pertence a si mesmo. Vaga pelo mundo, daqui para lá. Você pode escolher o que será no próximo instante. Você é único.

Eu me sentia tão solitário naqueles momentos. Um pontinho estranho neste mundo enorme, um pontinho único que sou eu.

Mas quem sou eu. Como foi que em dois dias as coisas ficaram tão complicadas, a ponto de eu virar um criminoso procurado, fugindo do meu pai? Que força tão grande é essa que me puxa para a frente, para dentro, para dentro da história?

Estou vagando a esmo, sem vontade própria.

De dentro de mim, das profundezas da minha alma, ergue-se uma identidade desconhecida, espalhando-se no meu interior como uma grande nuvem, tocando os cantos e os mistérios mais íntimos, tomando conta do meu coração e da minha mente, e sussurrando — este é você. Você se extraviou dele. Você sempre foi um pouco assim. Sempre sentiu um pouco isso — e tinha medo. E agora lhe foi contado o segredo: você é realmente assim. Não inteiro. Parte de você. E por causa dessa parte sempre vai ser um pouco maluco, um pouco contraventor, e jamais, aparentemente, você será o herdeiro de seu pai como o melhor detetive do mundo.

Junto com a dolorosa tristeza deste último sussurro ouvi dentro de mim também uma outra voz, meio estridente, meio satânica, rindo desbragadamente: "Mas você poderá, se quiser, ser o continuador da sua mãe... e de Felix...", e passou por mim uma reflexão, que talvez ele tenha me sequestrado também para me ensinar um pouco dos seus segredos profissionais. E passar para mim sua perícia, seu profissionalismo...

Por fora assentavam bem em mim as roupas dela. O toque macio foi absorvido por mim. Murmurando junto comigo no ritmo do meu caminhar. Era uma vez uma mulher jovem chamada Zohara. Antes disso ela tinha sido criança. Ainda não sabia muita coisa dela como criança, mas suas roupas falavam. Falavam diretamente para a minha pele. Ela penetrou em mim, a menina. Através da saia e da blusa, até mesmo das sandálias, que absorveram o suor das plantas dos seus pés.

Andei de olhos quase fechados. Como se soubesse de cor o caminho, da casa de Lola até o teatro Habimah. Simplesmente parei de pensar, e deixei as sandálias de Zohara me levarem. E elas me levaram. Me conduziram pelas calçadas. Conheciam todos os atalhos. As passagens pelos becos, as trilhas entre as árvores. Quando uma vez tentei virar por engano à direita — elas, à força, viraram meus pés para a esquerda. Nunca vi sandálias tão decididas. Talvez tenham se passado vinte e cinco anos desde que fizeram este caminho, mas a memória estava fixada nelas.

E assim, caminhando, pequenas mensagens iam sendo transmitidas para mim pelos meus pés, e eu comecei a compreender. Às vezes eu sou tão lerdo, dá para enlouquecer. Era uma vez uma menina chamada Zohara. Só não se atreva a chamá-la de menina, ou você corre o risco de apanhar. Ela vivia num mundo de solidão, desligada de todas as crianças, devorando os pensamentos adultos, mergulhando por instantes sua alma em lendas e fantasias e pequenas criaturas aladas que encenavam peças e filmes por trás de suas pálpebras. E o que mais? Sim, ela adorava geleia de morango e chocolate.

Ela morava num prédio alto, num quartinho de onde se podia ver o mar. Um quarto de onde o mar era mais aberto, mais azul. Ela adorava enfiar balas de framboesa nos rasgos que fazia no colchão. E pendurar na parede cartões-postais de terras distantes. E colecionar bonecos-soldados de terras distantes. Para que colecionava aqueles bonecos? Quem mandava os bonecos para ela? Quem mandava os cartões?

Talvez o seu pai. Esse pai em quem até agora não pensei. Pois com certeza ela teve pai, não é?

Eu já andava feito bêbado. As sandálias me conduziam como se tivessem sido tomadas de súbita alegria. Meus olhos estavam cheios de lágrimas bobas. Qual é, um garoto chorando feito menina. Feito uma menina que obrigou a si mesma a parar de chorar. Que fez uma rachadura em forma de raio na parede, para não chorar. Como é que não entendi nada do que me aconteceu nesses dois dias desvairados. O quarto na casa de Lola. O cheiro do travesseiro, as roupas no armário. Cartões-postais com paisagens de tudo que é lugar distante.

Tenho medo, tenho medo de saber.

E Lola, que ficou uma noite inteira sentada na cadeira me olhando e suspirando. E sabia a minha data de nascimento.

Como é que não compreendi isso.

E meu pai, que adivinhou que Felix me traria para cá, justamente para a casa de Lola.

O trajeto que estou fazendo nesta viagem. O trajeto planejado de antemão.

Como o destino.

A história que Felix está me contando.

Continuei a andar, tropeçar e andar. Até onde é possível ficar surpreso, e o que mais vai acontecer comigo nesta viagem?

"Numa pequena colina, perto dos faróis, pegue direita, e depois esquerda", disse Felix nas suas instruções.

Virei à direita, depois à esquerda.

"E aí olhe bem para esquerda."

Olhei para a esquerda, firmei o olhar como o ponteiro de um relógio se aproximando das nove horas.

Ao lado de um poste de luz estava parada uma mulher me acenando com um grande pano. Lola.

Estava ao lado de uma motocicleta com *sidecar*, e uma antiga recordação me tomou: uma motocicleta com *sidecar* e um tomateiro. Um homem desvairado como um cavalo, rindo como um cavalo, até que um dia parou de rir e acabou ficando triste. E na moto estava sentado Felix, com estranhos óculos de piloto e capacete de couro.

É óbvio que tinha conseguido se safar do cerco dos policiais de meu pai; é óbvio que chegou na minha frente; virava com força o acelerador de mão, o motor rugia.

O seu Rolls-Royce.

E Lola Ciperola. A famosa atriz.

Que era mãe de Zohara.

E Felix Glick, o homem das espigas de ouro. O homem que amava minha mãe.

Mas não amava como amante. Não como um homem que ama uma mulher. E sim como um pai que ama sua filha.

Como não compreendi isso antes.
Ele era o pai dela. Lola era a mãe.
Espiga dourada e echarpe lilás.
O pai e a mãe de Zohara.
E os dois, juntos, me acenando para eu me apressar.
Meu avô e minha avó.

25. Zohara atravessa a lua, e Cupido recorre a uma arma de fogo

Viajamos a noite toda na motocicleta com *sidecar*. Eu, Felix e Lola Ciperola. O vento batia na nossa cara, revolvendo nossos cabelos, e para nos ouvirmos mutuamente precisávamos gritar. Felix guiava, Lola agarrada na sua cintura e eu sentado no *sidecar*, espremido como uma ervilha. Às vezes trocávamos de lugar, Felix guiava, eu sentava na garupa segurando na sua cintura e Lola Ciperola ia espremida como uma ervilha.

Viajamos pela escuridão da noite adentro. As luzes da cidade brilhavam sobre nós, refletindo-se nos óculos escuros de mendigos cegos e nas elegantes fachadas envidraçadas. A sombra da moto subia nas calçadas, nos cartazes de propaganda, nos bancos de namorados. Rápido, rápido, dizíamos um ao outro, voando como uma folha de papel escuro sobre os pequenos cafés noturnos, avenidas escuras, limpadores de ruas, estranhos grupos de três ou quatro cachorros que se juntavam para uma jornada noturna e latiam para nós com toda a força, um dálmata, um pastor-alemão e um poodle que conduzia o grupo; ou um pequeno e comprido bassê, um gigantesco dinamarquês e um vira-latas horroroso. Como se os representantes de todos os cães de Tel Aviv tivessem vindo servir de guarda de honra para nós na nossa viagem em busca de Zohara...

Talvez eu devesse começar descrevendo nosso encontro na frente do Habimah. Meu encontro com meu avô e minha avó, o duplo presente de surpresa que ganhei pelo meu bar mitzvah, sem vale para troca.

Marchei da esquina na direção deles, andando com ar casual, como quem não quer nada, e depois, mais ou menos após um passo e meio, comecei a correr. Lola ficou parada acenando com a echarpe. Primeiro se conteve, atitude condizente com a atriz número um do teatro nacional, mas quando fui chegando perto ela começou a correr para mim. Ninguém na rua (e no mundo) seria capaz de visualizá-la assim, de calça jeans, cabelo comprido e solto, sem maquiagem. Acenava de um lado a outro. Viu na minha cara que eu já sabia. Nós nos encontramos, nos abraçamos, e eu enterrei a cabeça bem fundo no ombro dela. Disse: "Você é a mãe de Zohara", e ela, "Sim, sim, que bom que você já entendeu, eu não conseguia mais me conter, queria muito te contar". E o meu pescoço ficou totalmente molhado devido a uma súbita enchente barométrica diante do teatro Habimah.

Felix ficou em pé ao nosso lado, mãos na cintura, balançando a cabeça. "Acabaram? Peço perdão, mas precisamos chispar daqui! Depois teremos tempo para baboseiras e lágrimas e nhem-nhem-nhem!"

"Grande herói!", disse Lola enxugando o nariz, "entendi por que você botou o capacete bem agora, mas consigo ver os seus olhos assim mesmo!"

"E ele é o meu avô. Também sei que é", eu disse a Lola, meio assustado comigo mesmo por ter me jogado daquele jeito em cima dela.

"Se você me chamar de vovô em frente de pessoas, eu já-já entrego você para polícia", reclamou Felix. "Ainda sou muito jovem para me chamarem de 'vovô'."

"Coitado do menino", afirmou Lola, "ter Felix Glick como avô."

"Coitado por quê?", contestou Felix, "existe algum outro avô que leva neto para roubar trem inteiro?"

Ele tinha razão.

"A mim você pode chamar de vovó", disse Lola, "e Felix também vai se acostumar." E fui de novo envolvido pelo seu perfume gostoso. Eu tenho uma avó de verdade, que me abraça, não só uma avó mal-humorada.

"Então você acabou se casando?", me ocorreu a pergunta, pois afinal ela tinha princípios.

"Se eu me casei?", ela me encarou estupefata, "é esta a primeira pergunta que um neto faz para sua avó?"

"Não, é que uma vez você disse que..."

Ela riu: "Você está certo, Nono, ouça toda a verdade de uma vez: eu sou uma mulher que gosta de ficar sozinha e fazer o que me dá vontade. Livre como um passarinho eu sempre fui, e quando amava alguém, não ficava esperando que ele viesse se declarar, eu é que ia e dizia — caro senhor, é isto, isso e aquilo, e a situação é essa! E fui amar justamente esse velho aí —", ela acariciou com ternura o capacete na cabeça dele, "e quis uma criança dele, mas de jeito nenhum estava disposta a dar para ele as chaves da minha vida".

"Para mim basta chave de fenda." Felix caiu na gargalhada, e eu me enchi de orgulho de Lola, a minha nova avó. Pois sabia, sabia que ela permaneceria fiel a si mesma.

"Onde foi exatamente que você conseguiu uma motocicleta dessas?", perguntei a Felix, e ele sorriu seu sorriso misterioso, deu de ombros, disse alguma coisa sobre o mago Felix, o Felix que consegue tudo, e mais outras exibiçõezinhas, que eram destinadas principalmente a irritar Lola, mas ela só riu, deu-lhe umas palmadas fortes na nuca, e disse: "Setenta anos, e parece um menino!".

"Êia, sus!", bradou Felix, e nos pusemos a caminho.

Eu tinha montes de perguntas para fazer a ela. E a ele. Por que durante todos aqueles anos ela não tinha tentado estabelecer contato. E se sabia a meu respeito. E se me reconheceu, quando Gabi e eu a encontramos na frente de sua casa...

Gabi. Gabi Gabi Gabi.

Incrível como, durante todos esses anos, ela me escondeu as coisas mais importantes sobre Lola Ciperola: que ela era a amada de Felix Glick. E que tiveram uma filha. E que a filha morreu. E que a filha era, na verdade, como dizer, uma criminosa, sim, e que ela, por acaso, era minha mãe. Durante todos esses anos Gabi me deu pistas sutis e delicadas de que Lola e Felix eram muito importantes para mim, para a minha vida, para o meu destino, e plantou dentro de mim pequenas sementes de curiosidade sobre Lola, e também sobre Felix, por meio das espigas de ouro, por meio da echarpe lilás, e as imitações de Lola, as canções de Lola, as histórias sobre a vida de Felix, e tudo isso se juntou no momento certo, três dias antes do meu bar mitzvah.

E, num movimento sorrateiro e inteligente, eles agiram à minha volta, Gabi e Felix, sem um saber das ações do outro.

Os dois me apanharam na armadilha. E eu quis ser apanhado. Quis muito.

Com o rabo do olho eu espiava Lola e Felix o tempo todo, tentando me acostumar com o fato de que agora eles eram minha avó e meu avô. E ainda era esquisito, pois, antes de conhecer Lola, ela era para mim uma pessoa tão distante, e de repente chegou perto de uma só vez, entrando na minha vida, e é uma diferença enorme, toda a diferença entre uma mulher que as pessoas chamam de Lola Ciperola e uma mulher que é Lola Katz, e eu ainda não sabia direito como seria, até onde seríamos próximos, como é ter uma avó de verdade... e de repente meu olhar se encontrou com o olhar de Lola:

"Eu olho para você", disse Lola, inclinando-se para mim sobre a moto, "e penso como fui boba todos esses anos por não ter tentado contrariar o seu pai, não ter tentado encontrar você antes".

"Ele não concordava? Por quê?", gritei, e não foi só por causa do vento.

"Porque depois que Zohara morreu, ele não queria que houvesse nenhum contato entre você e a vida dela! Tinha medo de que, Deus o livre, algo dela passasse para você, e resolveu eliminar também a mim. Sim, foi isso aí!" Ela prendeu os cabelos sobre a cabeça, para eu poder ouvi-la em meio ao forte barulho: "Mas agora chega! Agora o trato não é mais com ele, e sim com você, e eu quero ser sua avó em período integral. Você me aceita nesse serviço?".

Eu ri. As mulheres sempre querem ser minhas mães ou minhas avós em período integral. Apertamos as mãos em plena viagem. É claro que aceito.

"Ali, a central de diamantes", gritou Felix debaixo do capacete. Ele contornou uma grande rotatória, saiu da estrada e pegou uma trilha de terra campo adentro, que contornava o prédio.

E parou.

O vento diminuiu. Lola e eu respiramos aliviados. Felix ficou saltitando ao nosso redor, tentando puxar a cabeça para fora do capacete apertado de couro, que parecia um capacete de piloto da Segunda Guerra Mundial. O ar estava tomado por um cheiro forte de chocolate, e logo identifiquei o local — a fonte doce e secreta minha e da Gabi, a fábrica de chocolate, que graças a mim e graças a Gabi cresceu e se ampliou muito nos últimos cinco anos.

"Como vocês sabem que eu gosto de vir aqui?", dei um sorrisinho, "afinal, eu não contei isso pra vocês."

"Não contou o quê?", perguntou Lola, e acrescentou ansiosa: "Puxa, Felix, sai logo de dentro dessa coisa ridícula!"

"Que a Gabi e eu... uma vez por mês a gente vem aqui. Na fábrica. Ver como fazem chocolate."

"Uma vez por mês ela traz você aqui?", espantou-se Lola.

"Sim. Sempre. Já faz alguns anos. E depois, nós vamos até a sua casa, esperar você."

Lola me olhou, olhou para Felix, e balançou a cabeça, admirada. "Eu preciso conhecer logo essa tal de Gabi. Ela é simplesmente maravilhosa!"

Não entendi o entusiasmo. As avós devem, teoricamente, se preocupar com os dentes dos netos, e não se entusiasmar com visitas constantes a uma fábrica de chocolate.

"Esquecer chocolate por um momento!", ordenou Felix, que, depois de finalmente conseguir arrancar o crânio do capacete esquisito, olhou para Lola com um ar desafiador e se justificou, humilde: "É por causa de nariz. Nariz não passa, e daí?!"

Lola fez um gesto de desdém imitando com os dedos uma tesoura. Felix se curvou e protegeu seu nariz. Tive a sensação de que ele tem sempre um pouco de medo dela.

"Esquecer chocolate!", ele repetiu. "Agora, olhe só para este lado. Lado dos diamantes! É aqui que começa sua história."

"A minha?"

"*Yes sir*! Muitos anos atrás aqui era centro de diamantes de todo país! E prédio todo era cheio de diamantes, e também de guardas, e câmeras capazes de enxergar um rato quando se move, e o equipamento mais moderno do país. Em resumo, eu e Zohara estávamos uma vez viajando pela estrada, e Zohara vê prédio, ri e diz: 'O que você acha, Papino' — era assim que ela me chamava — 'eu consigo entrar e subir por dentro desse prédio até o telhado, e depois sair sem nenhum guarda me pegar?'."

Espera aí, mais devagar. Quase tapei os ouvidos com as mãos. Ainda não tinha conseguido me habituar com o fato de minha mãe dizer coisas desse tipo, coisas que as pessoas dizem nos filmes. E, em geral, são pessoas que não têm filhos.

E Felix: "Então eu digo para ela: 'Zohara, meu bem, para que é que você precisa disso? Se você quer dinheiro, eu dou tudo que precisa, e se você quer, como queria antigamente, dinheiro graúdo, e outras brincadeiras, vamos para exterior, para lugar novo onde ainda não nos conhecem, e alguma coisa nós vamos achar para fazer!'".

Lola se aproximou e pôs a mão no meu ombro.

"Me diga se for difícil demais para você", ela cochichou, "Felix gosta de se exibir, e às vezes ele exagera."

"Exagero por quê?", discordou Felix. "Estou contando para ele história dele, como foi em vida real! Levo ele a todos lugares, mostro como foi, e o que foi. É a vida dele! Não está bom?"

Comecei a compreender por que esses dois não conseguiam viver juntos.

"Prossiga", eu disse, "eu quero saber."

"Ahá!", Felix se gabou para Lola: "O seu neto quer saber! Muito bem! É um direito dele, é história dele! Em resumo, Zohara vem e me diz, 'Papino', ela diz, 'eu não quero mais dinheiro sujo nem quero tapear os bobos, só quero voltar a brincar um pouco, sentir meu coração bater forte, pois desde que voltamos para Israel a vida comum está muito monótona, e dá pra morrer de tédio, e digamos, eu subo lá no telhado, toco só uma música na minha flauta, só uma canção, e aí desço, e ninguém consegue me pegar, e aí, o que você acha, Papino?'"

Olhei para o alto. Joguei o pescoço todo para trás, e foi difícil, porque ao mesmo tempo eu também sorri: "Só tocar flauta no telhado?". A pequena melodia começou a se insinuar dentro de mim.

"E foi uma bobagem sem tamanho ela ter entrado aí nesse prédio", Felix continuou a contar, "só se fosse para pegar alguma mercadoria boa — isso eu ainda entendo. É trabalho. Mas entrar por nada, sem mais nem menos, só para se mostrar? Mas assim era Zohara. Sou eu que vou dizer para ela não fazer isso? — aí ela faz mesmo. O que é que digo? Zohara, meu bem, tome cuidado! Ela diz, ui, papai, para tudo você só diz não e não."

Olhei para ele. Sim, pelo jeito foi assim que eles discutiram.

"É mais fácil falar para as árvores e as pedras", suspirou Felix, "eu digo não, e ela diz sim, e em final paramos de falar nisso, e eu penso que ela sossegou, esqueceu assunto, e graças a Deus e bom dia a todos e até logo e bênção. Eu viajei de volta para meu serviço no exterior, e ela aqui ficou. E o que acontece? Pois bem, depois de umas duas semanas eu recebo telefonema de sua avó — Zohara fez o que disse que ia fazer!"

"Subiu no telhado? Ela conseguiu?"

"Claro que conseguiu! E não pergunte como! Não sei! O prédio todo cheio de guardas, e ela passou por todos! Mas parece que uma câmera, apesar de tudo, captou ela, e logo, logo — aaaah! O mundo todo é grande agitação, câmeras, vigias, polícia, cachorros... E Zohara corre! E ao mesmo tempo ri! Em vez de fugir para fora, sobe ainda mais alto, no alto do telhado! Ela queria a história da flauta, não é? Porque para ela era tudo brincadeira, certo?"

Ele movia a cabeça com ar de estarrecimento: "E o que aconteceu ali depois disso, eu não sei", disse sacudindo os ombros, "talvez você possa me dizer".

"Eu? Mas como..."

"É a sua história, não é?"

E como é que eu vou saber? Eu ainda não tinha nascido! Ele apertou os lábios. Suas sobrancelhas triangulares ficaram ainda mais pontudas, mais puxadas para cima. Ela foi para onde?

Para o telhado? Sim, ela chegou ao telhado. Como prometeu. Mas prometeu mais uma coisa. Eu dei uma risadinha. Não pode ser, ela não se atreveu a tocar com toda a políc... Mas Felix fecha os olhos e faz que sim com firmeza. Então, foi isso sim. Ela realmente tirou a flauta do estojo, sua simples flauta de madeira, e ela... tocou?

"E então, claro que sim! O que acha?"

A lua brilhava sobre o telhado. Pude imaginar Zohara postada no alto do edifício. Talvez até mesmo sentada na borda, balançando as pernas no ar, o luar esparramado sobre seus cabelos, e lá embaixo, no campo onde estávamos parados, os guardas, os faróis giratórios azuis no teto das viaturas, e ela calmamente leva o bocal aos lábios antes de tocar. Eu já sabia o que ela estava prestes a tocar, e lembrei das ninfas nuas no negro rio, e senti as pulsações no pescoço dela.

De súbito — som! A flauta. Simples e delicada. Eu podia ouvir a melodia se espalhando do alto do telhado e atingindo, som após som, as cabeças dos guardas, eles parados, estáticos, alguns tirando respeitosamente o quepe militar, escutando a melodia fina, infantil, tomando conta dos ouvintes, ocupando todo o espaço.

Ainda não sabiam que era uma mulher.

Zohara tocou a música inteira, nota por nota, com todos os compassos. Os policiais não se moveram do lugar. Como se estivessem escutando um hino. Um hino à ousadia, à fantasia e ao desvario. Zohara terminou. Enxugou cuidadosamente o bocal. Guardou a flauta de volta no estojo de veludo preto. E o que faria agora?

Pois no instante em que terminou, o encanto se rompeu, e o caos se reinstalou. Em todos os andares do prédio corriam investigadores, cães ladravam, rádios de comunicação emitiam instruções em código, e ela? O que ela fez naquele momento?

"Conte", disse Felix num sussurro, "você sabe."
Eu? De onde eu...?
Bem. Eu já a conheço um pouco. Quando fecho os olhos com força, sinto o zumbido dela naquele meu ponto entre os olhos. E logo ficou claro que ela não permaneceu à espera deles.
"Ela fugiu, certo?"
"Certo", disseram os olhos de Felix.
Mas para onde? Voltar para baixo, ela não podia. Em cima — só havia o céu. O que foi que ela fez? O que ela podia fazer? Saltar e aterrissar num avião que estivesse passando? Escorregar por um poste de luz? Felix sorriu e ficou calado. Lola me observava com movimentos de cabeça, como se estivesse acompanhando a reprodução dos pensamentos de Zohara, sua filha, na minha face. Fechei os olhos. Me concentrei. Senti como o ponto entre os olhos esquentava. Zohara no alto do prédio. Minha mãe. Filha de Felix. Afinal, sou produto de uma linhagem de criminosos e vigaristas. E de repente eu estabeleci conexão com essa linhagem... O que faria eu no lugar dela? Por que não consigo inventar um recurso que a salve? Uma saída esperta? Por que não consigo me concentrar? Talvez por causa do cheiro, o forte cheiro de chocolate que perturba o meu raciocínio... a fonte do doce segredo meu e de Gabi... uma vez por mês ela me traz aqui... e para a fonte vem um cordeirinho... este cheiro que me puxa e me sussurra encant...

"Para lá", eu me virei de repente e apontei para a fábrica de chocolate: "Foi para lá que a minha mãe fugiu". E acrescentei com seriedade: "Ela adorava chocolate".

"Bendito seja", suspirou Felix aliviado, como se neste momento eu tivesse passado na prova de entrada na tribo.

E ambos sorriram um para o outro. Talvez porque eu disse "a minha mãe".

Fugiu para dentro da fábrica de chocolate.

E por causa disso, Gabi.

Uma vez por mês. Durante cinco anos.

Dezenas de vezes. Com obstinação e fidelidade.

"Mas como foi que ela passou do prédio dos diamantes ao prédio do chocolate?", sussurrou Felix.

"Como?" Realmente, como? Os dois prédios estavam bem longe um do outro. Saltar não entrava em cogitação. Descer até o andar térreo e correr — impossível, por causa de todos os policiais à sua espera.

Um momento: "Naquela época também havia guindastes por aqui?", perguntei.

"Sempre há guindastes aqui", disse Lola, "na minha opinião, eles constroem guindastes com ajuda dos prédios, e não o contrário."

Então eu já sei.

Zohara subiu num enorme guindaste que estava, digamos, aqui. A ponta do braço do guindaste estava sobre o telhado do prédio de diamantes. Ela estica uma perna para avaliar a distância: basta um único salto, mais ou menos um metro. Não é muito. Mas lá embaixo tem um abismo de dezenas de metros. Felix seguia o meu olhar. Eu não falei nada. Os pensamentos eram muito loucos: Zohara enrola os cabelos numa trança, e enfia a trança dentro da blusa. Põe a flauta no bolso. É uma situação de vida ou morte. E a morte nunca a atemorizou. Pronto, ela salta. Se lança sobre o abismo, aterrissa no braço metálico do guindaste... Nem sequer me dei ao trabalho de pedir a aprovação de Felix para minhas divagações, minhas fantasias. Eu tinha certeza, como se fosse ela: senti o baque da sua queda. O trincar dos dentes. Ficou um instante ali deitada, paralisada de dor, talvez também de medo, mas logo começou a rastejar...

Não. Engano. Peço perdão. Se eu estivesse ali, eu rastejaria. Mas era Zohara que estava sobre o guindaste. E ela não rastejava. Nunca. Lentamente endireitou o corpo, talvez as pernas tremessem um pouquinho, mas se ergueu sobre os joelhos. Espiou lá embaixo, e se pôs de pé. Ficou ereta, e aí começou a andar.

Olhei para o céu escuro. O luar iluminava o comprido braço metálico. Imaginei minha mãe caminhando ao longo dele. Atravessando a lua. Cuidando de não voltar a olhar para o abismo a seus pés. E talvez quisesse sim ver o abismo. E Felix, na minha frente, de repente estremeceu.

Os policiais? O que fizeram eles? Apontaram suas armas? Sopraram seus apitos? Eu sabia exatamente o que eles sentiam, como ficaram atônitos, confusos, estarrecidos com a figura esguia, desafiadora da lei e da ordem, que tinha penetrado no coração daquele protegido reduto e sentado na borda do telhado para tocar uma música de crianças, e depois tinha se lançado na travessia da lua, caminhando ereta como uma equilibrista no arame, desafiando algo muito maior e mais gigantesco do que eles, do que todos os seus revólveres e armas e apitos, e por causa disso, talvez, não tenham saído do lugar, só lançaram gestos e gritos, sem decidir o que fazer.

"Nem todos os policiais!", Felix corrigiu meu raciocínio, "pois houve um que percebeu logo para onde ela ia. Só um. Só um policial. Um detetive."

O olhar dos dois recai sobre mim. Os olhos de Lola e de Felix. Agora é minha vez de continuar a história. Descrever esse detetive. O único que percebeu o que Zohara pretendia. Tentei me imaginar como um detetive dos filmes americanos, um bonitão de cabelos cacheados e olhos azuis de aço. Mas não combinava comigo.

O que eu podia fazer? Peguei o exemplo que conhecia de casa.

"Um detetive assim, não muito alto, mas forte. Cabeça grande. Quase sem pescoço. Corpulento." E um pouco desleixado, pensei afetuosamente, um pouco nervoso. Sempre parece que está pensando em outra coisa. Em suma, um irritado-colérico-nervoso-desajeitado; para encurtar: um IRCONEDES.

"Absolutamente certo", disse Felix sorrindo. "Exatamente assim."

"E ele?", indagavam os olhos de Lola.

"Ele foi o único que soube o que fazer. Correu em silêncio, bem depressa, subiu na base do guindaste por baixo, e começou a escalar pelas vigas da torre, como se fosse uma escada de ferro..."

Bem, pensei no meu íntimo, e me senti aquecido: ele tinha prática em escalar lugares altos, telhados, mastros de bandeiras... Afinal, uma noite, só uns quatro ou cinco anos antes daquela noite, ele fez um trajeto igualmente íngreme em nove embaixadas e consulados em Jerusalém: escalou silenciosamente os mastros, cortou cordas das bandeiras e amarrou outras; pela manhã o embaixador da Itália acordou sob a bandeira da Etiópia, o que o deixou arrasado, o cônsul da França ergueu os olhos de seu croissant e quase desmaiou ao ver que ele — e também seu croissant, para sua desgraça — estava servindo sob a bandeira da Inglaterra! Em pouco tempo nove embaixadores e cônsules já estavam trocando telefonemas irritados, o ar estava fervilhando de xingamentos furiosos naquela babel de línguas que cuspiam uma catástrofe diplomática, e Jerusalém inteira se arrebentou de rir, e também meu pai, que ganhou sua aposta, e agora repetia sua escalada, até chegar ao braço do guindaste, a apenas alguns metros do equilibrista misterioso, então meu pai se sentou, olhou momentaneamente para baixo e quase desmaiou. Depois olhou para o ousado contraventor, e soube que jamais tinha encontrado um adversário como aquele.

Eles realmente se encontraram no céu, pensei.

Passo a passo. O equilibrista está quase chegando na outra ponta do braço do guindaste, acima do telhado da fábrica de chocolate. Meu pai tenta se firmar de quatro, porém o medo e a vertigem o deixam grudado no braço de metal. Ele decide deixar o orgulho de lado. Ele rasteja. Sente na barriga as vibrações do aço, as passadas do fugitivo. As vibrações se espalham por todo seu corpo em tremores de perigo e num prazer incompreensível. O equilibrista ergue a cabeça por um momento e distingue seu perseguidor respirando ofegante. Zohara sorri para si mesma, um sorriso de apreço pela própria coragem e irritação por ele estar rastejando. Será que foi exatamente assim, ou eu estou só fantasiando? Não importa. Tomara que tenha sido assim. Até hoje, quando passo de carro perto da fábrica de chocolate, eu tenho novamente essa visão: os dois avançando em silêncio sobre o gigantesco braço do guindaste. Eles pairam no alto, acima da cidade iluminada, acima dos guardas, e o primeiro calafrio óbvio de proximidade começa a se instalar entre ele e ela, e talvez por causa desse calafrio súbito Zohara tenha começado a apressar seus passos, quase fugindo, e talvez por causa desse mesmo calafrio meu pai tenha acelerado seu rastejar de perseguidor, mas Zohara chegou antes na extremidade, sobre o telhado da fábrica de chocolate.

Respirei fundo: "E quando chegou em cima da fábrica, ela pulou".

"Mas é muito alto!", retrucou Felix, "talvez uns quatro metros de altura."

"Ela pulou!", insisti com teimosia, "e não aconteceu nada com ela!"

"Ela de fato sempre caía de pé", murmurou Felix, espantado.

"Era de noite", prossegui, já sem conseguir me conter. A história fluía de dentro de mim, daquele ponto na minha testa, pois na verdade eu não a conhecia: "A fábrica estava totalmente vazia e Zohara se escondeu dentro dela...". Eu a vi correr, procurar uma saída, vagar de um lado a outro no grande galpão. A fábrica deserta e ela vagando, murmurando sem voz, saltando nas pontas dos pés, tudo eu vi, sua imagem me cutucando o cérebro, eu narrava direto do núcleo das fantasias, e dessa vez não era mentira, era a minha história finalmente saindo de dentro de mim, história que continuou e continuou como uma meada enrodilhada que sempre esteve ali, que de repente acordou Zohara, ela que dançava por entre as grandes máquinas, entre os tanques enormes, cheios de seus sonhos doces, de repente para, não se contém, enfia um dedo e lambe. E cai na risada.

Ouve-se um baque: no alto, no telhado da fábrica cai um corpo grande e pesado. O detetive. Aquele único. Ele rola sobre as costas, xinga, levanta e passa do telhado para o enorme galpão de chocolate. Caminha com cautela. Revólver na mão. Olha com cuidado em cada canto. Procura o fugitivo. Seus sentidos lhe enviam sinais claros: se estiver sentindo calor na barriga, em volta do umbigo, então é sinal de que o criminoso está perto. E o calor está forte, bem forte. Na barriga, e no corpo todo.

"Ei, você!", grita meu pai, e os ecos retornam e o envolvem, imersos em cheiro de chocolate: "O lugar está cercado! Você não tem chance! Levante os braços e saia devagar!"

Os ecos respondem. Silêncio. Meu pai olha cuidadosamente em volta. O cheiro de chocolate entra nas suas narinas. Talvez, por um rápido instante, ele se lembre que ele próprio curtiu a infância numa fábrica semelhante a esta, com seu pai. Entre máquinas como estas, sacos de açúcar e farinha. Ai que delícia, biscoitos e chocolate juntos, hmmm!... Mas imediatamente ele espanta esses pensamentos. Numa profissão como a sua é proibido desviar a atenção, e todo erro pode ser fatal. Ele avança num passo extremamente vagaroso. Seu revólver aponta em todas as direções.

E agora, o que mais? O que foi que aconteceu? Minha imaginação de repente parou. O ponto quente se encolhe de súbito. Uma cortina preta e vermelha caiu diante da minha imaginação.

"E então", disse Felix, "ela atirou nele."

"Atirou?", eu me espantei. Eu não havia absolutamente pensado que ela tinha uma arma. "Atirou no meu pai?"

"Sim, é lógico. Com o revólver que agora está no seu bolso, Amnon. O revólver que você tirou de mim. Era dela."

Um revólver de mulher, lembrei. Claro. E como ele examinou o revólver naquela exposição de armas. E como o afagou.

"E acertou? Ela acertou nele?"

"No ombro. Sinto muito. Fique sabendo: ela nunca em vida tinha atirado com uma arma. Era incapaz de matar uma mosca. Mas justo com seu pai, de repente bala voou. Talvez fosse, sabe, só de brincadeira, talvez — quem pode saber."

"Talvez o quê?", exigi, "como é que ela atira nele sem mais nem menos?"

"Talvez tenha sentido que ele era um perigo para ela", disse Lola com simplicidade: "Não como policial. Mas como homem. Quem sabe não teve a sensação de que seu pai seria muito importante para ela, para sua vida e seu destino, e de repente se assustou?"

Me recostei. Afundei dentro do carrinho da moto. Vou precisar de pelo menos uns duzentos anos para me acostumar com tudo isso. Fiquei assim uns cinco minutos, a cabeça debaixo do banco, os pés esticados sobre a borda. Lola cochichou alguma coisa para Felix, e ele coçou o nariz. Um avião passou no céu. A antena sobre o prédio de diamantes enviou a ele sinais luminosos vermelhos. Fiquei de cabeça para baixo, a cápsula na minha corrente balançando sobre a camisa, roçando na minha boca. Fria e dura. Tiraram a bala do corpo dele. Foi ela quem acertou o tiro nele. A cápsula esteve comigo toda a minha vida, e eu não sabia de nada. "Como uma seta de Cupido", disse Lola, e me puxou delicadamente de dentro do carrinho da moto. "Seu pai se apaixonou por ela num instante."

"Pois ela riu quando atirou nele", explicou Felix, "e então ele percebeu que era uma moça."

Meu pai ficou parado, atônito. Estou seguro de que a dor de um tiro certeiro equivale à dor de, digamos, uma chifrada de vaca. Com a mão boa agarrou o ombro. Tentou estancar o sangramento. "O quê, você é mulher?", ele perguntou atônito.

Ela riu de novo, o seu riso de sinos ressoou por toda parte, e o atingiu. Ela atirou mais uma vez, mas desta vez não para acertar.

"Você não tem chance contra mim", gritou meu pai, sorrindo, contrariando totalmente sua própria vontade e a dor que se espalhava pelo seu corpo, e pelo seu coração.

Ela atirou novamente, acertando uma grande luminária sobre a cabeça dele. Meu pai sumiu. Escondeu-se atrás de uma pilha de sacos de pó de café. Mais um tiro. O pó de café, quente e perfumado, se espalhou sobre ele, cobrindo-o quase totalmente. Ele deu uma espiada para trás. Curvou-se. Ela atirou. Ele contou quantos tiros ela já tinha dado. Calculou quantas balas restavam no tambor. Conhecimento é poder, mas, por mais que ele soubesse, foi derrotado, conquistado por ela em seu coração.

E assim, ficaram sozinhos, por um tempo que pareceu uma eternidade. Ela ri para ele, provocando-o. Esgueira-se por trás das máquinas, sobe nas máquinas. Mostra a língua para ele, uma língua comprida e rosada, por trás das caixas de "Língua de Gato", o meu chocolate predileto até hoje. Agita seu suéter por trás dos sacos de açúcar, e quando ele vai até lá, ela some, e reaparece num lugar totalmente diferente, manda um tiro por cima dele, cautelosa, brinca com ele.

E ele, ele sorri o tempo todo. Contra sua vontade, apesar das novas dores.

"Foi assim que tudo começou entre eles", expliquei com súbita compreensão aos meus dois ouvintes atentos: "Foi assim que ela começou a fazê-lo rir."

"Isso mesmo, está certo", concordou Lola. "Quando ela queria fazer as pessoas rirem, ninguém conseguia ficar indiferente a ela."

Sim, pensei. Só ela sabia fazê-lo rir de verdade.

Coitada da Gabi.

"Uma vez, nós dois estávamos na Jamaica", recordou Felix, "e ela foi escolhida Rainha da Risada do ano de 1951! Ganhou três mil dólares só por causa da risada!"

"E assim ficaram rindo e se divertindo na fábrica vazia", continuei, e meu coração ficou leve quando pensei nos dois, meu pai e minha mãe, correndo um atrás do outro no imenso galpão vazio de chocolate, caçando um ao outro, jovens, felizes, como se não fossem policial e fugitiva, só homem e mulher, com um riso que enchia todo o galpão, o riso de sinos dela, e o riso de cavalo dele, eu nunca o ouvi rindo de verdade, de coração... "até que de repente..."

Às vezes eu penso que foi nesse momento que os céus determinaram que eu inventaria histórias: "... de repente", eu disse com estranha certeza, "quando ela corria sobre uma das plataformas altas, ela tropeçou em alguma coisa e caiu lá de cima e...".

"E...?", perguntaram Lola e Felix juntos, curvando-se para a frente.

"Caiu lá de cima..."

"E...?"

"Direto dentro do tanque de chocolate", concluí com tranquilo orgulho. Três metros de comprimento por três de largura. Dois metros de profundidade, e uma gigantesca hélice que espalha lentamente o doce. Eu sabia as medidas de todos os tanques do galpão central. Gabi costumava ficar parada longos minutos ao lado do maior tanque de todos. Olhava dentro do tanque e suspirava. E eu, tolo, pensava que ela queria mergulhar no mar de chocolate.

"Meu pai pulou atrás dela, de farda e tudo, para salvá-la, pulou com toda a força dentro do chocolate quente e melado." Eu falava feito um locutor de futebol.

Parei de repente.

Pois meu pai não sabia nadar.

"Absolutamente certo", comentou Felix. "E ele quase se afogou! Você já viu um detetive como esse?" Virou-se para Lola com ar jocoso: "Se afogar em chocolate!".

"Mas Zohara sabia nadar", Lola o ignorou, "e logo agarrou sua camisa. Puxou a enorme juba dele através do chocolate. Até chegarem aos degraus dentro do tanque."

Puxou a juba dele.

E o coração dele. Total e absolutamente.

Na época ele tinha uma juba. Tinha um coração.

"Ufa!", arfou Lola, "deve estar sendo difícil para você, ficar assim contando e ouvindo."

"Sim", eu disse, "sim e não", reconheci e sentei de novo no carrinho. "Eu nem mesmo sabia que sabia contar essa história."

"Histórias assim são as que saem melhor", disse Felix.

O chocolate cobria os olhos do meu pai. Sua farda e seu revólver. O chocolate secou e grudou rapidamente, e meu pai quase não conseguia se mexer. Seu coração, coração de solteiro, batia como um tambor: finalmente tinha nascido uma mulher que preenchia as suas duras condições, uma mulher que o caçou e o fisgou... e Zohara à sua frente, dando risada, ofegando, examinando com esperança e admiração de menina seus ombros robustos, seu corpo rijo...

Posso vê-la agora, bem diante dos meus olhos, como se eu tivesse estado lá com eles: solitária e infeliz, mas coberta de chocolate dos pés à cabeça. Seu cabelo, pescoço, ombros, as orelhas únicas e especiais, tudo coberto de chocolate, fios e fios escorrendo dela para o chão. Um recheio amargo dentro de uma cobertura de chocolate.

"Como dois bonecos de chocolate", disse Lola baixinho, "um boneco policial e uma boneca ladra."

"Os dois rindo", exclamou Felix.

Como meu pai riu ali naquele momento!

Coitada da Gabi.

Mergulha inteira em chocolate. E não consegue fazê-lo rir.

"Mãos ao alto", disse o boneco policial, com o revólver na mão.

Pois tinha feito as contas e sabia que Zohara não tinha mais balas.

"Você me agrada", disse a boneca ladra. Talvez também tenha esticado o dedo e lambido um pouco de chocolate da ponta do nariz dele. "Nunca conheci um homem como você. Se você pedir com jeitinho, eu me caso com você."

"Bem, queira fazer a gentileza — mãos ao alto, por favor", disse meu pai, que não tinha entendido direito.

Zohara caiu na gargalhada, pois achou que era o senso de humor próprio dele.

26. Nunca houve no mundo duas pessoas que combinassem tão pouco!

Lá fomos nós outra vez. Deixamos a fábrica de chocolate e seguimos para o norte. Eu não sabia para onde estávamos indo. E também não perguntei. Durante a viagem tirei as roupas de Zohara e vesti as minhas. Não precisava mais dela externamente. Ela já estava dentro de mim.

As luzes dos postes de iluminação passavam voando por nós. As poucas pessoas caminhando pelas ruas paravam para nos observar. Éramos um trio estranho: Felix com seu horrível capacete de couro, todo curvado para a frente como um jóquei numa corrida; Lola com seus cabelos ao vento, esvoaçando feito serpentes; e um garoto que parecia não combinar com as horas noturnas.

A motocicleta também despertava espanto nos espectadores: era uma moto antiquada, pesada, enorme e barulhenta como um tanque. O *sidecar* dava a impressão de que poderia se separar a qualquer momento. Eu podia facilmente imaginar como numa das curvas mais fechadas acabaria voando sozinho de dentro do carrinho, calado como um tomateiro, enquanto Felix e

Lola seguiriam adiante, um grudado no outro sobre a moto. Em direção ao crepúsculo.

Aliás, em direção à aurora.

Ocasionalmente eu lançava um olhar de lado para eles. Ela estava apoiada nas costas dele, o seu cabelo comprido e grisalho esvoaçava e cobria os dois como uma grande echarpe. Felix falava com ela o tempo todo, gritando através do vento, e ela respondia com gritos nos seus ouvidos. Talvez estivessem brigando. Talvez estivessem curtindo um papo calmo, mas pude ver como um dia já haviam sido um casal.

"Este é só o começo da história!", Lola gritou para mim através da echarpe de seus cabelos.

"Tudo bem! Estou ouvindo!", gritei de volta.

... No galpão da fábrica de chocolate, meu pai se dirigiu a Zohara de forma breve e clara, explicando o que o futuro lhe reservava: ele a levaria para fora, cuidando para que não fosse ferida. Daria um jeito de ser incumbido de investigá-la, ela lhe contaria o que havia para contar, por que tinha resolvido se divertir daquele jeito, pois afinal via-se que ela era uma moça de boa família, talvez tivesse se complicado fazendo alguma aposta, essas coisas acontecem, quem melhor do que ele para entender isso, e em troca da sua plena e honesta colaboração ele daria um jeito para que ela recebesse uma punição bem leve, sem ficar com nenhuma mancha na sua ficha, de modo a poder continuar com sua vida normal, como qualquer cidadão direito, e depois que tudo isso terminar, será que ela toparia ir ao cinema com ele?

Minha mãe ficou enfeitiçada por ele. Pela sua força. Pela sua astúcia despojada e viril. Pelo fato de não tê-la esperado lá embaixo, como todos os policiais, e ter subido atrás dela. Pois entre todos os numerosos homens que ela conheceu na vida, entre aqueles que anunciaram em voz alta seu amor por ela, e entre os que ameaçaram em altos brados jogar-se do telhado se ela os deixasse, ele foi o primeiro que escalou as alturas atrás dela e não a abandonou ali. Zohara, a mulher que fazia troça das propostas de milionários e jogadores de futebol, olhou para meu pai, e seus lábios murmuraram em silêncio, sem voz: "Dá pra confiar em você?", ela lhe perguntou do fundo de sua alma, e todo o ser dele vibrou com o vigor de sua resposta, como se todo um batalhão de soldados estivesse postado em volta dela apresentando armas, e Zohara intensa e irremediavelmente tivesse sido conquistada pela tempestade.

"Alguém como Zohara", disse-me Lola em meio ao vento, "que vivia em fantasia, e nem sempre lembrava onde ficava a fronteira entre a verdade e a mentira — ficou encantada de encontrar alguém como seu pai. Talvez tivesse pensado que ele lhe mostraria o caminho para um pouco de tranquilidade…"

Talvez Lola estivesse certa. Pois não se pode ignorar isto: mesmo tendo aprontado de tudo na juventude, mesmo tendo subido nos telhados das embaixadas, hasteado a bandeira britânica sobre o croissant francês, inventado rodas quadradas e cavalgado zebras, meu pai sempre sabia onde estava o limite. O que era permitido e o que era proibido. O que era trabalho e o que era farra. Ele, por exemplo, jamais se atrapalharia se lhe perguntassem quem era ele.

"Um grande caubói", sorriu a boneca de chocolate, que não sabia que um dia ele já tivera esse apelido, "você não entendeu mesmo quem você pegou, não é?"

E ali mesmo, no tanque de chocolate, começou a lhe contar. Despejou nomes de reis depostos, e de terras longínquas que no atlas apareciam como et cetera, e quantias de dinheiro, e espécies de frutas exóticas, e cofres lacrados na Suíça, e meu pai ali parado de queixo caído de espanto, e ela joga a cabeça para trás e ri ao ver a perplexidade dele, ao ver sua bendita ingenuidade, ingenuidade de um menino crescido, e dentro do meu pai, tenho certeza, alguma coisa congela, uma dor aguda e amarga atinge seu coração, pois ela não, não, ela é tão diferente do que você pensou, uma voz grita no seu interior, ela não é para você! E já consegue ouvir seu irmão mais velho o censurando pelo seu amor por uma mulher criminosa; e sua mãe, Tsitka, afirmando que "Só sobre o meu cadáver você se casa com uma bandida"; e seus superiores na polícia afastando-o de qualquer missão de responsabilidade por ter ligações com o inimigo... Tudo isso ele soube nesse primeiro momento, e tudo isso se concretizou mais tarde, tim-tim por tim-tim. Mas o coração do meu pai ainda estava pleno de dedicação ao novo amor, o primeiro amor, doce e suculento, e ele não não não estava disposto a desistir da única mulher que conseguiu tocar dessa maneira as profundezas do seu ser, caçá-lo e pescá-lo, e músculos internos cuja existência ele desconhecia começaram a se fortalecer em sua alma, músculos de obstinação, paciência e constância.

Foi assim que tudo começou. Naqueles poucos momentos o destino dele mudou de trajetória, e até mesmo a expressão de seu rosto se transformou de um instante a outro, seriedade, sobriedade e responsabilidade nova se instalaram nele, como se só naquela hora tivesse passado de jovem a adulto. Seu pescoço enrijeceu com força e se espremeu entre seus ombros, e os próprios ombros se alargaram sobre seu peito, de modo a abranger toda a sua emoção, para que ele estivesse preparado para assumir o novo papel, e aquele que era capaz de dançar com uma geladeira nas costas podia, com um pouco de esforço, arcar com esse gigantesco fardo, a vida tempestuosa e confusa com aquela mulher linda e espantosa à sua frente, pois enquanto ela narrava com gargalhadas estrondosas os atos criminosos mais absurdos — crimes de arrepiar os cabelos! — ele sentia que ela lhe fazia pedidos sussurrados de ajuda, e que durante todo esse tempo também o examinava com olhar aguçado, para descobrir se ele era um detetive autêntico capaz de penetrar por baixo do tecido da sua máscara e discernir, por exemplo, o que se ocultava nas profundezas daqueles estranhos olhos, a solidão de uma menininha amargurada e inteligente demais, ainda em busca daquele que não tivesse medo dela...

De todos os momentos que tive na vida com meu pai, de tudo que ouvi dele, este é o momento que mais adoro (mesmo que não tenha estado junto com ele): o momento em que ele tentou, com profundo empenho, superar todos os pequenos medos, todas as ponderações racionais, o rumo conhecido e seguro que tinha pronto e preparado, e topou pegar outro caminho, perigoso e desconhecido. Enfim, o momento em que concordou em abrir mão das coisas claras e estáticas em troca de algo intangível: o amor.

Papai se prontificou a ser o investigador responsável pelo caso dela. Durante um mês foi visitá-la na prisão, e ficava sentado diante dela dia após dia durante oito horas, anotando tudo que ela tinha a dizer durante as investigações.

"Investigação? Não foi uma investigação", despejou Felix com amargura, "foi uma confissão!" E acelerou a moto com raiva, e nós decolamos.

"O que você queria da garota?", disse Lola apontando dedos acusadores, na melhor tradição da avó protetora, "ela não entregou você! Nem uma única vez mencionou você! Mas quis se purgar de todas as próprias mentiras! Começar tudo de novo, por que não?"

"Por que precisou contar toda a história desde a criação do mundo, hein?", grunhiu Felix rangendo os dentes, "por que não guardou um único segredo para si?!"

"Porque ela era assim quando estava amando", suspirou Lola, meio para ele meio para si mesma: "Ela entregava todos os segredos ao homem que amava. Entregava-se por inteiro, Felix..."

Viajamos mais alguns minutos em silêncio. Os ombros de Felix estavam encolhidos até as orelhas, como se ele quisesse se proteger de alguma coisa que Lola tinha lhe jogado na cara, alguma coisa que eu não entendi muito bem. Depois, Lola deu um profundo suspiro, retomando aquela estranha investigação.

Zohara contou a meu pai sobre as viagens, os diamantes preciosos que choviam em suas mãos como sementes de romã, recordando nomes de países e cidades distantes, sobre os quais ele só tinha lido nos jornais, e soube contar de um jeito tal que tudo parecia fantasia e realidade ao mesmo tempo, e ao meu pai já não importava o que era verdade e o que não era, pois sentia que ela o conduzia pelos cabelos fazendo-o cruzar seu limite, cruzar todos os limites, e uma parte dele se rendia com entusiasmo, e uma outra parte prendia seus pés no solo com insistente temor...

"Essa foi de fato uma investigação muito especial", Lola tentou me contar aos gritos, sob as lufadas de vento, "ele quis saber tudo sobre ela! Os crimes já não o interessavam tanto... ele se interessou mais pela sua personalidade... pelo enigma... Zohara..."

"Ele veio investigar até mesmo Lola!", gritou Felix irritado, levando-nos com tanta rapidez que as palavras saíam de sua boa e voavam ao vento.

"Não vinha investigar. Vinha conversar... comigo na cozinha, noite após noite... semanas inteiras... perguntava como ela era quando... quando criança... os seus álbuns de fotos... cadernos de escola... ficava horas sentado... sem entender..." Meus olhos estavam cheios de lágrimas por causa do vento. As palavras e gritos ressoavam nos meus ouvidos. Pensei no meu pai na cozinha de Lola. No lugar onde eu mesmo tinha estado hoje.

"Houve um julgamento", Lola continuou contando aos gritos, através do vento, "e o seu pai assegurou ao juiz que estava disposto a garantir que Zohara não cometeria mais nenhum crime. E realmente, graças a ele, levaram Zohara em consideração. Ela foi condenada a dois anos de cadeia. Uma sentença muito leve pelo que tinha feito."

"Dois anos de cadeia?", eu me espantei. "Eles ficaram dois anos separados?"

"Não, Nono, pelo contrário. Era um amor muito grande! Vejam, chegamos!"

"Onde?"

Mas Lola pôs um dedo sobre a boca, e eu me calei.

Depois o vento amainou. As cores escuras que passavam diante dos meus olhos se transformaram em alamedas arborizadas, em bosques de eucaliptos, em montes de areia, em muros altos. Felix, com seu movimento característico, cheio de charme, sempre trocando vias principais por estradas secundárias, fez isto mais uma vez. O Rolls-Royce levantou um pouco de poeira, pegou uma estradinha de terra, serpenteando entre eucaliptos, e parou.

"Pois bem, aqui estamos", sussurrou Lola, "dois anos."

Descemos da moto. As vibrações da viagem ainda sacudiam meu corpo. Todos balançávamos um pouco. Nos apoiamos um no outro. Felix começou mais uma vez sua constante batalha contra o capacete. Lola ficou parada atrás de mim, abraçando-me pelas costas, rosto colado no meu rosto.

"Você vai se resfriar", ela comentou.

"Ela já está agindo como vovó", ironizou Felix.

Sob a luz do luar erguia-se a construção retangular e horrível da penitenciária. Uma prisão para mulheres, cercada de muros de concreto e arame farpado. Em cada canto, uma torre de guarda de formato hexagonal. Silhuetas sombrias, lúgubres, caminhavam pelo telhado. Um holofote girava periodicamente, iluminando os campos vizinhos.

Aqui viveu minha mãe por dois anos inteiros.

Trancada. Asfixiada. Murchando.

"De modo algum!", disse Lola, "Em um mês ela foi nomeada representante de todas as detentas aqui. Representante perante a administração da penitenciária. O espírito vivo. E, além disso, seu pai vinha aqui todo dia. É o que você está ouvindo."

Dia após dia. Terminava o serviço, despedia-se da Gabi, sua jovem secretária, e viajava até a prisão. Aqui, no estacionamento para visitantes, parava sua motocicleta com *sidecar* (já tinha tirado o tomateiro: sentia que o tomateiro pertencia a uma época da sua vida que já tinha terminado, uma época leviana de juventude), ficava sentado mais um pouco, cabeça baixa, pesada, imóvel como um pedaço de rocha, e aí respirava fundo, como sempre que é obrigado a sair e confrontar os problemas da vida, descia da moto e dirigia-se para o portão de visitas.

Dia após dia. Nada podia impedi-lo. Nem o clima, nem os acessos de raiva de seus superiores na polícia. Na mesma época, como ele já previa, começaram a boicotá-lo. Adiaram suas promoções. Reduziram suas tarefas. Disseram: "Largue dela e seu caminho pela hierarquia está pavimentado!". E ele continuou a visitá-la. Explodiram: "Como é que você destrói a sua carreira por causa de uma pequena criminosa?". Papai escutava. Silenciava. No fim do dia de trabalho, subia na moto e viajava até a prisão.

Não havia nenhuma lógica nisso. Não havia nenhuma chance. Era algo que não tinha nada de realista nem de profissional, mas eu sempre me lembro de que foi um amor que nasceu num tanque de chocolate, e assim estava condenado a ser ilógico, cheio de paixão e remorso, e de uma doce dependência, de um sentimento de culpa e pecado.

Diariamente, às seis da tarde, eles se encontravam na sala de encontros da prisão. Um guarda armado ficava postado num canto, de olho neles. Meus pais conversavam cochichando, de cabeça baixa. Minha mãe contava sobre a vida na cadeia, sobre suas colegas de cela. Sobre as constantes discussões com a administração e com as detentas. Meu pai lhe contava sobre a casa que estava construindo para ela: no cume do Monte da Lua, na fronteira com a Jordânia, ele havia comprado um lote de terra, e lá construiu um castelo para os dois. Um chalé de madeira, mobília construída com as próprias mãos, um cercado para o rebanho, um estábulo para cavalos e um galinheiro. Todo fim de semana passava dois dias lá sozinho, no cume exposto aos ventos, construindo o ninho de amor dos dois. Comprou madeira de construção, ferramentas de trabalho, canos, janelas e portas, comprou um arado antigo de madeira, sementes, material para plantar e aspergir, começou a se interessar por cabras, mulas, cavalos... Quando vinha visitar Zohara, mostrava-lhe seus desenhos e plantas. Onde ficaria o cercado para o rebanho, o estábulo. Desenhava para ela um esquema da cerca que estava construindo e dos armários que estava montando. Todo o amor nele aprisionado era traduzido para a linguagem das tábuas, cercas, esquadrias. Ela estava encantada com sua seriedade e determinação. Como ficava compenetrado ao falar da altura da escada de madeira, criando uma tranquilidade que ela nunca tinha conhecido até então. Sua grandeza e responsabilidade repousavam sobre seus grandes ombros, suas mãos quadradas, e Zohara imaginava o quanto ficaria feliz naquela casinha à qual se chegava subindo três degraus de madeira, com dezoito centímetros cada um.

"Vai ser como num filme", ria Zohara abrindo seu coração para ele, seu coração inquieto, seu coração entediado, seu coração traiçoeiro.

"Ai", suspirou Lola estremecendo.

"Ai", suspirou Felix.

"Nunca houve no mundo duas pessoas que combinassem tão pouco", disse Lola.

"Até hoje não sei o que um viu no outro", reclamou Felix.

Ambos olharam para mim. Como se eu tivesse a resposta. Ou como se eu fosse a própria resposta.

Eu não soube dizer. Até hoje eu pergunto a mim mesmo, e talvez não seja esperto o suficiente para entender a atração que um sentia pelo outro, mesmo que eu seja o resultado deles, dos contrastes e semelhanças de ambos.

"O senhor seu pai pensava que eram parecidos", ironizou Felix. Eu sentia cada vez mais que ele não gostava do meu pai, e pensei que é bastante complicado quando pai e avô são assim inimigos. "O senhor seu pai pensa que se um dia fez pouco de bagunça no exército, ou em festas de Jerusalém, então já consegue entender Zohara. Mas ela era selvagem demais para ele. Se ele era um gato — ela era um tigre."

Lola suspirou: "Ele simplesmente era bom demais e correto demais... e também um pouco, como dizer, um pouco normal demais para entender uma personalidade como a dela...".

Ela não disse isso em tom de zombaria, mas com delicadeza, quase tristeza, e mesmo que eu não tenha entendido tudo que ela quis dizer, senti que estava certa, e uma gota amarga pingou no meu coração; foi a primeira vez que senti que talvez o profissionalismo não seja capaz de captar todas as facetas da vida e do ser humano.

"Eu também sou um pouco...", gaguejei. Não sabia como dizer a ela, "... como Zohara, como o que você falou dela, que ela...", pois eu queria que Lola soubesse tudo sobre mim, desde o começo. Toda a amarga verdade. Que não houvesse entre nós nem uma única mentira.

"Se você é filho de Zohara e neto de Felix", disse Lola simplesmente, "então com certeza tem um pouco deles no seu sangue."

Uma coisa nova! Até agora não tinha pensado nisso dessa maneira. Será uma coisa boa? Ou ruim? Será que é por causa de Zohara que eu sou assim? Mas eu praticamente não a conheci! O que significa isso, que deve haver um pouco do sangue dela e de Felix em mim?

Olhei para Felix com um olhar novo de perplexidade. Ele estava parado, ereto, com a cabeça erguida. Parecia um soldado em formação. E parecia estar ansioso sob meu olhar, como se estivesse se sentindo culpado ou se justificando, exatamente da mesma maneira que ontem, quando invadimos a casa de Lola e ele me contou sobre si mesmo como se eu fosse seu juiz, talvez querendo que eu o perdoasse pelo que havia passado a Zohara pelo sangue, e o que Zohara havia passado para mim... Senti um peso enorme, e olhei para Lola com ar de súplica, para que ela me salvasse, dissesse algo de bom, e ela entendeu, era uma avó perfeita, e disse com um sorriso de compaixão, "Pensem só como os dois ficaram felizes quando ela finalmente foi libertada daqui".

Respirei fundo. E Felix também.

Pude ver Zohara saindo daqui, passando pelo grande portão de ferro à minha frente. Meu pai sentado na motocicleta esperando por ela, no estacionamento. Aí vem ela, saindo pelo portão, olhando para a esquerda e para a direita. E os guardas a observando das torres. Ele desce da moto e vai em direção a ela. Eles se abraçam. Mesmo que ele tenha vergonha de abraçá-la na frente dos outros. E eles...

Mas não fiquei contente de verdade. Não sei por quê. Talvez por causa do que aconteceu alguns instantes atrás entre mim e Felix, talvez por ter sentido de repente, bem lá no fundo, num ponto interno e dolorido, o quanto os dois, papai e Zohara, não combinavam um com o outro.

Subiram na moto, e foram para o Monte da Lua. Foram direto da prisão para lá, disso eu tinha certeza. Não tinham outro lugar para onde ir. Em lugar nenhum queriam os dois juntos. Papai guiava, e Zohara foi sentada no carrinho. Eu vi os dois se afastando daqui. Talvez o vento estivesse soprando, como agora, e fosse difícil falar. Talvez um silêncio tenha caído entre os dois, pois de repente estavam sozinhos, só os dois, sem a magia das narrativas que os envolvia antes disso, e de repente não eram mais um boneco policial diante de uma boneca criminosa, e já não era mais uma história de amor, e tampouco um amor de filme, um amor que floresce atrás das grades da prisão... Eram apenas um homem e uma mulher, um pouco estranhos um ao outro, muito diferentes um do outro, e como seriam os dois juntos, só os dois, sozinhos?

Um medo desceu sobre os dois. E sobre mim. Zohara foi afundando mais e mais no carrinho da moto. Eu a sentia, e sentia também meu pai, como se estivesse com eles, o caminho deserto e desolado, o vento castigando o rosto, e dentro da individualidade de cada um se unem de súbito os dois diferentes destinos, os destinos separados de ambos, e alguma coisa nela se arqueia com ódio diante dele, e alguma coisa nele ladra para ela com raiva... A mão de Zohara busca súplice a grande mão dele. Mas o meu pai, um burro teimoso e fechado, afasta a mão dela num gesto irritado. Pois é proibido guiar com uma mão só.

"Agora vamos para lá", sussurrou Felix, "para poder voltar antes do amanhecer. Para o presente de Amnon no cofre do banco."

"Vamos para onde?", espantou-se Lola, "estou com frio. Vamos voltar."

"Para o Monte da Lua. Para o lugar deles."

Lola lançou um olhar estarrecido. "Até lá? É longe demais! É grudado na fronteira!"

"É necessário", determinou Felix, "prometi mostrar a Amnon toda a vida dos dois juntos numa noite!"

"Felix", Lola tentou com delicadeza, "nós vamos levar horas para chegar até lá! Este seu ferro-velho vai se desmanchar no meio do caminho!"

"Em uma hora estamos lá! Felix promete!"

Na prisão os cães começaram a sentir o meu cheiro e o de Felix. Os gritos de Felix e Lola também os despertaram. Corriam ao longo das cercas, latindo até ficarem roucos. Lola e Felix, ombro a ombro, ficaram lançando cochichos irritados um para o outro: "Você sempre achou que podia decidir tudo por mim, não é? Sempre quis ajeitar tudo para mim!". "E você nunca escutava! Se tivesse me escutado, você...". "Ele sabe tudo melhor! O que vestir e com quem se relacionar e em que peça se apresentar! Um homem do grande mundo! O senhor Importante!".

"Muito bem, eu de verdade sei mais do que você", brincou Felix, e afastou-se para o lado num gesto gracioso. "Eu até sei o que você está pensando!"

"É mesmo?", retrucou Lola, sua face colada na dele, "é mesmo?! E então, espertinho, me diga: o que eu estou pensando?"

"Você está pensando...", disse Felix numa melodia espichada, "está pensando que aquela árvore, ali, é uma árvore de verdade."

E apontou com o dedo para um grande amontoado de arbustos que sobressaía no meio do bosque.

"E não é de verdade?", perguntei.

"Não é isso que você está pensando, Loli?", provocou Felix, rindo com gosto, tentando pegar no queixo dela, e Lola foi obrigada a afastar o rosto humilhado.

"E o que tem ali de verdade? Uma nova surpresa? Ui, Felix, você nunca vai crescer?"

Não esperei para ouvir a continuação da discussão. Pulei e corri.

De perto distingui que havia algo oculto ali. Um objeto muito grande, enorme, que alguém havia coberto com um monte de galhos e arbustos. Me joguei em cima dele. Comecei a desmanchar o monte, jogando folhagens para todos os lados. Quase de imediato vi a coisa, e não pude acreditar. Estava além de qualquer capacidade de imaginação. Como foi que ele preparou tudo isto? Quando conseguiu escondê-la aqui? Quem o ajudou? Como foi que a encontrou?

De início o que se revelou aos meus olhos foi a porta preta, brilhante, depois o pneu da direita, grosso, feito para o deserto, e o para-choque circular, que na época da guerra costumavam pintar com uma faixa branca para que os pedestres na Inglaterra pudessem ver que ela estava chegando...

Caí de joelhos. Minha Pérola, nossa Pérola. O Humber Pullmann que fomos obrigados a dar para Mautner, e que ele fez capotar na primeira viagem, aleluia, saiu dizendo que ele tinha um defeito e vendeu o carro, e chega, esquecemos, não falamos mais no assunto, e só às vezes... sentíamos um aperto no coração quando lembrávamos, e vejam só, aí está ela, a Pérola, ressurgindo dos mortos.

Abri a porta com veneração. Eu conhecia cada centímetro daquele carro. Milhares de vezes alisei e acariciei seu corpo metálico, seu painel, seu volante. Era como se alguma coisa minha tivesse se fixado nele. Uma onda de nostalgia me inundou, como sempre acontece no fim de *Lassie volta para casa*. Fiquei sentado no banco do passageiro e o afaguei. Quem sabe onde ele esteve todo esse tempo que andou sumido, e quem o terá guiado? Será que ele consegue se lembrar dos meus dedos que tanto o acariciaram?

Felix veio e olhou para mim pela janela: "E então, o que você diz do seu avô?".

"Onde foi que você achou...? Como você trouxe...?"

"Pensei que se começamos a viagem com uma Bugatti, é preciso terminar com um Humber Pullman. Questão de estilo."

"Mas… você sabia que ele foi nosso?"

Ele riu muito, curtindo minha admiração.

"Era isso que sempre diziam de Felix", disse, passando o braço pelo pescoço de Lola, que havia chegado perto para espiar: "Um mago. Simplesmente um mago!"

"*Deus ex machina*", disse Lola em linguagem teatral, e pediu que lhe explicássemos o que era aquele carro para nós.

Contei sobre a Pérola. Como papai a encontrou por acaso num ferro-velho, sem uma única parte inteira, foi levando pedaço por pedaço para o nosso quintal, cuidou dela como se fosse um bicho ferido, e como nós a reconstruímos, parte por parte, e restauramos sua dignidade.

"O senhor pai dele não a deixava sair do quintal", brincou Felix, "já viu uma coisa dessas, Lola? O que é isto aqui, um carro ou um bibelô de porcelana?" Entrou no carro e nos convidou a fazer o mesmo. Lola sentou no banco traseiro. Eu afundei no banco da frente. Sabia que não adiantava perguntar onde ele tinha achado o carro. Ele adorava envolver tudo em mistério, até fatos menos impressionantes que este. O que me importava? Conhecimento é poder, mas nem tudo precisa ter explicação. Eu nem perguntei. Uma luz forte de holofote nos iluminou do telhado da prisão. Os guardas estavam nervosos como os cachorros. Talvez pensassem que nós estivéssemos planejando libertar algum preso. Ouvimos um alto-falante entre os muros. Olhei para Felix. Ele olhou para mim. Ambos sentimos as costas formigando. Fizemos um meneio com a cabeça, um gesto quase imperceptível. Felix deu a partida. Contei baixinho as três breves tossidas do motor, fracas, distantes, que absolutamente não indicam o que se passa, aqueles seis cilindros, e de repente o motor pegou e o carro estremeceu inteiro, como a Bela Adormecida que sente o beijo do príncipe e de repente se enche de vida, e Felix soltou o freio de mão, engatou a marcha, e arrancamos.

Os quatro pneus de deserto, iguais àqueles que o general Montgomery usou na guerra contra Rommel, levantaram nuvens de areia, e lá fomos nós.

E viajamos e viajamos.

Não pela estrada principal. Por uma trilha secundária, pelos campos, por fora de todas as estradas pavimentadas.

"Quer guiar um pouco?"

"O que você disse?"

"Quer. Guiar. Um pouco. Foi isso que eu disse."

Se eu quero guiar?

"Felix!", minha avó ergueu um dedo no banco de trás, entre os ombros dele. Às vezes ela sabia ser como Tsitka: "Chega de bobagem!".

"Deixa o garoto. Qual é o problema? Aqui não tem polícia. Não tem ninguém. Ele já guiou uma locomotiva!"

Implorei: "Só um pouquinho, Lola!".

"Mas coloque a mão com firmeza sobre as mãos dele, Felix! Não estou gostando nada, nada disso!"

Ele piscou para mim. Paramos. Trocamos de lugar. Eu mal alcançava os pedais. Pisei no acelerador. Pérola partiu com uma força enorme. Diminuí a velocidade, mudei a marcha. Ela me escutou. Ela me conhecia. Eu sabia como despertá-la e como dominá-la. Todos os movimentos estavam no meu sangue. A bolota redonda em cima do câmbio já se ajustava direitinho na palma da minha mão, e vi que eu tinha crescido. Mautner podia vir tomar um curso de direção comigo. Depois tentei pensar no que meu pai diria se me visse. Ele vai ficar louco quando eu contar que eu a guiei fora do nosso quintal. Quando eu contar. Talvez eu nem conte. Como é que vou sair de toda essa confusão em que me meti? Ouvi minha avó implorando no banco de trás: "Nono, Nono!", e às vezes berrando: "Felix, Felix!". Passei por um campo de espinhos, no meio de rochas, finalmente entendi por que é que sempre que alguém dirige você vê que a pessoa fica o tempo todo virando o volante com pequenos movimentos para a direita e para a esquerda, e apesar disso o carro anda em linha reta. Comecei a sentir o calor concentrado entre os meus olhos. Fluindo e me inundando. Meu pé pisou no acelerador até o fundo, vamos voar, decolar...

Brequei. Me controlei. Apenas uma fração de segundo antes de explodir. Pois um pensamento me passou pela cabeça: uma vez quase perdi a Pérola por causa de uma enorme besteira que fiz, e não quero perdê-la de novo.

"Agora você." E liberei o lugar para Felix.

Ele me olhou, um pouco surpreso. "Só isso? Achei que íamos viajar assim até o Monte da Lua!"

"Não. Basta. Para mim, chega. Obrigado."

Lola apertou meu ombro por trás. "Venha, sente aqui ao meu lado", ela disse. Passei para o banco de trás e me encolhi ao lado dela. Eu me sentia muito bem. Como se tivesse consertado alguma coisa na minha vida. Como se tivesse salvado alguém dentro de mim. Felix ainda me olhava pelo retrovisor, com leve desapontamento e admiração. Lola fez um gesto de rainha, e com a mesma voz com que uma vez disse ao motorista de táxi, "O Habimah paga!", agora ordenou: "Para o Monte da Lua!". Felix coçou o nariz e partiu.

27. A casa vazia

Silencioso e suave, o carro deslizou noite adentro. O rádio tocava canções em inglês, Felix guiava, Lola estendeu sobre nós sua echarpe, minha echarpe, e ambos nos encolhemos debaixo dela. Falávamos baixinho, tanto para não incomodar Felix na sua concentração ao volante quanto porque queríamos ter privacidade.

"Comece a perguntar", ela foi logo dizendo no nosso esconderijo, "já perdemos muito tempo na vida, pergunte tudo que quiser. Eu quero muito responder."

Muito bem.

"Quando Zohara era menina, ela sabia que Felix era... ahm..."

"Que beleza", ela exclamou, "você vai direto ao assunto. Como eu. Talvez, apesar de tudo, alguma coisa você tenha herdado de mim, além do seu talento para representar."

"O quê, isso vem de você? Não é da...?", eu quase disse "Gabi". Isso nos ensina como é difícil largar velhos hábitos.

"Eu espero que seja de mim. Sua mãe também não era má

atriz! Tinha talento, sensibilidade, quando era menina ela praticamente viveu comigo no teatro. Ui...", Lola deu uma risada, "o teatro a deixava hipnotizada, o palco com suas cortinas de veludo, as máscaras, os reis, os heróis, os vilões... Havia atores que diziam que Zohara era a mascote do Habimah. Pois é", suspirou, "e esse talento acabou por ajudá-la muito na vida, sabe-se lá quantas pessoas ela iludiu... Mas você fez uma pergunta importante..."

"Se ela sabia que ele era um criminoso." Desta vez a palavra saiu com facilidade.

"Não só não sabia que ele era criminoso", disse Lola, "como até os dezesseis anos ela nem sequer sabia que ele era o pai dela!"

"O quê?", não entendi absolutamente nada.

"Você já é um garoto crescido, Nono, e podemos falar abertamente, certo?"

"Sim, é claro." Mas falar sobre o quê?

"Por exemplo, que há todo tipo de avó... Você tem, me parece, uma avó por parte de pai, e ela é uma avó de um certo tipo, e tudo bem, com certeza é uma pessoa muito querida para você, e eu sou uma avó de um tipo um tanto... diferente."

"Diferente como?"

"Com ideias um pouco diferentes, e com um comportamento diferente... cada pessoa com sua personalidade, certo?"

"Sim", mas eu não estava entendendo, só sentia que agora ela estava tendo um pouco de cuidado comigo, tentando sentir o que eu pensava dela.

"Ao meu redor sempre houve muitos homens, admiradores, amores... você teve uma avó meio... desenfreada...", ela deu uma longa olhada no espelho retrovisor de Felix. Felix ergueu os olhos e uma faísca brilhou ali por um instante, "para Zohara, Felix era mais um dos homens que viviam em torno de mim; ele era com certeza um tio alegre e simpático, que mandava cartões, bonecas e presentes do mundo todo. Quando às vezes aterrissava aqui na nossa terrinha, vinha divertir-se comigo, com ela e com todo mundo — e depois sumia do mesmo jeito que tinha aparecido. Só mais um entre os muitos homens que eram... ahm, muito bons amigos meus, entende?"

"Entendo." Parece que entendi: ela é mesmo uma avó diferente.

"Pois é, quando ela fez dezoito anos, ele de repente mandou um telegrama com uma bela sugestão de presente a Zohara: uma espécie de 'viagem de maioridade'. Era para ela viajar só por um mês, mas assim que li a primeira carta que me mandou de Paris, percebi que ela já pertencia a ele." Lançou para Felix um olhar reflexivo, não muito contente: "Você próprio viu como é fácil sucumbir ao encanto dele, às histórias dele... e especialmente para alguém como Zohara, de personalidade tão intempestiva e volátil..."

Ou alguém como eu.

"Pois a verdade, Nono", Lola suspirou nos meus ouvidos, "é que não foi só o que Felix contou para ela, nem só o que ele lhe ensinou, nem só como ele a enfeitiçou. Foi o que Felix passou para ela pelo sangue, por hereditariedade. Quando estavam juntos, naquela grande viagem, o mais importante que ele fez foi lhe mostrar que ela também era assim, só que ainda não sabia, ou tinha medo. Ele lhe mostrou quem ela realmente era. E que podia ser assim."

Me enrijeci todo: isso me soou familiar.

Felix pisava fundo no acelerador. O Humber se movia como um raio. Pelo espelho dava para ver o canto da sua boca. Ele sorria para si mesmo, orgulhoso e feliz. Lola olhou para ele e entortou um pouco os lábios. De repente pensei que talvez Felix tenha organizado a operação do meu sequestro para isto: para me revelar, com seu método único e natural, aquela parte oculta dentro de mim. Despertar aquele Nono, para que eu soubesse que ele existe. E para que no mundo permanecesse alguma pequena lembrança da sua personalidade, da personalidade de Felix Glick.

Para que eu entenda que não pertenço apenas ao lado da família do meu pai.

Buuum!

A cada momento meu mundo se modifica. A cada momento tudo que me aconteceu nos últimos dias é visto sob uma luz totalmente nova, como se a realidade não fosse algo absolutamente sólido e fixo, e sim algo flexível, fugaz, mutável.

Minha cabeça quase estourava de tantos pensamentos: qual era o significado das coisas que Lola disse sobre o sangue de Felix, de Zohara e o meu próprio sangue: que agora eu também preciso virar bandido? Que isso está determinado para mim? E se eu não quiser? E se, mesmo assim, eu quiser ser o melhor detetive do mundo? E o sangue do meu pai, que também corre nas minhas veias? Não tem influência nenhuma? E o fato de meu pai e Gabi terem me criado, me educado? O sangue de Zohara ganha de tudo isso? O crime é sempre mais forte que a honestidade? Quantas gotas são necessárias para acabar de vez com a honestidade? Eu me retraí, podia senti-lo, sentir esse sangue, inundando minha face, quente, fervente, na barriga, no peito, em volta das pernas, nunca pensei que era possível senti-lo, que ele tem personalidade própria, mas será que não herdei do sangue de Zohara também algumas outras gotas, diferentes, não as gotas do crime, mas das coisas boas que ela tinha? Da imaginação e das histórias? Por que não? As perguntas corriam e se revolviam dentro das minhas veias, ali onde corria o meu sangue, e se misturavam, como se alguém estivesse fazendo experimentos científicos com o meu sangue, mas quem é que vai me informar o resultado dos experimentos, e o que vai acontecer com a minha vida de agora em diante? E, para começar, será que alguém pode finalmente me relembrar de quem sou eu?

"Uma coisa é certa, você não é Zohara", disse Lola com firmeza, "nunca se esqueça disso: você não precisa ir pelo caminho dela. Você tem a possibilidade de escolher."

"Eu não sou Zohara", murmurei para mim mesmo: "Eu não sou Zohara."

"É claro que você possui alguma coisa dela. E de Felix. Mas possui também alguma coisa de muitas outras pessoas. Me parece que você tem uma família grande do lado do seu pai, inclusive aquela avó de que falamos, e um tio famoso que escreve livros para professores, certo?"

Então, pela primeira vez na minha vida, senti que talvez não fosse tão ruim eu ter também alguma coisa da família Shilhav; por outro lado, senti despertar dentro de mim um sentimento novo de orgulho. Sim, e de segurança, de não estar totalmente sozinho diante de toda a tribo Shilhav. De repente entendi o quanto sempre me envergonhava de mim mesmo na frente deles, o quanto me sentia inseguro, uma nulidade, pois eles eram todos uma família, atados, grudados, até parecidos entre si. E eu sempre estive sozinho, sem ninguém ao meu lado, como um enjeitado que resolveu grudar na família deles. E entendi também que eles foram contra mim desde o começo, antes mesmo de eu nascer, por causa de Zohara. Mas agora parecia que Lola, Felix e Zohara tinham vindo se colocar ao meu lado, e as duas famílias podiam se enfrentar: a família de doutores, educadores, tsitkas e semelhantes e a família de atores, malandros e contadores de histórias fantasiosas... Fechei os olhos com força e vi claramente as duas famílias postadas frente a frente. Me desloquei um pouco até ficar exatamente no meio, entre as duas. Prestei atenção no meu interior: ainda não sentia que estava confortável, no meu lugar exato. Me movi um pouquinho para trás, só meio passo em direção aos felixes. Imediatamente senti como a respiração se acalmou.

"Sua personalidade é diferente", prosseguiu Lola, que não percebeu os pequenos movimentos no meu pátio interior, "você é outra pessoa. Só Zohara era Zohara. Nunca se esqueça disso! Lembre-se dela, sinta ela, mas saiba que você já é uma criatura nova. Uma pessoa separada e independente." Repeti num murmúrio essas palavras. Consegui fixá-las na memória. Sabia que ainda teria muita necessidade delas na minha vida. "E agora, Nono, como um indivíduo independente, eu te ordeno que durma um pouco. Ainda temos uma longa noite pela frente."

Deitei com a cabeça nos seus joelhos, fechei os olhos e tentei dormir. Não consegui adormecer. Os pensamentos corriam pela minha cabeça no ritmo da viagem. Senti como as coisas iam clareando e se ordenando dentro de mim. Eu sou outra pessoa. Fui criado de outra maneira. Eu tenho um pai diferente. Eu já sei que não sou cópia dele, e posso também não ser cópia dela. Sou uma criatura independente. Posso escolher quem vou ser. E sempre tenho a Gabi para me lembrar do meu caminho.

Gabi. Gabi, Gabi, Gabi.

A esperta, a inteligente Gabi, que nesses anos todos achou que eu tinha o direito de saber sobre a minha mãe, apesar da rígida proibição do meu pai. E foi me revelando coisas dela por meio de pistas, de pequenas e grandes ações... Pensei na Gabi sentada na beira do mar com proteção para o nariz e bronzeador; depois, na frente do grande tanque de chocolate, e depois, como ficava fiel ao meu lado, diante da casa de Lola Ciperola... Dei um sorriso. Era a Gabi que queria a echarpe lilás e a espiga dourada, para se transformar, talvez, numa mulher livre e forte como Lola, e também para ficar um pouquinho criminosa e traiçoeira como Felix. Para ser uma espécie de mistura de Felix e Lola. Como alguma coisa que pode sair de um casal como esse...

Em suma, para ser como Zohara. E meu pai se apaixonar de novo por ela...

Ela é tão diferente de Zohara, pensei. Graças a Deus, Gabi não é como Zohara. Ela é da vida real. Não dos filmes.

O céu que voava pela janela já estava menos escuro. Logo mais vai amanhecer. Os olhos de Lola estavam fechados. Talvez estivesse cochilando, talvez estivesse mergulhada em suas lembranças, nos pensamentos sobre onde as coisas com Zohara teriam perdido o rumo. Pensei: eu perdi a mãe, ela perdeu a filha. E, por causa disso, nós compartilhamos uma coisa muito grande. Uma coisa que já não está mais aí. Mas quando lembramos dela, e falamos dela, ela existe, está um pouco viva. Também eu fechei os olhos. Apertei com força sua mão quente.

A estrada seguiu e começou a descer, e o Humber Pullman deslizava sobre ela com agilidade. Por este caminho, os dois viajaram. Um jovem casal numa moto com *sidecar*. Talvez, depois de algum tempo de viagem, tenham deixado de ter medo um do outro. Espaços mais amplos se abriram diante deles. Começaram a conversar. A se alegrar com a recente liberdade de Zohara. Com a grande aventura para a qual agora os dois partiam juntos. Por meu pai ter se liberado do seu trabalho, da sua família... A subida fica íngreme. O céu já está ficando claro no horizonte. Reconheci essa bela composição de cores, era a mesma da noite passada, na praia, com a escavadeira. O que passei nos últimos dias... Lembrei do menininho acenando para seu pai e sua Gabi da janela do trem. Que achava que era um profissional. Ingênuo. Ingênuo!

"Olhe", sussurrou Lola, "a montanha."

Na luz fraca sobressaía uma montanha alta, escura, meio torta, de aparência esquisita: um dos lados era suave e arredondado; do outro, havia penhascos íngremes e afiados. O carro subia pelas curvas da estrada de terra, nuvens de poeira se erguendo em volta de nós. Perdizes gordas fugiam das rodas, parando para nos observar com espanto: certamente fazia muito tempo que nenhum carro passava por aqui. À medida que subíamos, o ar ia ficando mais límpido e mais frio. Abaixo de nós se estendia um vale amplo, envolto na neblina matinal, cruzado por uma faixa verde e sinuosa.

"Aquele é o rio Jordão", indicou Felix com o queixo. "Ali fica a fronteira."

Com uma última acelerada, forçou o Humber, dirigindo-se para o cume da montanha, onde o carro andou um pouco sobre uma trilha de mato e pedregulhos, até parar.

O Monte da Lua.

Soprava um vento forte. A paisagem abaixo de nós se escondia e ressurgia no meio da neblina. Uma ave de rapina voava pelo céu, com as asas abertas e soltando gritos curtos. Eu sentia frio. Sentia solidão. Lola me envolveu com a nossa echarpe lilás. Havia ali uma cabana de madeira, velha e quebrada. Sem vidros nas janelas. Mato crescendo entre as tábuas. O vento emitia um som oco e arrepiante.

Marchamos em direção à cabana devagar, como se tivéssemos medo de chegar. Subimos os três degraus de madeira tortos. Felix empurrou a porta. Ela soltou um som agudo e caiu para dentro fazendo um grande barulho. Tudo parecia fazer eco. Desolador, angustiante.

Caminhamos com cuidado, levantando poeira por todo lado. Ficamos longe das paredes nuas, das esquadrias vazias e entortadas das janelas. Tufos de mato brotavam também entre as tábuas quebradas do chão. Lola passou o braço pelos meus ombros.

"Lembre-se de que para os dois foi muito bom estar aqui, juntos", disse ela baixinho, para não estragar o silêncio. "Eles queriam um lugar que fosse só deles. Aonde não viesse ninguém de fora, com todo o falatório, com todas as regras do mundo exterior. Um lugar onde o passado não os perseguisse."

"Olhem...", sussurrou Felix.

No canto da cabana havia um quartinho separado, o batente de madeira quebrado. Talvez fosse o quarto deles. Estava vazio. Só havia um aquecedor, grande e enferrujado. Quando encostei nele, meu dedo penetrou numa grossa camada de ferrugem que se desmanchou. Como os bonecos no quarto de Zohara. Eu me assustei; tudo que eu toco nos últimos dias se desmancha e some. Preciso me lembrar de tudo.

"E veja isto", apontou Lola.

Havia uma folha de papel pregada na parede, com a ponta solta balançando ao vento. Uma folha amarelada e rasgada, onde havia um desenho a lápis: um rosto de homem, e ao fundo um cavalo. Os traços mal podiam ser vistos, mas nós três soubemos imediatamente quem era.

Perguntei: "Ela sabia desenhar?".

"Quando queria...", respondeu Lola, "ela era capaz de fazer qualquer coisa."

Então também vou ser assim.

"Olhe seu pai aqui", disse Felix. Ele não disse "senhor seu pai". Sua voz não continha o familiar sarcasmo.

Meu pai tinha um ar jovem e estava bonitão. Uma juba espessa, sorriso nos olhos, sorriso nos lábios. Pelo desenho via-se que ele estava feliz

"Ele a amava. E ela?", suspirou Lola respondendo para si mesma: "Ela parecia amar o amor dele, mas será que o amava de verdade, como sempre quis amar alguém? Isso eu não sei..."

Escrevo agora uma coisa da qual não tenho absoluta certeza. Posso apenas adivinhar, a partir do que Lola me contou. E ter esperança de que tenha sido realmente assim: para Zohara foi bom estar com meu pai na montanha. Pelo menos no começo. Ela não era uma menininha mimada: saía para pastorear o rebanho, ordenhava as ovelhas, limpava o estábulo, cozinhava para os dois num fogareiro a querosene, adorava a pequena casinha dos dois.

Dia após dia ela ia sentindo sua alma ficar mais limpa. Ia se purificando. Sentia que ia perdendo a casca de suas antigas aventuras, como camadas de pele morta, como se fosse a história de outra pessoa. À noite ambos se sentavam para assistir ao pôr do sol, comendo uma refeição simples e saudável. Às vezes saíam montando seus dois cavalos. Cavalgavam até a beira do penhasco. Juntos e solitários. Falavam pouco. As palavras eram supérfluas neste lugar. Vez ou outra Zohara tocava flauta...

É tudo palpite. Talvez a vida deles ali fosse muito mais agitada, só que a minha imaginação limitada é incapaz de descrevê-la. Mas eu preciso me contentar com esta minha fantasia, pois meu pai nunca me contou como foi na realidade. Mesmo depois de terminada a minha viagem com Felix, meu pai continuou sem dizer nada. Ainda há muita coisa que eu não sei, e que jamais vou saber.

"Uma vez eu vim visitá-los aqui", disse Lola. "Fiquei uma semana inteira com eles, e quando voltei para Tel Aviv pensei: esses dois construíram para si um paraíso. Adão e Eva. E sem nenhuma serpente."

"Você veio aqui visitá-los? Eles deixaram?"

"Eles me convidaram. Escreveram uma bela carta. Queriam que eu visse o meu neto."

Eu.

Eu nasci aqui?

"Você não sabia, hein? Ele não te contou nada." Ela baixou rapidamente a cabeça e respirou fundo. "Eu te disse: ele quis apagar tudo, para você não saber de nada! Como se você tivesse nascido só dele."

"Zohara era muito esperta, e sabia que ele, o senhor seu pai, ia querer apagar o passado", exclamou Felix. "Por causa disso ela me pediu que fizesse esta viagem com você. Ela sabia!"

"Olhe bem, Nono", prosseguiu Lola, e respirou fundo, "aqui, nesta cabana, neste quarto, você nasceu. Sem médico e sem parteira. Seu pai não teve tempo de levar Zohara para o hospital em Tiberíades. Foi ele quem tirou você. Ele próprio cortou o cordão umbilical." Ela me abraçou por trás encostando seu rosto no meu. "Eu acho que este é o lugar mais lindo do mundo para se nascer." Sua voz ficou trêmula. "Foi como a criação do mundo. Pai, mãe e filho. Exatamente a esta hora. Quatro e meia da manhã. Treze anos atrás, menos dois dias."

Eu estava perplexo.

"Não consigo aguentar", disse Lola de repente, e saiu dali. Felix correu atrás dela.

Para mim também estava difícil, mas quis ficar mais um pouco. Estar de novo com eles. Nós três sozinhos. Como no começo, nos primeiros dias. Eu me ajoelhei. Toquei o chão de madeira. As cabeças dos pregos enferrujados. As marcas escuras deixadas pelos pés da cama. Depois sentei no chão. Fiquei muito quieto e muito concentrado. Nunca na minha vida fui tão concentrado e preciso comigo mesmo.

Todos os fantasmas desapareceram naquele momento. Os fantasmas que sempre estiveram ao meu redor, desde que Zohara morreu e começaram os sussurros, os segredos, os mistérios. Os fantasmas que me confundiam, que eu sempre tentei compreender, imitar ao falar, cujas vontades sempre procurei ouvir para me orientar.

Fiquei mais alguns momentos dentro da cabana. Encontrei uma colherzinha torta. Encontrei alças de uma mochila, uma moldura de quadro quebrada, uma velha caixa de fósforos. Um sapato de mulher. Um lenço de homem se desmanchando. Juntei todos os objetos e os coloquei juntos no quarto de dormir, aos pés do aquecedor. Arrumei a casa.

"Ela ficou tão feliz com você, feliz como nunca tinha sido na vida", disse Lola lá de fora, os olhos e o nariz vermelhos. O nariz de Felix também parecia inchado. "Ela brincava com você como se fossem dois cachorrinhos. Veja: aqui, neste lugar, seu pai fez para você uma caixa de areia. Dois dias depois que você nasceu ele fez uma caixa de areia! E aqui ela deixava seu cobertor, por ser um lugar protegido do vento, e rolava com você pelo chão, e seu pai ficava parado ali, com a mão assim, apoiada, rindo."

Que presentes, que belos presentes ganhei pelo meu bar mitzvah!

O dia nasceu. O vale reluzia sob a luz do sol, pintado de dourado. Às vezes eu penso: talvez por causa desses espaços amplos que eu tive quando era bebê, até hoje seja difícil para mim ficar em salas fechadas. Perto da beira do penhasco, à luz da aurora, uma mancha colorida. Um pedaço fino de pano preso num espinho. Um pano que um dia tinha sido vermelho, ou roxo. Talvez um dos lenços dela tenha se prendido quando ela passou montada no seu cavalo rumo à beira do penhasco. Não ousei chegar perto. E não foi por causa do penhasco.

"Você cresceu num paraíso", sussurrou Lola, como que em transe.

"Mas não por muito tempo", murmurou Felix. "Ela trouxe a serpente com ela."

Como foi que ela despertou, aquela serpente? Teria sido o veneno da agitação, as saudades do turbilhão, do desvario? Por que ela não podia simplesmente ser feliz aqui? Com ele?

"Não é fácil de contar, e ainda mais difícil de ouvir", disse Lola. "Pode cerrar os punhos, Nono. Aí vai."

E ela contou. Dia após dia, Zohara ia ficando mais nervosa,

mais infeliz. A paisagem lhe parecia monótona; o rebanho, um tédio; ela foi se enchendo das tarefas da casa e do campo, do cheiro constante das ovelhas grudado nas suas roupas.

E do meu pai.

Havia algo nele que a deixava louca. Não sei o quê. Quando tento adivinhar, isso me dói demais. Talvez ele fosse sério demais para ela? Talvez a deixasse entediada? Tento ver as coisas do ponto de vista dela, pois é sempre conveniente olhar as coisas do outro lado. Quem sabe, de repente, os olhos dele pareciam pequenos e mesquinhos demais para ela? Ele tem essa característica, meu pai: ele adora acariciar objetos, tocá-los com um estranho prazer, como se assim os obrigasse a reconhecer que lhe pertencem, e que ele tem o direito de tocá-los da maneira que bem entende. Quem sabe isso a irritava? Essas reflexões me provocam tristeza. Talvez porque eu seja parecido com ele, com meu pai, em algumas coisas; e quanto mais velho fico, mais me pareço com ele.

Talvez ela ficasse irritada porque ele não se desligava totalmente do seu antigo mundo: porque tinha prometido à sua mãe que telefonaria para ela de Tiberíades uma vez por semana; porque sentia necessidade de comprar o jornal no *Shabat*; porque sua vida não era vida sem uma garrafa de cerveja preta depois do jantar; porque fazia questão de escutar os jogos de futebol no rádio... Uma vez meu pai comprou no mercado das pulgas da aldeia mais próxima uma enorme poltrona, revestida de um tecido florido, que lembrou Zohara de uma mulher gorda chamada Dobtsi (justo Dobtsi!) e ela começou a gritar com ele, o que é que você está fazendo? Afinal, tinham jurado construir aqui um paraíso, serem livres como ciganos, sem nenhum vínculo com objetos e propriedades, e estava muito claro que ele tinha trazido para cá seu espírito pequeno-burguês, seus sentimentos de posse! A expressão dela estava horrível de tanta raiva: os cabelos pretos se remexiam feito cobras em torno da sua testa branca e as maçãs do rosto sobressaíam como se ela estivesse doente. E ela ainda tinha cometido o erro de achar que ele tivesse uma alma tão grande como a dela! De esperar que ele tivesse a ousadia de caminhar ao lado dela pelo céu. Caminhar ereto, não rastejar! Mas não! Ele não tinha absolutamente capacidade de entender uma pessoa como ela! Era pobre de espírito, era limitado e pequeno! Tinha o espírito de um menino que cresceu numa fábrica de biscoitos! Dobtsi! Seu Dobtsi! Ela berrava, socava o ar, arranhava, e meu pai a agarrava com cuidado, mas com mão de ferro, e Zohara ficava louca de raiva, presa nas mãos dele, impedida de respirar, de sair, de voar para o mundo...

O ar puro da montanha se interpunha entre eles. O vale lá embaixo se encolhia a cada dia por causa dos berros no alto da montanha. Zohara sentia que meu pai a espionava. E se lembrava muito bem da promessa que ele tinha feito ao juiz — que garantia pessoalmente que ela não voltaria para a prisão. Talvez ele não devesse ter feito tal promessa. Foi graças a ela que o juiz reduziu sua pena, mas dessa forma meu pai acabou virando seu carcereiro.

"Não fique me seguindo...", ela dizia.

"Não estou te seguindo. Só me diga aonde você está indo a cavalo."

"Aonde me der vontade, sargento Feierberg. Eu sou uma pessoa livre."

"Zohara, querida, a fronteira é aqui perto. Há contrabandistas, há inimigos infiltrados que cruzam a fronteira armados, e você está sozinha."

"Não estou sozinha. Tenho a mim mesma, e tenho um revólver."

"Zohara, o que fazer com você? O que eu tenho de fazer para deixar você um pouquinho feliz? Me diga. Me ensine e eu farei o que for. Sou um bom aluno!"

"Sim", Zohara o examinou do alto do cavalo, como se só agora o estivesse vendo pela primeira vez. "Você é um bom aluno", disse com ar de piedade, "você é eficiente", acrescentou num leve tom de ironia, virando o cavalo e saindo a galope.

"Às vezes ela desaparecia por dois dias", contou Lola, "dormia nas montanhas. Nas cavernas. Sabe-se lá onde. Voltava arranhada e faminta. Onde você esteve, Zohara? Ela não dizia. Não falava. Às vezes pegava a motocicleta e viajava para Tel Aviv. Dormia na minha casa. Ia a festas. Dançava. Ficava bêbada. Voltava; ou não voltava... Ele vinha da montanha para levá-la de volta. Brigas horríveis... ela berrava... não queria voltar... já não pertencia a lugar nenhum. Nem aqui nem ali..." Lola falava quase num sussurro, cabeça baixa. Eu engolia cada palavra sua.

"E uma vez ela saiu a cavalo e não voltou mais, e esse foi o fim", disse Lola de súbito. "Talvez tenha cruzado a fronteira e os soldados jordanianos a tenham atingido. Ou o cavalo caiu em algum precipício e ela morreu. Talvez inimigos infiltrados a tenham ferido. O exército investigou. Procuraram por toda a região. Amigos do seu pai no exército cruzaram a fronteira à noite e também procuraram do lado de lá. Nada. Ela sumiu. De repente deixou de existir."

"De repente", suspirou Felix. "Toda a vida dela sempre foi assim: de repente."

Olhei para a dourada amplidão à minha frente. Não queria olhar, e não consegui evitar. Senti Zohara cavalgando para lá, talvez conduzindo o cavalo para o alto desse mesmo penhasco. Dentro de mim pairava o tempo todo a pergunta que um dia Zohara fez quando criança: por que não existe uma cerca em volta do mundo, para evitar que as pessoas caiam? Não há cerca. É assim. É preciso andar com cuidado e parar antes de chegar à beira do abismo.

Zohara estava com vinte e seis anos, exatamente a idade

que tinha anunciado. Pensei: como ela foi capaz de nos deixar, a mim e a ele? Como não pensou em mim, e no que podia acontecer comigo sem ela?

"Mas antes disso, antes de ela fazer... o que fez, essa bobagem, ela me telefonou", disse Lola, os lábios trêmulos, "uma conversa de despedida com uma única ficha telefônica... 'Mamãe', ela me disse, e eu já sabia pela sua voz o que estava por vir. Que ela estava se despedindo. 'Mamãe, da última vez que estive aí em Tel Aviv, deixei uma coisa para o meu filho, para o Nonico'..."

Nonico?

"Hein? Era assim que ela me chamava?"

"Sim. Sempre: 'Nonico'."

Que belo nome.

"Disse que era um presente para você. Mas que você só podia pegá-lo quando fizesse bar mitzvah."

Nonico.

Ganhei um nome novo. Ninguém no mundo nunca me chamou de Nonico.

Que nome alegre!

"Mas qual é o presente?", finalmente me atrevi a perguntar.

"Ela disse que era segredo. Surpresa. Ela adorava segredos e surpresas. Disse que você precisava ir pegá-lo com Felix. Só com ele."

Ouvi as palavras "segredo" e "surpresa", e os comichões começaram: "Ela deixou o presente num cofre? No banco?".

"Sim. Queria fazer essa surpresa para você, como entre as pessoas importantes: um cofre. No porão de um banco. Por que você está pulando desse jeito? Ela queria deixar algo que fizesse você se lembrar das aventuras dela, e que só você poderia tirar de lá. É isto que está anotado na ficha do banco."

Só Nonico pode tirar, disse a minha mãe.

Talvez ela não soubesse ser uma boa mãe, mas já pensava no meu bar mitzvah, e como eu me sentiria sozinho, e como teria saudades dela. Ela sabia. Apesar de tudo tinha um sentimento forte em relação a mim, não posso esquecer isso.

"Para você ela deixou presente", intrometeu-se Felix, "e a mim deixou senhor seu pai."

Pois toda a raiva e a dor do meu pai por causa da morte de Zohara fizeram com que ele decidisse empreender uma jornada de vingança contra Felix. Naquela época ele já tinha começado a suspeitar da misteriosa ligação entre Zohara e o lendário Felix Glick. Até então, nem mesmo sabia que Felix era pai dela. Ela não tinha contado, tampouco Lola. E ele também não perguntou. Talvez nem quisesse saber. Os rumores diziam que Felix era amigo de Lola, mas Felix era amigo de muitas mulheres... Meu pai desceu da sua montanha, deixou a cabana para os saqueadores, para os pastores das aldeias próximas, para os contrabandistas e inimigos infiltrados que vinham do outro lado da fronteira. Dirigiu-se para o seu comandante na polícia e pediu para voltar ao trabalho. Durante três meses ficou trancado no escritório fechado que lhe deram, manhã, tarde e noite ali sentado, trabalhando. Gabi lhe trazia sanduíches, fazia café e cuidava do seu bebê. Na mesma época se apaixonou por ele. Por causa da chupeta na cartucheira do revólver, ou simplesmente por qualquer outra bobagem, qualquer coisa que faça alguém se apaixonar. Meu pai se sentou e releu do começo ao fim todos os arquivos da investigação de Zohara. Uma vez chegou a viajar para o exterior para se encontrar com os homens da Interpol; depois conversou por telefone com os investigadores de polícia de Zanzibar e Madagascar, da Costa do Marfim e da Jamaica, e aos poucos redesenhou todo o quadro, o trajeto da maravilhosa e criminosa viagem dela pelo mundo, desta vez incluindo Felix Glick.

"E eu", disse Felix com genuína perplexidade, "todo esse tempo, fazendo meus trabalhinhos no exterior tranquilamente, sem saber de nada, sem perceber nada, dou um golpe num banco, pego uma coleção de selos ou um pequeno brilhante, trabalhinhos de subsistência, enquanto ele, o senhor seu pai, ágil e esperto, estende em torno de Felix um fio depois do outro, como uma rede de caça..."

Pois Felix se tornou para ele o principal inimigo. Símbolo de todo o crime. A serpente que ensinou a Eva o sabor do pecado. Meu pai queria armar uma cilada para ele. Acabar com suas atividades insidiosas, sua língua viperina e suas meias-verdades. Trabalhou noite e dia, numa empreitada gigantesca. Quando amou Zohara, amou com ao menos dois corações. Quando perseguiu Felix, usou ao menos dois cérebros.

"E um dia, venho aqui para a terrinha fazer uma visita, e sem saber como e por quê, upa! Me pegam!"

Sua boca se retorceu de raiva. Os olhos brilhavam ao lembrar a humilhação que ainda o afligia: "Me deram quinze anos de prisão. E faz só meio ano que me soltaram, por causa do meu estado de saúde e de bom comportamento. Dez desses anos eu cumpri só por causa dele!".

"Cumpriu por sua própria causa", corrigiu Lola. "Basta, chega de falar nisso. Todos nós pagamos um preço muito alto. Todos nós. Inclusive Iacov."

Doce e suave foi ouvir o nome do meu pai na boca de Lola. Voltamos para o carro. Dei mais uma longa e última olhada para o vale aos meus pés. Para a cabana solitária. Foi aqui que comecei minha vida. Foi bom, e também foi aqui que tudo se estragou. Tive vontade de correr para a beira do penhasco e pegar a tira de pano rasgado que balançava ao vento, mas não ousei me aproximar dali. Peguei uma pedrinha e pus no bolso. Uma pedrinha cinza e redonda, com o formato de um ovo. Está comigo até hoje. Em cima da minha escrivaninha.

Fomos embora de lá sob um silêncio pesado. Em algum ponto do caminho adormeci, e acordei só na entrada de Tel Aviv. A noite mais longa da minha vida, e eu não tinha a mínima ideia do que ainda ia acontecer. Ao mesmo tempo a palavra "banco" despertou dentro de mim e se fixou no meu cérebro até chegarmos. E entrei em estado de alerta. Banco e Felix. As duas coisas juntas soavam meio perigosas.

"Você disse que íamos ao banco?", perguntei com curiosidade.

"Banco. Sim. Bom dia!"

"Para pegar o presente de Zohara?"

"Sim. E se você for, ganha também a espiga de ouro. Eu prometi para a nossa senhora Gabi."

"É difícil pegar o que há no banco?"

"Difícil, qual o quê! Pegar coisa num cofre de banco não é difícil."

Não vou aguentar isso, pensei. Não nasci para assaltar bancos. O meu máximo é sequestrar trens, e cada um tem que saber dos seus limites.

Lola dormia ao meu lado, enrolada em si mesma. Tentei recorrer à consciência de Felix: "Não tenho forças para assaltar um banco agora".

Silêncio. Ele voltou a fixar a atenção no caminho. Tentei recorrer ao avô que havia nele: "Estou cansado, tive uma noite difícil".

"Não é trabalho difícil", argumentou, "não é crime. Só entrar e pegar o pacote, e também ganha de Felix a última espiga de ouro."

"Sem atirar em nenhum guarda?", indagou Lola. Os sentidos aguçados de avó a despertaram.

"Sem tiros."

"Sem rastejar, digamos, dentro de um túnel?", eu quis saber.

"Rastejar para quê? Do que está falando? Entramos no banco, dizemos seu nome para o guarda dos cofres, entramos na caixa-forte, abrimos o cofre, pegamos e saímos e…"

"… e bom dia, até logo e bênção", completei junto com ele. Ele me olhou surpreso e sorriu: "É isso mesmo", disse.

Houve mais um instante de silêncio.

"Olhe nos meus olhos, vovô."

Olhei nos olhos dele pelo espelho retrovisor. Estavam azuis e límpidos como os olhos de um bebê.

28. Isso já é exagero

Às oito e meia da manhã meu avô Felix estacionou o Humber Pullman numa tranquila rua lateral de Tel Aviv, não longe do teatro Habimah. Lola Ciperola (para mim, Katz), a primeira-dama do teatro, detentora do Prêmio Israel de Artes Cênicas (minha avó), atravessou a rua, entrou no banco trajando calças sujas e amarrotadas, cabelo desgrenhado e emaranhado. E, contrariando totalmente as críticas de Felix, conseguiu passar perfeitamente a imagem de uma mulher comum. Nem rainha, nem imperatriz nem deusa antiga, nem heroína trágica com grandiosos e sublimes olhares de pesar: apenas uma simples mulher judia do povo, querendo sacar cinquenta liras da sua conta bancária, mas por causa do forte calor, ou da idade avançada, ou devido à necessidade de desviar a atenção do público do velho e do menino que vinham se insinuando sorrateiramente por trás, ela desabou no chão, gemendo e grunhindo, rosnando de forma absolutamente grosseira.

Eu nunca a tinha visto no palco num papel tão perfeito. Nunca a senti apreciando tanto sua personagem, e às vezes penso que, por causa de todas as coisas que lhe aconteceram nesses dias, e porque de repente havia se tornado avó, estava conseguindo representar também o papel desse tipo de mulher... Pena que eu não tive tempo de ficar parado assistindo. Uma grande plateia se juntou em torno dela. As pessoas gritavam, davam palpites, pediam para chamar ajuda, e nesse meio-tempo nos esgueiramos pela escada em espiral, que descia para o subsolo do banco, para o departamento de cofres.

Só havia lá um guarda de certa idade, devorando lentamente um sanduíche de queijo prato e fatias de tomate. Eu lhe disse o meu nome. Foi um instante de tensão. O jornal *Davar* estava pousado sobre a mesa à sua frente, meu retrato ali espalhado em página inteira. E também o meu nome, finalmente publicaram meu nome! Meus olhos se arregalaram de espanto e orgulho. "Amnon Feierberg, o garoto sequestrado!", dizia a manchete. Foi o dia mais famoso da minha vida, mas ao mesmo tempo essa publicidade podia pôr tudo a perder. O homem abriu e folheou uma grande caderneta de nomes do banco. Ficou murmurando meu nome o tempo todo. Restos de queijo coloriam seu bigode. Por um momento deitou os olhos sobre a mesa. Leu em voz alta meu nome no jornal. Não notou nenhuma semelhança. Continuou folheando as listas, até finalmente encontrar: "Aqui está. Amnon Feierberg. Autorização para que você faça retiradas do cofre da sua mãe. Hohô! Isso já faz tempo! Daqui a pouco essa autorização vai fazer bar mitzvah!". E riu espirrando queijo em cima do jornal.

"Entrem. Esse é o seu avô?"

Sim. Ele é realmente o meu avô.

É incrível como às vezes a verdade pode soar como uma mentira.

O homem revirou seu monte de chaves. Abriu uma porta de ferro para nós. E mais outra. Fechou-a atrás de nós, e nos deixou a sós.

"Vocês têm dez minutos", disse, e o ouvimos arrastar seus passos até a cadeira e o sanduíche.

Estávamos num quartinho pequeno. As quatro paredes cobertas de cofres do chão ao teto. Caixas de ferro retangulares feitas de metal cinza. Em cada uma havia um pequeno disco numerado, de zero a nove, e um cursor móvel, parecendo uma pequena seta. Felix achou o nosso cofre imediatamente.

"Dez minutos", disse, "depois de dez minutos Lola também vai precisar se levantar do chão. É tempo muito curto. Você acha que é suficiente?"

"Suficiente para o quê?"

"Para abrir."

"Se você me der a chave, então é suficiente."

"Bem, aí está o problema", pigarreou Felix, "é que não tem chave."

Olhei para ele.

"O que quer dizer 'não tem chave'? Então como vamos abrir?"

"Tem que abrir sozinho. Sem chave", ele disse, e mais uma vez deu de ombros, se desculpando. "Precisa adivinhar cinco números na ordem certa, sim, e aí, tchic-tchac, o cofre abre." Fiquei olhando para ele com uma expressão dura.

"É uma combinação secreta", acrescentou, como se isso ajudasse a resolver o problema. "Como uma senha, digamos assim. O número que Zohara deu, e que você precisa adivinhar."

"Um momento", eu me irritei, "você está querendo dizer que ela não lhe disse o número do segredo?"

"Não. Só disse que você ia adivinhar", e mais uma vez deu de ombros com ar de desculpa. "É problema. Eu sei disso! É problema! É claro."

"Um momento, um momento!", eu gritei, "você achou que eu ia adivinhar cinco números, na ordem certa, que ela escolheu?"

"Sim. E daí? Assim é. Melhor apressar."

"Mas é impossível!", explodi na frente dele, irado, logrado, frustrado: bem diante do meu nariz, do outro lado da parede metálica blindada, está o único presente que minha mãe me deu na vida, e eu não vou poder pegá-lo jamais!

"Não dá para adivinhar assim sem mais nem menos cinco números!", gritei sussurrando, para o guarda não ouvir, "é menos de uma chance em um milhão de eu conseguir encontrar agora a combinação certa!" Por que ela tinha de fazer isso comigo? Por que essa família não consegue nunca me dar um presente de maneira simples?

"Sim, sim, não grite. Eu sei, é difícil, mas, apesar de tudo, Amnon, lembre que foi sua mãe que escolheu os números para abrir, certo?"

"E daí?"

"E daí... é isso! Mãe! Você é filho dela! O único filho em mundo todo! É o mesmo sangue!"

E por algum motivo, justo essa frase me tocou o coração. Não tinha lógica. Mas as minhas expectativas em relação à lógica andavam muito baixas após esses três últimos dias. Está certo, pensei, eu sou filho dela. Sou o único filho que tem o sangue dela nas veias. Ela já não está neste mundo, e eu estou aqui. Tenho que tentar.

"Tudo bem", eu disse a Felix, "estou pronto. Cuide para que não nos atrapalhem."

Fechei os olhos. Aos poucos me desliguei de tudo em volta. Me desliguei do guarda devorando o sanduíche do outro lado das duas portas de ferro. De Felix que me observava com olhos afetuosos. Da minha avó Lola, ainda passando mal no andar de cima, tentando ganhar para mim mais um tempo precioso.

E do meu pai, e do que ele vai me dizer quando nos encontrarmos. E como vou explicar tudo o que aconteceu. E quanto a

Gabi. Será que ainda está com ele, ou foi embora para sempre. E será que eu ainda tenho mesmo alguém para quem voltar.

Cinco números.

Zohara. Zohara. Suas roupas estiveram no meu corpo. Dormi na sua cama. Chupei as balas de framboesa que você deixou lá. Você tinha cabelo preto, e olhos negros, afastados um do outro. Herdei de você apenas os olhos afastados, não a cor.

Alô, Zohara, aqui é Nonico. Sei de você mais do que sabia anteontem, mas ainda é pouco. Lola vai me contar tudo sobre você. Eu vou investigar você. Quero saber que tipo de menina você foi, e se gostava de ficar no teatro, e o que achava quando via a sua mãe representar, como eu vi, e quero saber mais, quero saber tudo: o que você gostava de comer fora geleia e chocolate, e de que filme você mais gostava quando tinha a minha idade, e qual era a sua cor predileta (azul? como eu?) e como teria sido a minha vida se você tivesse ficado aqui.

Zohara, com certeza você sempre usou calças. Tenho certeza de que a saia que Felix me deu para vestir era uma saia de *Shabat*. Talvez você nem gostasse dela. Você era uma garota de calças. Não é verdade que você era um pouco menino? Osso duro de roer?

"1."

"Um", murmurei de olhos fechados. O número um simplesmente caiu do céu. Eu tinha esquecido totalmente que estava procurando um número. Mas quando eu disse "um", soube que esse era o primeiro número que Zohara escolheria. Inclusive por ser o primeiro, vir antes de todos. E também porque seu formato combinava com ela. Uma linha solitária, fininha. Ouvi Felix movendo o cursor sobre o disco numérico.

Mergulhei de novo em Zohara.

Ela cresceu um pouco e continuou solitária. Mas agora era popular, pois sua beleza começou a florescer e se revelar. E as pessoas notaram sua beleza, os olhos especiais e a luminosidade que havia neles. Na força de Zohara. Mergulhei mais e mais. Não pensava em palavras, as palavras eu estou acrescentando agora. Então mergulhei fundo por baixo das palavras, num lugar quente, úmido e inspirador de sensações, meu corpo se remexia e se retorcia por dentro, como se estivesse procurando seu centro, o ponto em torno do qual ele teve início e foi criado.

Zohara cresceu. Virou moça. Um pouco mais feminina, mas também mais selvagem; arredondada, porém ágil. Arrastando atrás de si os admiradores e pretendentes, de lugar em lugar, indiferente a eles, brincando com eles, e apesar de tudo — sempre sozinha, mesmo quando no centro das atenções, passando como um raio pelos céus na noite de Tel Aviv, sempre a primeira a ter ideias malucas, sugestões desvairadas, as aventuras cruéis mas engraçadas, estranhas, sempre inesperadas: uma mulher, mas, como Felix, uma linha curva em zigue-zague...

"2."

"Dois", eu disse.

Ouvi o ruído do disco da fechadura do cofre.

Depois veio Felix e a levou para Paris. Ela não quis voltar de lá. E os dois continuaram a viagem para as terras distantes e exóticas, com reis depostos e carruagens de ouro, diamantes roubados refletidos nas águas escuras de um rio negro, e capitães de barcos e freiras, e Zohara vagando em meio a tudo isso, de um lado pro outro, numa cadeia de círculos onde sua imaginação se encontra com as visões ao seu redor, até ser impossível saber o que é realidade e o que é sonho, tudo gira em torno de tudo, como os anéis de fumaça do cachimbo do velho rei, e ela fecha os olhos, se rende ao prazer de inventar mentiras mais sinuosas que uma serpente, e descobre que também ela, como seu pai, é capaz de fundir, num passe de mágica, histórias da vida real e mentiras em que as pessoas acreditam, e entra num redemoinho que vai girando, descendo, girando, descendo, em círculos cada vez mais rápidos...

"8."

"Oito."

O cursor se move.

Sinto que estou cansado. Que este processo está me matando. Desde o momento em que fechei os olhos, entrei em transe, mergulhado em mim mesmo, privado da luz da inteligência... Tive medo desse momento. Meu coração foi ficando pesado, afundando com uma carga grande demais, descendo mais e mais, para o abismo, para uma areia negra, movediça.

"Eu não consigo mais", sussurrei para Felix, "acho que vou desmaiar..."

"Só mais um pouco", eu o ouvi implorar, "não pare agora, por favor!"

Filas e mais filas de números passavam diante dos meus olhos, como um enorme livro contábil, com frações e decimais e inteiros se misturando, dançando na minha frente, tentando me forçar a dizê-los, dizer cada um deles, e eu fechando as pálpebras sobre eles, expulsando-os à força, procurando entre eles... Zohara.

Eu a vi com meu pai nos bons tempos, no Monte da Lua. Ela e ele, passeando pelo monte calvo e arredondado, Zohara ao entardecer diante de um sol enorme, linda e saudável, a barriga já crescendo, se arredondando um pouco, sou eu lá dentro! Nonico! Ela lava seu corpo numa bacia de lata, e mesmo que aparentemente ela não o amasse, meu pai, ainda conseguia ser feliz no ninho caloroso que ele construíra e mobiliara para ela, e talvez fosse nesses momentos que ela se esforçasse para ser feliz por ele, satisfeita com o pequeno círculo ao seu redor...

"0."

Zero? Porém meus lábios hesitaram. Não um zero completo. Redondo: Sim, mas não zero. Inchando, se arqueando? Sim. Como uma gravidez? Sim, mas apesar disso não zero! Não vazio e completo como zero! Pois há algo ali perturbando, algo que se mexe e se desenvolve dentro do zero, como se quisesse rompê-lo à força; naqueles dias sua vida com meu pai era aguda, angulosa, explodindo de dentro da tranquilidade da gravidez e do ninho de plumas, e apontando com força… para cima! para fora!

"5"?

"Experimente cinco", murmurei.

"Só mais um número", cochichou Felix, tentando se animar, "o último número."

Não pode ser, refleti, isso não tem lógica nenhuma. Eu aqui sentado, de olhos fechados e cara séria, fazendo um esforço idiota. Adivinhando cinco números aleatórios que alguém combinou treze anos atrás. Sinceramente…

E exausto. Zonzo como se tivessem arrancado todo meu espírito.

Porém, mais uma vez, no instante em que fixei o olhar dentro de mim, fui tomado por um sentimento de solidão. Seu bebê nasce. Ela o ama. Isto é certo. Mas, passado algum tempo, ela meio que acorda de um sonho. Olha em volta. Vê a montanha. Ao seu redor, um mundo vazio. E meu pai a entediava. Não é fácil reconhecer isso. Ela ficou um pouco frustrada. E já sabia, já sentia que não havia lugar para ela, nem aqui nem em nenhum outro lugar do mundo. E às vezes ela cavalgava até a borda do penhasco, saliente, protuberante, do Monte da Lua, até a beira do próprio penhasco, e ficava ali parada, sobre a fronteira acima do abismo, olhando a amplidão vazia que a chamava a voar, como um pássaro angustiado, a se lançar da sua vida como uma seta disparada…

Pensei "7".

"Sete", eu disse.

"Tem certeza?", sussurrou Felix. "Pense bem, é o último número."

"Sete", eu disse.

Silêncio.

Em seguida ouvi o cursor de metal girando sobre o disco de números.

Ouviu-se um clique muito leve.

E a respiração pesada de Felix.

E a portinhola se movendo.

Abri os olhos. Felix estava parado, seu cabelo branco todo arrepiado de espanto. Na mão segurava uma fina caixinha de madeira. Decorada. Havia um bilhete grudado nela.

"Você conseguiu", disse num fio de voz. A minha boca estava seca. Estava mais cansado do que em toda a viagem. Só queria me enrolar e dormir, ali mesmo no chão. Só não viver.

"Você chamou sua mãe de dentro de você", disse Felix com voz trêmula de espanto, "foi o sangue de vocês que falou."

Estendeu a caixa para mim. No bilhete estava escrito, numa caligrafia jovem, clara e saltitante: "Para Nonico, presente de bar mitzvah. Com amor, mamãe".

"Devo abrir?", perguntei num sussurro.

"Não aqui. Não há tempo. Vamos sair. Fugir. Lá fora você abre."

Meti a caixinha no meu bolso de trás. No instante em que toquei nela a energia começou a voltar. Felix fechou o cofre, desta vez para sempre. Girei o disco de metal e fixei os cinco números secretos para trancá-lo. Um. Dois. Oito. Cinco. Sete.

"Que bobo que eu sou", eu disse quando terminei, "devia ter adivinhado logo que eram esses os números que ela ia escolher."

"Como?"

"É a data em que eu nasci. 12 de agosto de 57."

Ele murmurou: "Um, dois, e oito, e cinco e sete! Bravo!".
Ele olhou para mim e eu olhei para ele. Começamos a rir.
"Com isso você pode imaginar qual foi o dia mais importante da vida dela", disse, "lembre-se disso."
"Vamos embora", eu disse, "antes que alguém perceba que estamos aqui."
"Só um momento, Amnon. Felix promete. Felix cumpre."
Ele tirou da camisa a fina corrente de ouro. Pegou a espiga dourada e me entregou. Restou-lhe apenas a medalhinha de ouro em forma de coração. Sopesou a medalhinha, olhando a corrente vazia. "Pronto", tentou sorrir, mas sua cara estava triste, "acabaram as espigas de ouro."
Segurei a fina espiga. Prendi na minha corrente. Ao lado da cápsula de bala.
Saímos pela primeira porta de ferro da sala de cofres. E passamos também pela segunda. Ambos vimos — no mesmo instante — que algo lá fora não estava em ordem. Trocamos um rápido olhar: o guarda não estava junto à sua mesa. Felix ficou apreensivo. Encostou na parede. Seus olhos piscavam como olhos de um louco. Em volta dos seus lábios se formou uma linha fina e branca, feroz.
"Me pegaram", disse num cochicho, e seu rosto ficou cheio de raiva de si mesmo, por ter fracassado desse jeito. "*La-draku!* Como foram me pegar, malditos!"
Ele apertava seu corpo mais e mais entre a parede e a porta de ferro, como se quisesse penetrar na parede. Seus olhos reviravam. Gotas de suor surgiram na sua testa. Seu rosto foi tomado por uma terrível expressão de susto: medo de não poder se mexer, sumir, escapar.
Do lance de escadas surgiu um cano de revólver. Eu não tinha tempo a perder. Nem tempo de pensar. Tudo dependia da minha rapidez e do meu profissionalismo. Puxei o revólver, o

revólver da minha mãe. Saquei num só movimento. Aumentei o ângulo de abertura das minhas pernas, para dar estabilidade ao meu corpo. Firmei a mão direita com auxílio da esquerda. Ergui o revólver até a altura dos olhos. Completei todas essas ações em um só segundo. Sem pensar. Funcionei conforme o meu instinto e as minhas muitas horas de treinamento. "Não pensar. Agir!" Ele me ensinou. "Deixe os instintos conduzirem você! Solte-se!" Fechei o olho esquerdo. Firmei a pontaria um pouco acima do cano de revólver à minha frente.

O homem diante de mim teve o maior cuidado de não aparecer. Movia-se com grande cautela e lentidão, acompanhando a curva dos degraus que desciam em espiral. Pelo seu movimento firme e calculado eu sabia que estava diante de um profissional. Não tive medo. Senti como os milhares de horas de treinamento com meu pai me prepararam exatamente para este momento. Meu dedo estava no gatilho, pronto e preparado.

Em seguida surgiu a mão que segurava o revólver.

Grossa e bronzeada.

Depois a cara.

Uma cara grande. E um corpo robusto e atarracado. E a cabeça ligada ao corpo quase sem pescoço.

"Não se mova! Polícia! Glick, dois passos para a direita. Nono, jogue o revólver para mim." Meu pai parecia cansado, com a barba por fazer.

29. Vamos ver se ainda há milagres no mundo

E agora, o quê?

"Não pense! Aja" Quantas centenas de vezes ele me gritou isso? "Quem atira primeiro fica para contar a história aos seus netos!" Mas aqui, o neto sou eu. "Deixe o instinto agir!" A que instinto exatamente ele se referia ao gritar essa frase em todos esses anos? O instinto de profissional ou o instinto de filho? E quanto ao instinto de neto, que quer proteger seu avô?

(Protegê-lo de seu pai.)

Que situação!

"Nono, solte a arma", repetiu meu pai, em voz muito baixa e tensa.

Seu revólver tremia. O meu também. Desenhávamos círculos vacilantes um sobre o corpo do outro. De repente o olhar de meu pai se firmou e os olhos quase saíram das órbitas.

Ele viu qual era o revólver que eu tinha na mão.

Um revólver de mulher, com coronha decorada. O revólver dela.

Que uma vez já o tinha atingido. Mudando toda a sua vida.

Vi como a lembrança ia se agigantando nele, chegando do passado distante. Numa fração de segundo, estava de novo diante dela, na fábrica de chocolate... esquecido por um momento de mim. Ele não me via mais: seu revólver se movia diante do revólver dela. Nesse momento, só os dois existiam. E eu também não conseguia controlar os movimentos do revólver na minha mão: dois revólveres dançavam um diante do outro, uma dança de serpentes se desafiando, atração e repulsão.

"Solte logo a arma, que inferno!"

Gritou as palavras com desespero, com angústia.

Não soltei.

Até hoje, quando penso naquele momento, passo mal: à medida que vou ficando mais velho, penso menos em mim mesmo, e mais no meu pai. No que se passou no seu coração ao ver o filho apontando uma arma para ele. Como se os anos que esteve comigo, e se preocupou comigo, e investiu em mim, tivessem sido apagados num piscar de olhos pelo fato de eu segurar na mão a arma dela.

Como se ela o tivesse atingido uma segunda vez.

"Está tudo bem, papai", sussurrei, "não tenha medo. Não vou atirar."

"Baixe devagarzinho o cano da arma, não se afobe... agora deixe o revólver cair."

"Está bem." Baixei lentamente o cano.

Parei: "Mas diga, o que será do Felix?".

"Glick vai voltar para o lugar a que pertence. A cadeia."

"Não." Meu revólver voltou a se firmar. "Não. Não estou disposto a isso."

"Você... o quê?!"

Reconheci aquela sua expressão facial, e tive medo dela. A cara começou a ficar vermelha, os olhos foram ficando pequenos e maldosos, e entre eles foi se aprofundando e escurecendo o terrível ponto de exclamação, como uma vara ou um bastão batendo na minha cabeça.

"Eu não concordo. Deixe ele fugir."

"Nono, você está maluco! Solte imediatamente o revólver!"

"Não. Primeiro prometa que vai deixar ele fugir."

A cara dele inchou de raiva. "Ele sequestrou você, entendeu? Sequestrou!"

"Não, não foi sequestro", eu disse.

"Cale a boca!", ele enlouqueceu, "eu não lhe perguntei!"

"Se você não deixar ele fugir...", comecei, e um nevoeiro vermelho tomou conta da minha cabeça.

"E aí? O que você vai fazer?", rebateu meu pai com sarcasmo, furioso, o revólver se agitando na minha frente.

"Então eu... eu atiro!"

"Em quem?", os dois exclamaram numa só voz, meu pai e Felix.

"Atiro em... nele! No Felix!", de repente me ocorreu a resposta.

Um silêncio se fez. Eu também tentava compreender a mim mesmo.

"Não entendo", disse meu pai, "você vai atirar nele? Ele é seu avô!"

"Não me importa! Não me importa mais nada! Nem ele nem você! Parem de me deixar louco, vocês dois! Deixa ele sair, ou eu atiro nele!"

O nevoeiro foi ficando mais denso. As confusões dos últimos dias me atormentavam. Eu atiro nele. Atiro em mim mesmo. Atiro no meu pai e nele e em mim. Vai ser uma carnificina geral, um começo de genocídio. Vou me suicidar e depois fugir. Vou lutar por bem ou por mal. Vou viver além do bem e do mal!

Gaguejei, cuspindo fragmentos de frases. Chutei a parede, agarrei a maçaneta da porta de ferro. Herr Vulcán Feierberg está em erupção! Além disso, também queria que meu pai visse como é quando eu de repente explodo. Que entendesse como sou perigoso na minha raiva.

Não sei quanto tempo passei daquele jeito, mas de uma coisa tenho certeza: desde aquela vez, desde que transformei aquilo numa encenação, nunca mais consegui me soltar totalmente, de coração, sem empecilhos. (Será que foi a isto que Lola se referiu quando disse "A pessoa que passa a vida inteira usando das suas emoções para fazer com que os outros sintam, se emocionem, corre o risco de perder seus próprios sentimentos"?)

"Espera aí!", gritou meu pai do outro lado do meu olhar teatral de ira, "por que você está dizendo que não foi sequestro?"

Sua voz estava menos segura de si. Será que a encenação deu certo?

"É a pura verdade!", respondi batendo os pés, ainda que de forma menos veemente, como que dando uma abertura para negociações: "Eu cheguei a ele pela minha própria vontade! Ele não me sequestrou!".

"O que significa isso?! Explique!"

"Tudo começou com um erro", expliquei, "entrei na cabine errada do trem, no jogo que vocês prepararam."

Ele me escutou, e sua cara azedou: "E o que fazia ele no trem?", e quando disse "ele", seu revólver desenhou um círculo inteiro em volta de Felix.

Felix, que até então estava recurvado, como que surpreendido no meio de um movimento de fuga, endireitou um pouco seu corpo, relaxou um pouco a tensão, passou a mão pelo cabelo e sorriu ternamente para o meu pai:

"Qual o problema, senhor pai? Queria só olhar o menino. O que há, ele não é meu neto, talvez?"

E ao vê-lo sorrir assim, apontando para mim com um gesto largo, como se mostrasse orgulhosamente para alguém alguma

405

criação especial, fiquei zonzo, pois senti como Felix tinha conseguido, em dois dias e meio, me transformar daquele jeito, me afastar tanto do meu pai. E talvez tenha sido esta, no fundo, a sua grande vingança contra meu pai.

Não consegui me mexer de tão estarrecido. Pois se aquilo era verdade, ele tinha preparado para mim uma coisa extremamente diabólica e cruel, ele tinha me usado contra o meu pai... E, por outro lado, eu sabia que, se ele não tivesse me sequestrado, eu nunca teria ouvido a minha história, e a história de Zohara, e não teria ganhado o presente dela; e por um terceiro lado, senti que mesmo que ele tivesse começado tudo aquilo como uma vingança contra meu pai, no final tinha feito tudo por mim, para mim, como parceiro, ou amigo. E, acima de tudo, como avô.

Meu pai grunhiu, bateu a mão com toda a força contra a parede, e gritou para Felix: "Nono não é nada seu! Você nunca mais vai vê-lo, nem chegar perto dele! Nem você, nem aquela velha lá em cima fazendo encenações melodramáticas no chão!".

"Mas Lola é minha avó!", gritei, ofendido.

Bem devagar, meu pai foi se virando para mim, como um boi ferido: "Então você já sabe, hein? Eles já te contaram tudo, esses dois".

"Sim, tudo tudo. E também sobre a mamãe. E sobre você. Não se preocupe. Para mim, não muda nada."

"Isso não é bom...", resmungou meu pai. Seu revólver foi baixando aos poucos, junto com a cabeça. "Eu não queria que você soubesse. Você ainda é muito novo para isso."

Toda a raiva o abandonou na hora. Ele se sentou nos degraus, a arma espremida entre os joelhos. Só então, finalmente, pude vê-lo como queria ver. Tentar ler na sua face toda sua história, da forma como me foi contada nos últimos dias. Segurou a cabeça entre as mãos olhando para a frente. Eu busquei na sua expressão o jovem rapaz que bagunçava Jerusalém, e que subiu no guindaste à noite, e que quase se afogou na piscina mais doce de todas, o homem que visitava Zohara na prisão dia após dia, e que construiu para ela um castelo no Monte da Lua, meu pai, que me fez nascer com suas próprias mãos e cortou meu cordão umbilical.

Mas não encontrei.

Meu pai já estava outra vez de cara fechada e lacrada. Cara de um homem que aperta os lábios incessantemente, para que as memórias não arrebentem de dentro dele como uma onda gigantesca. E aparentemente conseguiu: fato é que não arrebentaram. Nem antes, nem agora. Quando eu era mais novo podia sentir as memórias dentro dele, borbulhando como água fervendo. Agora eu quase não as sinto. Ele conseguiu mesmo. Totalmente. É uma pena.

Sim, vi apenas a cara de policial, a cara profissional. A cara que ele se obrigou a mostrar durante os doze anos que se passaram desde que Zohara partiu, punindo e castigando a si mesmo por amar uma criminosa e por ter se rendido à viagem que ela sugeriu, a viagem para fora da lei dos homens comuns. O homem que, com frustração e sem concessões, recusou-se a perdoar a si mesmo pelo seu grande erro, ou pelo que julgava ser seu grande erro. E, como já sabemos, ele não perdoa quem erra. Assim, como punição a si mesmo, evitou tudo que pudesse lhe trazer alguma alegria, ou alívio para seu sofrimento, ou tranquilidade.

Prisioneiro de si mesmo, de sua natureza rígida.

"Eu realmente pretendia te contar tudo, Nono", disse com pesar, "mas estava esperando você crescer mais um pouco. Achei que você ainda não era adulto o bastante, nem... vivido o bastante, para ouvir todas essas confusões e problemas. Agora você já sabe. É uma pena."

"Sim. E eu estou bem. Não me aconteceu nada."
Aconteceu muita coisa, mas não era o momento de preocupá-lo com detalhes.
"Ele tratou você bem? Não machucou você?"
"Felix foi cem por cento, pai." E vocês são muito parecidos, acrescentei no meu íntimo.
Meu pai olhou nos olhos de Felix. Felix retribuiu o olhar. Um mergulhou nos olhos do outro por um longo instante. Mesmo sendo muito jovem, pude compreender o que se passou nesse prolongado olhar. Pois entre ambos não havia apenas ira, mas também um destino comum especial de dois homens que amaram muito uma mesma mulher.
"Então o que faremos agora?", meu pai perguntou. "A polícia está atrás de vocês pelo país inteiro...", ele suspirou, mas tive a impressão de que estava falando um pouco demais de propósito: "Eu vim para cá sozinho, pois supus que o seu objetivo final...", e lançou um olhar para Felix: "era pegar o presente que Zohara deixou para Nono..."
"Você está sozinho aqui?", um lampejo de interesse brilhou nos olhos de Felix. E rapidamente ele passou a língua pelo lábio inferior.
"Estou sozinho", disse meu pai, respondendo com um olhar vago. "Por quê, você tem alguma sugestão?"
"Deus me livre. Quem é Felix para sugerir alguma coisa para senhor pai? Foi só uma ideia, só isso."
"Vamos escutar."
"Pensei, quem sabe fazemos assim: eu de repente, digamos, tiro um revólver, entende?"
"Digamos que sim", disse meu pai.
"Ponho a arma na cabeça de Amnon e digo: se o senhor pai não me deixar sair eu atiro, certo?"
"Digamos que sim."

"E então, que alternativa o senhor pai tem? E assim eu fujo."

Silêncio. Aqueles dois se entendiam sem muitas palavras.

"Quer dizer...", meu pai deu um sorriso largo, "que você me vence? Você sabe qual será a interpretação dos jornais? E da polícia?"

"O que te importa a polícia?", perguntou Felix com outro sorriso largo. "Não precisa mais pensar em polícia. Já capturou Felix. Esta já é segunda vez que pegou Felix, e não há outro policial no mundo que pegou Felix metade disso. Pense."

"Mas se eu deixar você fugir... quem vai saber que peguei você agora?"

"Você vai saber", e Felix fez uma expressão compenetrada, "e seu Amnon vai saber. Isto é o mais importante, não é?"

Meu pai meneou a cabeça. Mas sempre foi rápido nas decisões.

"Não tem jeito", suspirou, "qualquer outra solução vai machucar todos nós. Especialmente o garoto. Amarre-nos."

Ele se levantou, enfiou o revólver no coldre e tirou o cinto das calças. Felix e eu o seguimos com olhar de tensão. Eu ainda estava segurando meu revólver, porque e se de repente ele resolve se jogar em cima de mim? Papai parou no meio da escada. Notou nosso olhar. Meu revólver acompanhando seus movimentos. Ficou parado, e deu um profundo suspiro.

"Ah, Nono", disparou com um início de sorriso amargo, "você está fazendo exatamente tudo o que um profissional precisa fazer numa situação como esta, e eu não sei por que isso está me deixando tão deprimido agora."

Então eu soube que ele não tentaria nenhuma surpresa, e meti a arma no bolso.

Papai entortou a boca num meio sorriso e disse a Felix: "No fim, aquilo que a gente ensina a eles, eles usam contra nós, não é?". E Felix fez que sim.

Meu pai veio e se pôs na minha frente. Alto, suado, barba por fazer. Tipicamente IRCONEDES. Por três dias não nos vimos. Eu queria pular em cima dele e gritar de alegria que tudo terminou bem. E nem sequer nos apertamos as mãos. Talvez fosse melhor assim. Como entre homens adultos. Felix pediu que entrássemos na salinha do cofre, e nos sentássemos um de costas para o outro. Ele nos prendeu com força, cantarolando enquanto fazia o serviço, a mesma linha de expressão sobressaindo em torno dos lábios, como toda vez que ele amarra ou prende alguém. Acabou de prender o cinto nas minhas costas, de modo que eu não pudesse desatá-lo, mas ouvi muito bem meu pai fazendo-lhe um sinal para não amarrar forte demais. "Não machuque o garoto", ele disse.

Depois Felix tirou do bolso do meu pai as algemas, e prendeu a mão de meu pai na minha. Quando ouvi o estalo das algemas no pulso do meu pai, lembrei do prisioneiro fictício que esteve comigo no trem, e como ele acabou virando guarda do policial. Foi uma viagem estranha, não dá para negar.

Com o rabo do olho vi Felix se inclinando para meu pai. "Ela era uma mulher muito especial, Zohara", disse, "eu sei que você amou ela de verdade. Mas basta. Precisa esquecer os mortos. A vida continua para você nesse meio-tempo, e você tem um bom filho. Um filho precisa de mãe. Escute de mim, senhor Feierberg: este velho aqui conheceu muitas mulheres na vida — mas nenhuma como senhora Gabi. Ela é mulher muito sábia. Pense coisas boas sobre ela. Peço perdão por me meter em assuntos particulares. Obrigado e adeus."

Senti a respiração profunda do meu pai nas minhas costas. Achei que ele estava prestes a explodir. Depois Felix deu a volta no embrulho que tinha acabado de amarrar, veio para o meu lado, curvou-se diante de mim e sorriu. Começou dando seu conhecido sorriso, o sorriso hipnótico, colorido de azul. Mas se interrompeu imediatamente, apagou esse sorriso do rosto e aí deu um sorriso diferente, pequeno, de coração.

"Tivemos bons momentos juntos, não é?"

Fiz que sim com a cabeça.

"Você é um garoto que não existe igual. Ao mesmo tempo criminoso e homem de bem. Uma salada! Agora, depois de ver você, Felix não precisa de mais nada no mundo. Agora já sei: alguma coisa de Felix fica neste mundo, apesar de tudo." Coçou o nariz. Seus olhos azuis ficaram um pouco vermelhos na parte de baixo. "Bem, basta. Preciso ir. Assuntos urgentes. Talvez vejo você de novo algum dia. Talvez não. Talvez uma dia você anda na rua, e algum vovô folgado chega perto para dizer olá. Tudo pode acontecer neste nosso mundo. Mais importante é que você conheceu Felix, e que Felix conheceu você." Esticou a mão e tocou delicadamente na espiga dourada pendurada na minha corrente, como para se despedir dela também. "E também, mais importante, é que eu sei que Lola vai cuidar de você para, Deus me livre, você não ser Felix demais. Só um pouquinho assim, para você lembrar que nossa vida não é só leis e regras. Vida também precisa ser lugar para sua própria lei!" Ele se aproximou e, de repente, sem eu estar preparado, me deu um beijo na testa.

"Lembra bem, Nono: nossa vida é só um breve instante de luz entre uma escuridão e outra. Você viu melhor que muita gente a luz de Felix passando pelo mundo."

Um raio azul, e lá se foi ele.

Ficamos sentados em silêncio. Eu e meu pai. Costas contra costas.

E a partir de onde devo recomeçar agora?

Senti a respiração dele atrás de mim.

Nas minhas costas. Nas costas dele. Nas minhas.

"E a Gabi?", me atrevi a perguntar.

Silêncio seguido de suspiro: "Esperando em casa".

"Ela… vai embora?"

Ouvi como ele esfregou o rosto contra o ombro.

"Ela me deu um ultimato. A Gabi. Até domingo eu preciso decidir."

Como imaginei. Eu sabia. Sabia de tudo.

Ficamos calados.

Depois papai disse nervoso: "O revólver ainda está com você?".

Cutuquei o bolso com o cotovelo. Senti apenas a echarpe lilás dobrada. Fora isso — nada. Felix me surrupiou a arma quando me beijou! Comecei a rir, um riso sufocado, mas me contive em respeito aos sentimentos do meu pai, a quem eu estava extremamente ligado nesse momento.

E de repente, ele:

"Você se dá conta de que daqui a dois dias é o seu bar mitzvah?"

E aí já não consegui mais me conter. A gargalhada explodiu de dentro de mim como um trovão. Papai ficou sentado em silêncio. Suas costas grandes e tensas, imóveis. Ri com a barriga, com as juntas das pernas, ri para a frente, ri para trás… Aí senti que ele se moveu um pouco, cutucando minhas costas, tentando a todo custo interromper aquilo, até que de súbito também explodiu numa gargalhada sonora que me fez ondular de um lado para o outro como se eu estivesse num barco, ou como uma geladeira dançando valsa, e assim, pode-se dizer, pela primeira vez na minha vida eu o fiz rir. A primeira, a última e a única: ao todo, três vezes.

E ele tinha uma risada… como de cavalo!

"Incrível como tudo se complicou", disse por fim, quando nos acalmamos.

"Senti saudades", eu disse rápido.

"Eu também", respondeu meu pai, e mais do que isso eu não precisava.

Depois de alguns momentos consegui falar de novo: "Eu saí no jornal".

"Só isso? O país inteiro está correndo atrás de você. E no fim você me conta que nem foi sequestro!"

"Porque não foi mesmo."

"Ainda vão me punir por causa de toda a confusão que armei. Não faz mal. Mais uma reprimenda na minha ficha pessoal não vai fazer a menor diferença."

Silenciei. Eu já tinha resolvido por ele a questão do trabalho na polícia. Pensei que nem me importava que fossem ou não ao meu bar mitzvah. Quem precisa dos presentes deles, juro que já ganhei mais que o suficiente.

"Que venha mais essa reprimenda", ele disse de súbito, os músculos das costas ficando tensos, a ponto de eu me curvar um pouco, sem ar: "Já faz doze anos que estão me punindo! Doze anos que praticamente não tive promoção. Me dão apenas casos humilhantes para investigar. O que mais podem me fazer?".

Do lado de fora ouvimos uma unha arranhando a porta. Saltos, correria e vozes em tom de comando.

"Eles estão aí", disse meu pai nervoso, "instruí o Ettinger a chegar às nove zero zero. Não contei para quê. Agora vai ser uma festa para ele." Depois acrescentou mais uma frase surpreendente: "Espero que seu avô já tenha conseguido fugir deles".

Nessa noite saímos para jantar num restaurante, Gabi, papai e eu. E foi a refeição mais feliz da minha vida, apesar de ser obrigado a reconhecer que a comida no restaurante em que comi com Felix era um pouco mais especial. Enquanto devorávamos os pratos contei-lhes tudo, ou quase tudo. Aliás, no fundo, contei bem pouco, pois assim que comecei a falar me dei conta de que o principal eu não podia contar, pois o principal não dava para entender totalmente. Era vago, e também sem lógica. Me senti como alguém que acorda de um sono e conta com entusiasmo um sonho que teve, e à medida que vai falando o sonho vai se apagando até sumir.

Mas uma coisa permanecia sólida e viva: de dentro do sonho alguém tinha me mandado um presente, que agora estava sobre o meu joelho, na minha mão, imóvel. E desde então está comigo a vida toda. Pena eu não ter ouvido musical e não poder tocar de verdade essa flauta de madeira, a flauta comum de madeira que Zohara me enviou. Mas sempre que algo está especialmente mal e eu me sinto sozinho, eu me sento na janela do meu quarto, pés pendurados, sopro no bocal e ouço os sons junto ao meu ouvido.

Depois, passamos a falar do futuro do meu pai na polícia, e ficou claro que ele já não tinha futuro nenhum lá.

"Amanhã de manhã eu apresento a minha demissão. Veja, ahm... Gabi, quero começar uma vida nova."

Gabi ficou vermelha, olhando fixo para a toalha da mesa. De repente entendi uma coisa: que ele sempre diz "ahm, Gabi" não para deixá-la zangada, absolutamente não é isso, é que ele dá uma paradinha antes do nome para se certificar de que, Deus o livre, não vai dizer um nome diferente, um outro nome que sempre está na sua boca.

"Cometi um erro ficando tanto tempo na polícia depois do acontecido com Zohara", prosseguiu, e eu vi que tinha acertado em cheio nesse palpite, e também gostei de ouvir o nome dela, livre e claro, na boca dele.

"A vida de verdade estava o tempo todo ao meu lado, e eu não via. Eu me enterrei fundo no trabalho, e perdi anos preciosos."

Escutei de queixo caído. Fazia anos que eu não o ouvia falar desse jeito. Como se Gabi tivesse preparado o discurso para ele. Gabi, aliás, ficou calada quase a noite toda. Como se esperasse para ouvir a decisão dele.

"Estes últimos dias me ensinaram algumas coisas sobre o que é realmente importante para mim, quem é importante para mim, e qual é a vida que eu realmente quero, que serve para mim. E queria aproveitar esta noite para começar a mudança."

Ele procurou alguma coisa no bolso da jaqueta, e tirou uma caixinha. Quadrada. Como as caixinhas que nos filmes os viúvos tiram quando querem sugerir algo especial para a governanta dos seus filhos.

"Um momento, papai!", gritei, "não me estrague as coisas!"

Rapidamente tirei do bolso a echarpe lilás, já toda amarrotada, e fui puxando e puxando, como o lenço que um mágico tira da cartola, e na verdade eu era um mágico, e estendi a echarpe sobre a mesa, lilás e transparente, e esperei que ela se assentasse, e aí, com uma tranquilidade fingida, coloquei em cima dela, bem no centro, a espiga de ouro.

"Isso é seu", disse para Gabi, "tudo o que fiz foi por você."

Ela cobriu o rosto vermelho com as duas mãos, e as lágrimas começaram a correr.

"Não chore!", cochichei no seu ouvido, "você vai estragar tudo!"

"Deixa ela chorar", murmurou meu pai, "são lágrimas de alegria."

Parece que entre os dois algumas coisas também mudaram enquanto estive fora.

Gabi afagou a echarpe feita de seda transparente lilás e segurou na palma da mão a espiga de ouro. "Agora eu tenho tudo", ela disse. "Tudo que é preciso para fazer um pedido. Agora vamos ver se ainda há milagres no mundo."

Mordeu seu lábio inferior, que tremia muito, e olhou corajosamente para o meu pai. Fechou os olhos com toda a força, e fez seu pedido sem falar. Só os lábios se moviam.

E enquanto seus olhos ainda estavam fechados, papai abriu

a caixinha, e pôs sobre a mesa, diante dela, um anel belo e cintilante, e até mesmo um pouco espalhafatoso. Os clientes das mesas vizinhas pararam de comer e observaram. "O que você acha, ahm... Gabi, se não estiver ocupada demais na semana que vem, talvez tope se casar comigo." Meu pai, quem diria, encabulado. Ele realmente sabia pedir a mão de maneira bonita.

"Um anel", Gabi murmurou atordoada. "Um brilhante... não precisava..."

Com as mãos trêmulas tentou enfiar o anel no dedo, empurrou e forçou e gemeu, e sorriu para meu pai um sorriso de desculpas, e passou para outro dedo, e ali também não entrou, e tentou mais um, mais fino, e meu pai pigarreou e lançou olhares para as mesas vizinhas, até que por fim, com muito esforço, ela conseguiu, e nunca mais vai conseguir tirá-lo de novo. Meu pai deu um sorriso forçado e disse: "Isso é porque basta você estalar os dedos...".

Ela olhou para mim, e para ele, e começou a rir. Era um riso calmo, novo, um riso longo, misterioso, como se arrastasse pela garganta uma piada particular, secreta, e momentaneamente passou por mim uma ideia estranha, surpreendente, totalmente estarrecedora, de que talvez na história do meu sequestro Gabi tenha desempenhado uma função um pouco maior do que eu supunha, talvez não tenha agido sozinha, talvez tenha tido um parceiro, secreto, meio malandro, mutante, alguém que junto com ela, com movimentos ágeis... não... não... qual é... não pode ser!

Eu a fitei com espanto e curiosidade: sim ou não? Mas seu olhar permaneceu fechado para mim, nunca vou saber a resposta dessa pergunta, e desde então eu a deixei no rol das perguntas que eu curto sem fazer questão de saber a resposta. Pois é verdade que conhecimento é poder, mas o mistério tem uma doçura especial.

Em seguida Gabi virou todo seu rosto para meu pai, com radiante felicidade. E no momento em que ela se virou para ele, pude ver como a beleza interior finalmente saía e se manifestava também no exterior, e ela disse em alto e bom som: "Estou pronta, Iacov. Caso com você".

E olhou com enorme orgulho, orgulho de menina, para todos os presentes no restaurante, seu sorriso resplandecente de orelha a orelha, sorrindo para todos e para meu pai, e com voz macia e afetuosa ela lhe disse: "Oh, Iacov...".

E se levantou e enlaçou seu pescoço. Os garçons e os clientes observavam sem um pingo de vergonha. Eu, como sempre, não sabia onde me meter. Primeiro Felix e Lola, e agora papai e Gabi. Parece que eu tenho algo que faz com que mulheres e homens fiquem caídos uns pelos outros.

Olhei para baixo, olhei para cima. Pensei que "Iacov" é um bom nome para um detetive. "Iacov" significa "aquele que segue". Pensei em lhes dizer que de agora em diante só deveriam me chamar de Nonico, isso porque não me sobrava mais nada para pensar. Gabi, banhada em lágrimas, procurou minha mão por trás das costas de meu pai e apertou-a com gratidão. Aí ergueu sua própria mão no ar e escreveu uma mensagem secreta para mim:

ENFIM!

ESTA OBRA FOI COMPOSTA PELO GRUPO DE CRIAÇÃO EM ELECTRA E
IMPRESSA PELA RR DONNELLEY EM OFSETE SOBRE PAPEL PÓLEN SOFT
DA SUZANO PAPEL E CELULOSE PARA A EDITORA SCHWARCZ
EM ABRIL DE 2014